LOS 80 SON NUESTROS

Ana Diosdado

LOS 80 SON NUESTROS

Ana Diosdado

el páramo

Primera edición
Enero 2010

© Ana Diosdado, 1986
© Fotografía de la autora: La autora

© Editorial El Páramo 2010
C/ Moriscos, 1. 14001 Córdoba
Tlfno. 957498604
www.editorialelparamo.com

Dirección ejecutiva: Ricardo y Manuel González Mestre
Dirección editorial: Antonio de Egipto Suárez Chacón
Dirección de arte: José Vicente Romero Molina

ISBN 978-84-92904-00-6
Depósito legal: CO 18-2010

Diseño, maquetación e impresión: puntoreklamo

Impreso en España

A Guillermo García de Polavieja,
a Emilio Sampietro,
a Narciso Alejandro Ibáñez
a quienes saqué de pila, y que aún serán
hombres jóvenes, cuando yo ya no esté.
A Daniel Diosdado, por esas mismas razones, y tantas más.

«Ser joven es poder levantarse y romper
las cadenas de una civilización periclitada»

THOMAS MANN

1

Treinta y uno de diciembre de 1986.

El muchacho aparca su «R-5» rojo en plena plaza del pueblo, frente al Ayuntamiento, se baja, lo cierra, y mira en torno antes de echar a andar. El frío es intenso pero, por alguna razón, le resulta agradable. Quizá porque la mezcla de aromas en el aire invernal de la sierra le proporciona encontrados sentimientos de nostalgia y de horror, y si bien la nostalgia es algo dulce, que puede, quizás, entroncar con el futuro y, quizás, encerrar la promesa de un divertido y, quizá, trascendental regalo de Pascuas, el horror, en cambio, ha quedado atrás, en el recuerdo. El horror, no el miedo. El miedo sigue ahí, latente. Es demasiado grande, abarca demasiadas cosas para que desaparezca.

El muchacho avanza a buen paso, cuesta arriba, reconociendo el aspecto de las casas, segundas casas de gente acomodada, con mejor o peor gusto, cerradas ahora en su mayoría. Al cruzar la plaza, ha reconocido las tiendas, más allá, reconoce las numerosas y pequeñas fuentes de piedra gris, a un lado y a otro de la carretera y, poco después, aunque habría querido desviarse antes, pinar a través, para no ver, no volver a ver, la encrucijada donde un año atrás yaciera, ensangrentado, deshecho, aquel pobre cuerpo humano inmolado a quién sabe qué dios iracundo y arbitrario, se da cuenta de que una especie de morbo, o de reverencia tal vez, lo ha llevado hasta allí, lo ha detenido allí unos instantes, a contemplar con sorpresa que la hierba, cubierta de escarcha, no muestra la huella aplastada de cuerpo alguno, que aquella misma gran piedra lisa, azulada, teñida de musgos, no conserva manchas de sangre, y se le muestra lavada de muchas lluvias, como limpia de culpa.

Él no se siente lavado de culpa. En aquel mismo lugar, un año atrás, fue asesinado un hombre, un pobre chico, y aunque él ahora se sienta exultante de vida y de esperanza, encarando con nerviosa expectación de luchador el desconocido futuro, no se siente, no, no podrá sentirse nunca, lavado de culpa.

Da la espalda a aquel lugar que fuera un lugar concreto, preciso, y que ahora no es más que un espacio cualquiera entre la carretera y el monte, y se dirige por el primer camino hacia la antigua, señorial, respetadísima finca de Alvar.

Está apartada del pueblo, arriba, arriba, y en el silencio y la soledad de la mañana helada y gris, parece más que nunca de otra época.

Empuja la verja sin temor, convencido, quién sabe por qué, de que no hay nadie. Sube las escaleras medio derruidas, atraviesa el oscuro jardín, y acaba por encontrar la pesada puerta de madera del garaje. Está cerrada. Bien. Su peregrinación ha terminado. Puede volverse, deshacer lo andado, recuperar su coche y emprender el regreso. Ha cumplido la prometida visita a los Santos Lugares, y realmente ya no tiene nada que hacer allí. Pero algo le obliga a insistir y empujar la puerta y descubrir que, efectivamente, parece que lo está, pero no está cerrada, que se hunde con un chirrido lento hacia una espesa oscuridad. No total, según puede advertir segundos más tarde. El débil resplandor rojizo de un brasero eléctrico, en un rincón apartado, le revela que la promesa ha sido cumplida por ambas partes. Y en seguida oye la voz, que empieza a hablar un poco ronca, como tras haber guardado silencio muchas horas.

—... Has venido.

—Tú también.

—Yo también, sí.

Aunque parezca mentira, un año atrás, en aquel oscuro, frío y húmedo recinto, se celebraba una luminosa fiesta juvenil.

2

Serán entre nueve y media y diez de la mañana, pero ni en el jardín hay nadie, ni de la casona, al fondo, viene sonido alguno que delate vida. De siempre, los Alvar se levantan tarde, son gente bien, que se levanta tarde. Gente delicada, indolente, exquisita.

Cris abre la verja, que chirría un poco, atraviesa el pinar, y se aventura por el camino de la piscina, hacia el garaje.

La piscina de los Alvar es más bien una alberca, un pilón. Muy grande y muy honda, pero sin paredes de gresite, ni forma de riñón, ni escalerillas plateadas. Fue la primera piscina del pueblo, cuando algunas de las actuales familias no soñaban siquiera con tener algún chalé por allí. Se levanta del suelo, fea y con solera, mazacotona, con sus bordes de ladrillo rojo y sus paredes de cemento, pintadas cada verano de color agua marina. En aquella época del año, tiene el agua de un verde oscuro, turbio, y las hojas podridas nadan alrededor del tablero que se echa a flotar, para que la helada no le resquebraje las paredes. Es hermosa.

Todo es hermoso allí. Hermoso, descuidado y antiguo.

«Aquel abeto azul, lo plantó mi abuelo el día en que nació mi padre —cuenta Rafa—, tienen la misma edad». Y los demás chicos miran al abeto azul con el respeto que inspira la alcurnia.

Al pasar, tratando de que ni siquiera crujan las hojas bajo sus pies, Cris echa una ojeada a las contraventanas cerradas de la habitación de Juan Gabriel. Todos los Alvar tienen nombres así, nombres de libro: Ramiro, Gonzalo, Jimena, María del Coro, Juan Gabriel... Bueno, Rafa menos, aunque se llama Jose Rafael, en realidad. También a Juan Gabriel le suelen llamar Juan, entre amigos. Juan... De qué manera obsesiva, salvaje, dulce, maravillosa, insoportable, se siente Cris envuelta en aquel amor. Porque aquello sí que es el amor, el de verdad. Un amor de mujer, que admira, quiere y desea a un hombre. Porque a veces lo desea hasta sentir dolor en cada una de las articulaciones de su cuerpo. Porque a veces cae en idioteces que sólo un amor muy profundo pueden justificar. Por ejemplo, daría años de su vida por robarle las gafas. Aquellas gafas frágiles, redondas, de alambre de oro. Como una joya rara, exótica. Como un instrumento bello y desconocido. Como un antifaz sagrado que le confiriese un carácter inasequible, mágico, dolorosamente aislante. Igual que la máscara de plata de los gráciles marcianos de Bradbury. Daría cualquier cosa por poseerlas, tenerlas entre sus manos, recorrer suavemente con las yemas de los dedos las finísimas varillas. Fetichismo, por supuesto. Cris tiene un aire entre infantil y despistado, pero es inteligente. La rama baja de un álamo blanco engancha uno de los rulos de plástico que aprisionan su cabello, fuerte y rojo. Ella blasfema por lo bajo. Le cuesta desenredarse, volverse a poner el rulo y la horquilla. No piensa quitarse aquello hasta la noche, hasta que se arregle para la fiesta. Está hecha un cristo, pero el que algo quiere...

Cris proviene de una familia de clase media. Es hija de un comerciante y sobrina de un funcionario, que poseen chalés gemelos en la calle de abajo. Hace diez años que veranea en aquel pueblo, que pasa allí muchos fines de semana, y las vacaciones de Semana Santa y las de Navidad. Desde hace un año, ama a Juan Gabriel Alvar. Ella tiene dieciséis, dos o tres kilos de más, y un inmenso deseo de vivir. Cuenta para ello con su belleza pelirroja y con su aguda inteligencia. De momento, la una sólo le ha servido para que le den un susto, y la otra para ir aprobando el bachillerato. Pero confía seriamente en ambas para el futuro.

Lo que los Alvar llaman «el garaje», nadie sabe por qué, ya que los coches se aparcan en otro recinto, es un inmenso galpón donde, en tiempos, cuando la finca era una finca y no una parcela —matiz—, había servido para guardar aperos de labranza, que andan por allí, arrinconados, como reliquias de museo. También, apiladas, han ido quedando viejas ruedas de automóvil, que los chicos suelen desapilar para sentarse.

Con ellas se ha fabricado Jose, la noche anterior, una especie de trinchera contra el frío. Protegido por un grueso esquijama, sobre el que se ha puesto su mejor chándal de piel de melocotón azul marino, ha intentado dormir. Ahora, despierto desde hace un buen rato, sigue apoltronado en su refugio, y escucha música a través de los pequeños auriculares que le aíslan del mundo: Scarlatti. Un coñazo, pero los Alvar se las gastan así, y más vale chuparse aquella cinta, que no oír ninguna. No hay caso de poner el tocadiscos y descubrir su intrusión. Además, para eso habría que moverse. El aparato emisor, pequeño y perfecto —adorables miniaturistas japoneses—, descansa sobre su pecho como los atributos reales de Tutankhamón.

«Si Jose fuera un animal, ¿qué animal sería...? ¡Un oso...! ¡No, una pantera, una pantera...! Si fuera un arma, ¿qué arma sería...? ¡Un "Express-Magnum" del 400...! ¿Si fuera un instrumento musical...? ¡Una batería!».

Jose tiene dieciocho años rebosantes de vitalidad, de agresividad contenida. Le dicen mucho eso de «una fuerza de la Naturaleza». Su atractivo radica precisamente en eso. Todos sus defectos también.

Le sobresalta ver que se va abriendo la vieja y pesada puerta de madera. Scarlatti le ha impedido oírlo, y permanece inmóvil, observando quién será el intruso, por una rendija entre rueda y rueda. Respira, con cierto alivio, al ver a su prima, embutida en el último pantalón vaquero, sabiamente envejecido con lejía, uno de esos pantalones vaqueros que Cris se empeña en ponerse, luchando contra la ley de penetración de los cuerpos, forcejeando, tirando, saltando por la habitación como en una carrera de sacos, y conteniendo la respiración hasta el momento triunfal de cerrarse la cremallera. Querida Cris, querida... Por cierto, se ha puesto un jersey suyo, aquel cárdigan que le costó un huevo en Londres. Ladrona, Cris, ladrona... ¿Qué es eso que lleva en la mano, un arma espacial, una cafetera...?

Jose hace un movimiento involuntario, y Cris, en la penumbra, se sobresalta.

—¿Juan...?

Corre a encender la luz y, soltando los paquetes que trae, se apodera de una enorme pala oxidada, a guisa de arma defensiva. Valiente Cris, valiente.

—¿Juan...? ¿Eres tú?

—No, pesada, no. No soy Juan —se resigna él, quitándose los auriculares y apagando la tecla de la droga—. ¿Qué coño haces aquí a estas horas?

Ella respira, aliviada, y vuelve a apoyar la pala en la pared.

—¿Y tú? ¿Qué haces ahí detrás...? ¡Venga, sal! ¿O no estás solo?

Jose emerge de entre el caucho, desentumeciéndose.

—Más solo que la una. ¡Joder, qué frío!

—Claro, ¿a quién se le ocurre...? ¿Qué haces aquí tan temprano?

Jose descubre que, efectivamente, lo que parecía un arma espacial, era una cafetera.

—¿Funciona?

—Sí, es de las de casa.

—Pues hazme un cafelito. Largo y con leche. Y ponme una copa.

—¿Y qué más? —se indigna Cris.

—Ya veré. ¡Venga, chata, que estoy *helao*!

Maternal, marimandona, Cris se arremanga para preparar el café. Querida Cris, querida...

—Un café, bueno. Y yo lo tomo contigo. Pero déjate de copas a estas horas que, últimamente, las coges mortales, guapo.

—Las cojo como quiero. No es asunto tuyo.

—Todavía no me has dicho qué hacías aquí.

Jose baja una botella de coñac de una estantería.

El garaje, que siempre sirvió a los chicos de «club» —ambigua y acogedora palabra—, ha sido ahora rudimentariamente habilitado para servir de discoteca. A guisa de mesas, un par de barriles pintados de rojo. Bombillas, rodeadas de tulipas de tela, estilo viejo Oeste, que cosieron las chicas. Un largo tablón, sobre dos borriquetas, que sirve de barra. Unas baldas de conglomerado, también pintadas, casi podría decirse que bañadas en pintura. Y, sobre ellas, botellas, vasos. Bajo un enorme y oxidado grifo, un improvisado fregadero: una bañera de bebé, adornada con calcomanías, a cuyo desagüe se ha conectado una larga goma, que repta hacia el jardín y sale por una gatera. En un rincón, una buena provisión de leña. En otro, un tocadiscos barato, y discos, amontonados junto a él, de cualquier manera. Una nevera portátil, grande, de «Cocacola». Y en la pared, inmenso, un árbol de Navidad, dibujado con tizas de colores, con sus velas y todos los adornos tradicionales. Debajo, en negro, una pintada: «¡LOS OCHENTA SON NUESTROS!».

Jose prueba el coñac y se relame.

—¿Quién te manda? —pregunta—. ¿Tus papas? ¿Mi mamá...? Porque mi papá, seguro que no ha sido.

—Pues le he visto. Al salir de casa. Estaba lavando el coche.

—¿Y te ha dicho que me busques?

—No me ha dicho nada... ¿Qué pasa? ¿Has tenido bronca otra vez?

—Di que no lo sabías, anda.

Cris le mira, inocente, abriendo mucho los ojos.

—Palabra que no. ¿Por eso estabas aquí...? ¿No habrás dormido ahí detrás?

—Sí. Y si no fuera por el frío, se está cojonudo.

Se bebe de un trago el resto del coñac, ante la indignación de su prima.

—¡Qué bestia eres, tío! Ni una más, ¿eh?

—Cris, no seas coñazo, ¿quieres? Tú, a lo tuyo... Por cierto, ¿no estaré estorbando?

Su sonrisa, que pretende ser maliciosa, saca de quicio a Cris.

—¿A quién?

—A lo mejor, has quedado aquí con alguien, y yo estoy de más.

—No empecemos, ¿eh? Que te pones muy pesao.

—¿Yo?

Cris mueve la cabeza, dolida, mientras abre el paquete de café recién molido, cuyo aroma impregna el garaje.

—¡Anda, que...! ¡En qué momento te diría yo nada! No se te puede hacer una confidencia.

—Una confidencia a medias. No me llegaste a decir hasta qué punto habíais llegado.

—¿Hasta qué punto habíamos llegado? —repite Cris, haciéndose la tonta.

—Sí, guapa, sí. Me parece que está muy claro.

—Y a mí me parece que no has entendido nada.

—¿Tienes un rollo con él, sí o no?

—¡Lo tengo yo sola! Él no sabe nada. Así que, como me vuelvas a gastar una bromita en público...

—¡Ya decía yo! —asiente Jose, con aire de entendido.

El comentario enciende a Cris, que se le revuelve como una gata. Como una gata siamesa, pelirroja, erizada y bufando.

—¿Decías tú, qué? ¿Qué decías tú? ¿Que voy de mema por la vida y me enamoro de tíos que no me hacen caso? Es asunto mío.

—¡Santa Lucía te conserve la vista!

—¡Oye! Llevas todas las vacaciones rondando a mi alrededor, con ganas de abrirme los ojos, ¿no? Pues no te tomes la molestia. Me da igual lo que pienses de Juan. Primero, porque es mentira. Y luego porque no es asunto mío. Si me hiciera caso, me podría preocupar, pero como no me lo hace, ¿qué más me da a mí que sea homosexual o que no lo sea?

Jose recibe con una carcajada la delicada y respetuosa palabra.

—¡Homosexual!

—¿No era eso lo que reventabas por decirme?

—Yo te habría dicho maricón, chata. Yo le llamo al pan, pan, y al vino, vino.

—¡Será hijoputa...! ¿Por qué te tienes que meter siempre con Juan? ¿Qué te ha hecho?

—¿A mí? —bromea Jose, amanerándose—. Nada, no me dejo.

—¡Qué hijoputa eres...! ¿Y por qué Juan, precisamente? ¿Por qué no Rafa? Son igual de superexquisitos los dos, ¿no?

—No.

—¡No, claro, Rafa es sagrado!

—Estamos discutiendo tonterías. Juan también es amigo mío.

19

De toda la vida. Y le quiero. Y me da igual que sea maricón. ¡Porque lo es! Eso, me juego lo que quieras... Pero lo tuyo es distinto. Vale que le anduvieras detrás cuando eras una cría. Como todas. Porque era el mayor, y porque se enamora de él todo cristo, yo no sé por qué coño..., pero ahora...

Cris abandona los avíos del café y se le vuelve, muy lenta, muy a la defensiva.

—¿Ahora, qué?

—Nada.

Ella se le acerca, creciéndose.

—Ahora, ¿qué?

Jose se aparta, incómodo.

—Después de lo que te hicieron —murmura—, no quiero que...

La gata le interrumpe y bufa, bufa, bufa, arqueando el lomo.

—¡YA ESTÁ BIEN DE LO QUE ME HICIERON, YA ESTÁ BIEN!

El estallido es tan violento, que los dos se quedan un momento mirándose en silencio, desconcertados. Por fin, Cris respira profundamente y va recuperando la calma, mientras sigue con lo del café y con un rezongueante rosario de indignadas lamentaciones. ¡Ya sabía ella por dónde iba la cosa, si le veía venir! Hasta allí la tenían con «¡lo que le hicieron!, ¡lo que le hicieron!». Se lo hicieron a ella, ¿no? A ella sólita. No es patrimonio de la familia, es asunto suyo. Suyo y de nadie más. Y ella ya lo ha superado, ¿no? Pues que lo superen los demás de una puñetera vez y le den carpetazo. ¡Tiene narices que ella se emperré en olvidarse de aquella historia y los demás no la dejen, tiene narices!

Jose la escucha con paciencia y cara de mártir, sabiéndose el rollo, mientras ella da golpes con todo lo que utiliza, como si fuera una máquina con más fuerza de la necesaria, embalándose cada vez más: ¡A su madre, cualquiera diría que le mataron la hija! Todavía se le llenan los ojos de lágrimas cuando se acuerda. Y su padre igual. Aprieta las mandíbulas, amenaza, suspira... ¡Joder, que la dejen en paz! ¡Que se imaginen que le quitaron el bolso y la dejen en paz! ¡Que la dejen en paz, en paz, en paz!

—¡Bueno, ya! —se harta Jose—. ¡Vale! ¿No te parece que estás sacando las cosas de quicio? Lo único que yo te he dicho...

Cris suelta violentamente el infiernillo que estaba a punto de enchufar, y se encara con él.

—Pero, ¿es que tú no sabes lo que pasó la otra noche?

Jose contiene la respiración, en guardia. Trata de estar natural. Ese viraje no lo esperaba.

—No, ¿qué noche?

—Cogieron a unos chicos, y los dejaron medio muertos a golpes. Uno está en la UVI, y el otro...

—Ah, sí... —interrumpe él, encogiéndose de hombros—. Dos yonkis que rondaban por el pueblo.

Cris le mira, asombrada.

—Lo dices como si no fueran personas.

—Seguro que andaban rondando para robar algún chalé.

—No andaban rondando nada. Venían buscando a un amigo.

—¿De madrugada?

—¿Y por qué no?

—Ya ves por qué no. Porque los muelen a patadas. Y hacen bien.

—No era de madrugada, eran las diez de la noche.

—Ahora, es de madrugada a las diez de la noche, ya no hay seguridad... Además, ¿no iban pidiendo guerra? Pues...

—¿Pidiendo guerra por qué?

Jose vuelve a encogerse de hombros.

—Iban hechos unos guarros, con pinta de piojosos...

De pronto se apodera de él una auténtica rabia. Ganas de gritar, de ordenar, de castigar.

—¡De piojosos de mierda! —repite furioso—. ¡Llenos de pelos, de barbas, y de collares! Uno iba fumando un porro. ¡Iba ciego! ¡Seguro que iban ciegos los dos! Por lo menos, eso es lo que me han dicho.

—¿Te lo han dicho? —se extraña Cris, provocona.

—¡Sí! ¡Me lo han dicho!

—¿Quién?

Jose repasa, en un instante, toda la escena de la noche anterior, la injusta, la espantosa escena.

—Mi padre. ¿Quién te lo ha dicho a ti?

En el pueblo lo sabe todo el mundo.

Cris se le acerca, asustada.

—Jose..., tú no tienes nada que ver con eso, ¿verdad?

—¿Yo? ¿Por qué voy a tener que ver?

—Porque ha sido por mí, seguro. ¿No te das cuenta? Lo han hecho por mí. Han visto a unos tíos con pinta rara, y han ido a por ellos como si fueran los mismos.

—Bueno, ¿y qué? Han hecho bien. Quien sea, ha hecho bien. Así aprenderán.

—¿Aprenderán a qué? ¿No ves que no pueden ser ellos? ¡Fue este verano, han pasado meses!

—Da igual. Tenían una facha parecida, ¿no? Serán parecidos.

Cris parece a punto de llorar. Se ha puesto colorada, su labio inferior cae, como el de una negrita ultrajada. Querida Cris, querida...

—Pero, ¿te estás oyendo? ¡Uno de esos chicos está muy grave!

—¿Uno sólo? Lástima no revienten los dos.

Ella se tapa los oídos, casi histérica, y le grita de nuevo.

—¡No te quiero oír hablar así!

Ya es demasiado. Demasiado para Jose-pantera. ¡Igual que su padre! ¡Otra gilipollas pacifista, a vuelta con los derechos humanos de los cojones! Por eso había sido la bronca de la noche anterior, por eso, por esos dos hijos de puta, precisamente. «¡No te quiero oír hablar así!». Pues, hala, ya lo han conseguido. No le van a oír hablar así. Ni así, ni de ninguna manera.

Otra vez dulce, otra vez asustada, Cris rodea con su mano regordeta la muñeca de su primo.

—No tienes nada que ver, ¿verdad, Jose?

—No. ¡Y lo siento! ¡Porque te juro que cada vez que se me ponga delante algún...!

—¡Por favor, no! ¡Venganzas por mí, no...! Y, además, ¿contra quién? ¿Contra todo el que lleve barba o el pelo largo? ¿Contra cualquiera que se ponga un collar? ¿Contra quién?

—¿Por qué no? Así limpiábamos un poco el panorama.

—¿De qué? ¿Lo limpiábamos de qué? —insiste Cris, agresiva.

—¡De rojos de mierda! —estalla él, sin poderlo evitar—. ¡De todos los rojos de mierda que se están cargando el país!

Curiosamente, Cris recobra de pronto la tranquilidad. Como si hubiera cumplido ya su objetivo y pudiera descansar.

—¿Como tu padre? —pregunta, suave.

Cogido en la trampa, Jose se mueve, nervioso, se sirve más coñac, esperando que ella le regañe. Pero ella no le regaña. A ella le importa un bledo que se beba toda la cosecha.

—Mi padre no es rojo...

Abel y Caín tiñendo con sus dos largas sombras toda la Edad Oscura, raza contra raza, religión contra religión, idea contra idea, cultura contra cultura, desprecio y odio hacia El Otro, a veces sin saber, y sin querer saber, sólo por eso, porque es El Otro, por miedo al Otro...

—Mi padre no es rojo...

... Los hijos de las tinieblas no pueden engendrar a los hijos de la luz, ¿qué cordura podría caber ya en este mundo...?

—Mi padre no es rojo...

Su padre no es rojo, su padre es imbécil, y le ha dado por jugar a... Está equivocado, eso es lo que le pasa, simplemente, que está equivocado.

Cuando Jose era un niño pequeño, doce o catorce años atrás, nadie planteaba en su familia problemas políticos de ninguna clase. Se contaban los chistes del momento, claro, se criticaba, unas cosas gustaban y otras, no, pero ¿qué más natural? Ellos eran gente decente, gente vulgar, gente normal, gente, que se levantaba por la mañana, iba al colegio, o al trabajo, o a la compra, y volvía a reunirse de nuevo en su casa apacible y vulgar, para seguir llevando su vida apacible y vulgar. Jose era feliz. Existía, se desarrollaba, en un mundo que no iba a cambiar jamás.

El primer toque de alarma le llegó una noche, de labios de su abuela, mientras cenaban —él ya medio dormido—y en el televisor se iban desgranando las noticias del día que daban informaciones optimistas sobre la salud de Franco. «Pues yo, sólo le pido a Dios que se muera este hombre después que yo, hijos. Ya sé que es un pensamiento muy egoísta, pero yo soy así. Aquí, cuando éste se muera, va a saltar la olla exprés, y yo, desde luego, no quiero verlo. Que lo cuiden, que lo conserven muchos años. Más vale lo malo conocido que...». Después, mientras a él lo llevaban al baño, a la cama, la conversación había girado exclusivamente en torno a si iba a estallar o no la famosa olla exprés al morirse Franco, y unos opinaban que sí, pero para bien, y otros opinaban que también, pero para peor. Y Jose conoció el miedo.

Aquella noche fue el punto de partida de muchas pesadillas de inseguridad, de peligros desconocidos, y por lo tanto más aterradores.

Primero no supo concretarlos en absoluto, luego decidió que tenía miedo de los rojos. Él no sabía muy bien quiénes eran los rojos. Le sonaba como los judíos o los moros, a quienes se había expulsado de España mucho, mucho tiempo atrás, gente indeseable que estropeaba la vida cotidiana, el cine, la bicicleta, los puestos de castañas, la Navidad, las vacaciones, gente mala que venía a molestar. Sabía que eran Otros.

Un día, cuando ya las noticias de Televisión no hablaban, sin hablar, más que de la muerte inminente de Franco, que ya no era «el Caudillo», ni «el Generalísimo», sino «el jefe del Estado» que «según el último parte médico...», Jose creyó morir de pánico al enterarse, viendo llorar a su madre, «lo único que te he pedido es que no te metieras en líos, ¿qué necesidad tienes tú de reuniones, ni de partidos, ni de plataformas, ni de nada? ¿No piensas en mí, no piensas en tu hijo?», de que su padre solía reunirse con los rojos.

Sus pesadillas se complicaron, su rechazo, su odio, también.

Y luego no había pasado nada, era verdad. Su padre ocupaba un pequeño buen cargo en su mismo Ministerio de siempre, su madre había dejado de llorar, y él había seguido yendo al colegio, y al cine, y de vacaciones. Pero en aquel punto de su infancia había decidido cuál era su bando, y se aferraba a él, sin informarse, sin importarle tener o no información, porque necesitaba bandos para vivir, y uno para refugiarse, para saber qué opinar, o comentar, o hacer, para poder meter en el saco de Los Otros todo lo vituperable, nocivo, peligroso, desechable de este mundo. Y porque adoraba a su padre, pero tenía la impresión de no ser correspondido, y nunca, nunca había leído a Freud. Que era un rojo.

—Mi padre no es rojo.

—¿A quién llamas tú rojo, entonces? —le interrumpe Cris—. ¿Quiénes son los rojos, quien te dé la gana a ti, a ver? ¿Hay rojos buenos y rojos malos, o no hay rojo bueno si no es rojo muerto, cómo es la cosa?

—Cris, no me calientes.

Pero ella sigue, como si hablara sola.

—¿Cómo se sabe cuánto son de rojos, y cuánto de culpables? ¿Cómo se les reconoce? ¿Llevan uniforme, colmillos, una marca en la frente? ¿Qué llevan?

—Cris...

—¿Son rojos los que te caigan a ti gordos, los que no se vistan como te gusta a ti...? —sigue ella, implacable.

—¿Ya te ha *estao* comiendo el coco mi padre?

—¡Deja ya a tu padre en paz!

—¡Y tú, deja de jugar a santa Bernadette! «¡Perdónalos, porque no saben lo que hacen!» —se burla—. ¡Si me violan, que me violen, todo sea por la paz! Pues, para mí, la paz es que no pasen esas cosas, ¿sabes, chata?

—No era santa Bernadette...

Cris puntualiza silabeando mucho, le dedica un ademán de rechazo que parece borrarlo del mapa, y sonríe, superior, mientras va a enchufar el infiernillo.

Jose aprieta los labios. Soporta mal que su prima sepa más que él, aproximadamente sobre cualquier cosa.

—... Era María Goretti. Y además, fue al revés.

—¡Y a mí qué coño me importa! Lo que me importa es que te puede volver a pasar. Y les puede pasar a otras. Eso, y los atracos a los Bancos y a las tiendas. Y los robos de los coches. Y los secuestros y los asesinatos. ¿Es que tú no lees los periódicos, o qué?

—¡Léelos tú también! ¡A ver si te enteras de que no sólo hay delincuentes con pinta de progres! ¡También hay niños de buena familia, abriéndole la cabeza al prójimo! ¡Y fanfarroneando por ahí con pistolas que han sacado sabe Dios de dónde!

—Habrá que tomar medidas, ¿no?

—¡Pero esas medidas, no, animal! Esas medidas nunca han servido para nada. La violencia...

Jose sonríe, al cabo de la calle, recogiendo la frase.

—... Engendra violencia. Sí, ya: Mi padre, seguro.

—¡Deja a tu padre en paz, qué obsesión!

—Eso es justo lo que voy a hacer, dejarle en paz. Y a ti, no te preocupes. Y a todos.

Se produce una pausa que los sume a los dos en un dolor melancólico. Cris en contra suya. Cris, su compañera de juegos, su confidente, casi su hermana.

Hay tantas cosas entre los dos, tanto golpe de teléfono... — «Mari Cristi, ayúdame con una leche de éstas de Historia del Arte que...» «Jose, ¿me haces el problema de mañana?» «Jose, si no vas tú, no me van a dejar ir a...» «Mari Cristi, me gusta una chica, ¿sabes quién...? Si tu le adelantaras...»—, tantos membrillos robados, en setiembre, en el huerto de Alipio, con los Alvar, con los otros, tantas ahogadillas, en aquella piscina entre catastrófica y romana —«¡Jose, eres un cafre!» «¡Cris, la dama de la media almendra, de la media almendra, de la media almendra...!»—, tantos pitillos, a escondidas, a la hora de la siesta, en el jardín de atrás, tanta bofetada, tanto arañazo de cachorro sano, sobrado de energías, tanto juego, tanta confidencia, tantas, tantas cosas...

Cris chasca la lengua, como para romper aquel silencio idiota, y busca cualquier cosa con que reanudar la conversación.

—Todo esto ha salido por lo de Juan. Pues te advierto... Jose la interrumpe, feliz, encantado de que ella haya encontrado el modo de volver a la relación normal.

—No he empezado yo, empezaste tú.

—¿Yo?

—Tú. Entraste llamándole. «Juaaaan...» —se burla, imitándola.

Cris se encoge de hombros.

—He entrado llamando a Juan, porque he oído ruido, y este garaje es suyo.

—También es de Rafa, y no has entrado llamando a Rafa.

Ella disimula una sonrisa. En el fondo, le gusta que su amor se note, se descubra, desborde la prudencia y la discreción.

—¡Porque me he cruzado con él por la carretera! —argumenta, sin borrar la sonrisa del todo.

—¡Anda, ya!

—Palabra.

—¿Con Rafa? ¿Dónde iba, a estas horas?

—Al pueblo. A por tabaco.

—¿Para el festejo de esta noche?

—¡Por cierto! ¡Si se me estaba olvidando lo más importante! Igual no hay festejo. ¿Sabes lo de Mari Ángeles?

Jose adopta una expresión de cansada superioridad, de viril hastío, de desprecio, en suma.

—No. ¿Qué le pasa ahora a esa enana-loca-gilipollas?

Cris se le encara, severa, muy segura de su efecto.

—Que se ha muerto su padre, le pasa.

El efecto es fulminante.

—No jodas.

—Para que lo pienses dos veces, antes de hablar mal de nadie.

Jose pasa mentalmente revista a las latas de muerte que le da Mari Ángeles —siguiéndole, llamándole por teléfono, mirándole con ojos de becerra enamorada, mientras él baila con las otras chicas—. Recuerda sus catorce años patosos, de morenita que será guapa algún día, dentro de mucho, desde luego. Y sus dientes separados detrás del corrector metálico. Y las tonterías que dice, la pobre, cuando quiere ser graciosa. Trata de enternecerse algo, o de sentir remordimientos por haberla calificado de loca gilipollas en tan triste circunstancia, pero encuentra en su interior muy poco eco a su buena intención.

—¿De qué ha sido? —pregunta para que, por lo menos, se le vea un interés—. Era un tío joven.

—¿Joven? No. Tu padre me ha dicho que tenía cuarenta años.

Cris tiene una idea muy delimitada, clara y definida de lo que es ser joven. Ella es joven.

—¿Mi padre? ¿No quedamos en que no habíais hablado de nada?

—De nada tuyo.

—Ya.

—Ni ya, ni nada. Me ha contado lo del padre de la enana, y nada más. A ti, ni te ha nombrado.

—Bueno, vale, lo que tú digas... ¿Y de qué se ha muerto? Un infarto, seguro. Ahora, cascan todos de un infarto.

—No. Se tragó un camión, en la M-30.

La muerte no les da miedo. La muerte es una idea lejana, aséptica. Ajena, en suma. Como una costumbre folklórica de otro país, casi de otro planeta.

—Baja un par de cazos de esos.

Pero Jose descuelga los cazos de metal, observándolos con desaprobación.

—¿Esto es lo que habéis comprado para el café?

—Sí, ¿qué pasa?

—A mí, pónmelo en un vaso.

—Ni hablar, que explotan, y tenemos muy pocos. Trae.

Jose esconde los cazos a su espalda, en actitud traviesa. El oso travieso. La pantera traviesa.

—En un vaso.

—¡En el cazo, o te quedas sin café!

—¿Ya estás mandando? Me lo vas a poner donde yo diga.

Jose deja caer los vasos sobre uno de los barriles-mesa, e intenta apoderarse de la cafetera. Cris acepta el juego, y empieza a sortearle y a defenderse.

—Tú te lo tomas donde todo el mundo.

Los cachorros suelen retozar, revolcarse por la hierba, jugando. A veces, incluso se mordisquean, se gruñen. Y, si son macho y hembra, hay un momento en que no saben... ¿Qué es aquello, qué pasa, qué extraña atracción sienten, física, instintiva, atávica...? Y se vuelven un punto más violentos...

—¡Dame!

—¡Que no!

—¡Dame!

—¡No me da la gana!

—¡Suelta!

—¡No!

—¡Cris, que no quiero hacerte daño!

—¡Suelta!

—¡Que me quemas, hijoputa!

... hasta que cualquier elemento inesperado llama su atención, los distrae de su lucha, y la olvidan, como si nunca hubiera existido.

—Pero ¿qué lenguaje soez y tabernario es ése? —les interrumpe una voz agradablemente modulada, intencionadamente pedante—. ¿Y tú qué le haces a la chica, hombre?

3

Rafael Alvar explota, a sus diecisiete años recién cumplidos, la no siempre ventajosa circunstancia de ser como el personaje de Saint-Exupéry. «¡Parece un príncipe!», le decían ya a su madre cuando lo llevaba en brazos, lleno de encajes, de volantes y de cintas de raso. «¡Parece un príncipe!», se oyó decir el día de su Primera Comunión, elegantemente vestido de Eton, «porque no iba el niño a hacer la Comunión vestido de uniforme blanco y charreteras, como van los horteras esos que ahora resulta que tienen que hacer la Comunión con uno, como si uno fuera uno cualquiera, no, no». «¡Parece un príncipe!», decían las asistentas de casa, cuando se ponía el bléiser para ir al colegio, y tanto le exterminaron el sistema nervioso con que parecía un príncipe, que un día amaneció republicano. Por supuesto en actitud pasiva, y a manera de pose. Para él no significaba más que una palabra un poco arcaica, un poco chocante, e informaba del asunto, casi siempre sin venir a cuento, dando por sentada, en sus interlocutores, la misma reacción de incredulidad que si manifestara ser un negro bantú. «¡Republicano...! Los Alvar no son republicanos, porque no, por tradición, por buen gusto, por muchas cosas. Y eso que ahora, ser monárquico tampoco es garantía de nada, pero en fin...».

Rafa es el más pequeño de los Alvar, el benjamín de la noble casa. Casa de notarios de pro, con dinero, con educación, con cultura, con álbumes de fotos y rosarios de la abuela. Así, en casa, de hijos de familia, ya sólo quedan Juan Gabriel y él mismo. Los otros, los mayores, están todos casados, «muy bien casados, gracias a Dios, menos el pobre Ramiro, que tuvo que ir a enamorarse de una progre, que no sólo tenía toda la pinta de ser ligerita de cascos, y cuando se tiene la pinta, ya se sabe, sino que le ha salido rana y un buen día, decidió que aquella familia la sofocaba, que el pobre Ramiro la anulaba, que ella tenía que liberarse y realizarse, y que se iba a divorciar, lo que efectivamente hizo, dejando divorciado al pobre Ramiro que, aunque la familia no se lo hacía pagar demasiado, porque, al fin y al cabo, no había sido voluntad de él, faltaría más, no había vuelto a levantar cabeza». Esa es otra de las excentricidades de Rafa, seguir tratándose con su ex cuñada, la que había echado semejante baldón sobre la vida y el nombre de su hermano, so color de que es «alguien con quien se puede uno comunicar». ¡Comunicar...! Cosas de chicos, claro.

Rafa lleva bien lo de ser una belleza, del mismo modo que lleva bien los trajes. Cuestión de raza. Raza un poco putrefacta, un poco decadente ya, pero raza. De lo que anda peor es de salud, pero es rubio, y tiene los ojos azules, como todos los Alvar, que son más celtas que san Brandan —eso dicen ellos, por lo menos— y mide uno ochenta, que no es moco de pavo. Allá donde va es el jefe, sin el menor esfuerzo, lo que agradece, porque mandar le gusta, aunque de tener que esforzarse no se tomaría la molestia.

Curiosamente sólo cae mal a los de fuera, a los que no le conocen, o no le tratan. Su gente —su familia, sus compañeros— le

32

quieren bien. A pesar de sus caprichos, de sus impertinencias, de aquella ironía, cuidadosamente elaborada, perfeccionada y defendida. Porque ése es el misterio en Rafa, que no habla en serio jamás, que no se entrega jamás, que, por eso, parece invulnerable, y uno sabe que no lo es, que no puede serlo, y que detrás de aquella mirada, desoladoramente sabia y vieja para ser la de un niño, hay un ser humano asustado. Valiente, pero asustado, como todos los seres humanos inteligentes.

Rafa es muy inteligente.

Aquella mañana fría de San Silvestre, ha madrugado mucho, lo que no es su costumbre. Se ha vestido un impecable pantalón de sport de pana de terciopelo, un suéter de auténtico cachemir, de cuello de cisne y sobre éste, otro —inglés, naturalmente— de escote en pico. Es azul zafiro y le hace juego con los ojos. Él no lo sabe, no repara en esas minucias; es un hecho incontestable, igual que tanto acierto inconsciente, palabra brillante, actitud estética y mirada oportuna, que le brotan así, sin buscarlos ni agradecerlos, como regalos de un hada madrina.

Tiene que hacer una gestión en el pueblo. Una gestión picante, cosquilleante, mucho más cosquilleante que el champán que resultará obligado tomar por la noche.

Carretera abajo, se cruza con Cris, que va para su casa con la cabeza llena de rulos y una cafetera en la mano. Le dice no sé qué del tabaco para quitársela de encima, y sigue su camino. Su camino excitante y lleno de interés. Lleno de una vivencia distinta. Lleno de algo, al fin. Está agradablemente nervioso, como un perdiguero antes de una cacería. La vida es tan aburrida, normalmente...

Como la gestión es trascendental, pero corta, vuelve a casa pronto y se encuentra a Cris y a Jose, en el garaje, en plena lucha libre. Cris, blasfemando, como de costumbre.

—Pero, ¿qué lenguaje soez y tabernario es ése? —dice, bromeando—. ¿Y tú qué le haces a la chica, hombre?

Cris consigue quitarse a su primo de encima de un empujón, pero se abrasa al derramarse el café por encima.

—¡Ay...! Di que sí, Rafa, defiéndeme.

—Tú llámame así, y te va a defender tu madre.

—¡Huy, por Dios, don Rafael, me olvidaba! No volverá a ocurrir.

—Así, así... ¿Qué hacéis aquí tan temprano los primitos?

—Pues eso —corrobora Cris—, los primitos. Por lo menos, yo. ¡Encima que le hago café, mira!

Jose ha vuelto a dejarse caer sobre las ruedas del automóvil, jadeante y divertido.

—No te desanimes y haz otro —consuela Rafa—, yo también quiero.

—Vale.

—Pero café, café, no sucedáneos, ¿eh?

—Café, café —garantiza Cris—. Que, por cierto, a ver a cuánto lo cobramos. Este verano, perdimos con la coña del bar.

—Nunca se habló de ganar dinero.

—¡Ni de perderlo, no te jode!

Al crudo vocablo, Rafa cierra los ojos, como si le dañaran los tímpanos.

—¡Por favor!

Cris se le revuelve, guerrera.

—¿Por favor, qué?

—Nada... —suspira Rafa, mártir—. ¿Sabéis lo del padre de Mari Ángeles?

Jose se incorpora para intervenir en la conversación.

—Me lo estaba contando ésta. ¿Cómo se ha enterado? Anoche estuvo aquí con todos, tan pancha.

—Por televisión. Lo dieron con las últimas noticias, «el popular cantautor Fulanito de Tal ha muerto hoy, en trágico accidente, cuando se dirigía a...», así. Que den un paso al frente los que tengan padre; tú, no.

—Joder... —se conduele Jose.

—Qué putada, ¿no? —corrobora Cris.

Rafa vuelve a cerrar los ojos, voluntariamente herida su sensibilidad por aquellas ordinarias expresiones.

—Cris... —suplica.

—¿Qué?

—... Nada.

—¿Y qué ha hecho la enana, se ha ido a Madrid?

—Sí, se ha ido al entierro. Lo enterraban esta mañana.

—¿Y la ex? —vuelve a preguntar Jose, curioso de cómo se solucionan algunas situaciones delicadas.

—La ex ha dicho que ella no pintaba nada. Y por un lado es verdad, claro.

—No pintaría nada como ex —se indigna Jose—, pero como madre de la enana, sí pintaba. Tampoco es normal que se lo tenga que tragar la pobre cría sola.

—¿Y ese paternalismo, de pronto? —se burla Rafa—. Creí que no la aguantabas.

—Y no la aguanto, pero es que esto de hoy es muy gordo.

—Y en Nochevieja —abunda Cris—, qué cabronada.

Rafa se vuelve hacia ella, santo impoluto a pecadora impenitente.

—Nena, ¿por qué eres tan basta?

—Y tú, ¿por qué eres tan cursi?

—Lo mío no tiene arreglo; lo tuyo, en cambio, sí.

—No hago daño a nadie.

—A mí. En los oídos.

—Pues tápatelos. Yo hablo como me parece.

—Como un carretero.

—Mejor.

—Borracho, además.

—Me da la gana.

—Pues no veas lo que pareces.

—¡No, y seguirá una hora! —se lamenta Cris—. ¡Hay que joderse con la manía que ha cogido!

Rafa tuerce el gesto, ofendido, lastimado.

—¡Por favor!

Jose les contempla divertido, y Rafa pide su colaboración.

—Llámala tú al orden. Como jefe de clan.

—¿Yo? Ya no soy de su clan, he roto mis naves.

Cris y Rafa cambian apenas una mirada antes de echarse a reír a la vez.

—¿Qué ha hecho con las naves? —pregunta ella, maligna.

—Ha quemado sus cadenas —informa Rafa, mientras la risa de Cris aumenta, incontrolable.

—¡Eso, a fuego lento!

Jose se encoge de hombros. No le importa que le tomen el pelo esos dos. No le importa mucho. Les quiere.

—Sois memos, coño.

—¡Ya sé, ya sé lo que ha hecho! —insiste Cris, sin dejar de reírse—. ¡Ha pasado el Rubicón!

Jose asiente, con paciencia.

—Vale, ¿qué más?

—¿Te has ido de casa, por un casual? —pregunta Rafa.

—Sí, culto, sí.

—¿Es broma?

—No.

Rafa se vuelve hacia Cris, como en espera de confirmación, pero ella hace ademán de desentenderse.

—A mí no me mires, yo no sé nada. He venido a traer la cafetera, y me lo he encontrado ahí detrás, rumiando su independencia.

—¿No habrás dormido ahí? —se asombra Rafa.

—Sí.

—Y, ya que te has refugiado en mis dominios, ¿por qué no has subido a casa?

—Porque le gusta echarle teatro al asunto —comenta Cris, demoledora.

—¡Porque no me gusta molestar! —se defiende el prófugo—. Y luego, por si mis padres empezaban a darle al teléfono.

—Tus padres ni siquiera saben que no has dormido en casa —sigue destruyendo ella—. Me juego lo que quieras.

—Mejor.

—¿Mejor? Te conozco como si te hubiera parido, tío. Lo que tú quieres es montar un número por todo lo alto, como siempre.

—¡Pon el café, anda! —paternaliza Jose—. ¡Pon el café, y no me saques de madre!

—Prima, no le saques de madre, tía —apostilla Rafa, con su mesianismo decantador del lenguaje.

—El café ya está puesto. Tú trae los cazos.

—Te he dicho que no.

Cris se vuelve a Rafa, en demanda de ayuda.

—¡Ahora no quiere usar los cazos para el café!

—¿Éstos? —se informa Rafa, estudiándolos con aprensión—. Ni yo. Yo no tomo café ahí, desde luego.

—¡Otro gilipollas!

—¿Lo ves? —triunfa Jose—. A don Rafael y a mí, el café, en vaso.

Pero don Rafael no está por la labor.

—¿Cómo en vaso? —se ofende—. Ni hablar. El café se toma en tazas.

—En el «Ritz» —puntualiza Cris, castiza.

—Y en mi casa.

—Esto no es tu casa, señorito de mierda. Este garaje lo arrendó la comunidad.

—¿Lo arrendó? —se asombra Rafa—. Pues yo no he visto todavía un duro de renta.

—Tu padre nos lo cedió.

—Mi padre ME lo cedió. A MÍ. No confundamos términos.

—Bueno, ¿y qué quieres? ¿Derecho de pernada?

—Una taza como Dios manda.

—Que sean dos —se apunta Jose, dedicándole una ojeada a la niña que asoma en ese momento por la puerta.

4

Morena, lenta, mayestática, y un tanto desgalichada, Laura se ha ido acercando al jardín de los Alvar hasta la puerta del garaje. Pero no por el pinar, no por el camino de la piscina, sino por el estrechuco de abajo, el que llaman «el camino de las cabras», aunque no quede ya, en puridad, más cabra que Laura, a quien le viene más cómodo cruzar la carretera por aquella zona, justo frente a su casa, saltar la tapia, y llegarse, solidaria y hierática, como de costumbre, al cuartel general. Laura tiene quince años agradecidos. Es flaca y tiene el pelo negro y crespo, como ahora se lleva, los ojos largos, al igual que las piernas, y la boca ancha, fuerte. Las raras veces en que sonríe, muestra unos dientes blanquísimos, grandes y cuadrados. De pequeña, es decir, un par de años atrás, sus amigos la llamaban Watusi. Ella acabó con la costumbre a guantazos, y ahora, la llaman de todo, pero muy pocas veces Laura. Rafa suele decirle que parece una gitana, lo cual no le disgusta. Juan Gabriel le comentó, una de las pocas veces en que se dignó confraternizar con ellos —Los Pelargones, como se llamaba, de siempre, a los que sucesivamente iban siendo la pandilla más joven—, que parecía una reina garamanta, y eso le gustó muchísimo. Suele mascar chicle, y llevar las manos en los bolsillos, como si fuera una actitud ante la vida. Habla lo justo, y no se estremece por nada.

Su padre es fontanero. Ahora sigue en el negocio, pero es rico, y hace ocho años que se construyó el chalé. Lo primero que les ofreció, a Laura y a sus tres hermanos más pequeños, fue una maravillosa piscina, casi olímpica, con cascada, depuradora, duchas, sombrillas de colores y hamacas de bambú, rodeado el conjunto por jugoso césped regado por aspersión. Ninguno de los cuatro se baña jamás en ella. Tienen otros predios a los que acuden a pedir asilo. Laura es adicta a la vetusta alberca de los Alvar, y a todo lo que entraña la militancia en su grupo. Por ejemplo, el último verano, se vistió de chulapona, el día de la Paloma, y fue al baile del club —el grande, el de verdad— de pareja con Rafa, que, con el pantalón negro, la chaquetilla estrecha, el pañuelo y la gorra, parecía un príncipe. Se llevaron el premio, y luego, lo celebraron todos en el club —en el suyo, en el pequeño, el del garaje— tomando churros y chinchón hasta las siete de la mañana. Hay fotos del evento. Como hay fotos de todos, en la piscina y en las fiestas del pueblo, corriendo delante de las vaquillas, y en el cumpleaños de la enana, que cae en verano, y da siempre una fiesta de puta madre, porque la pobre mujer se pasa la vida sobornándolos para mantener su frágil derecho a pertenecer a la pandilla. Laura, la gitana, habla fatal. Muy poco, y muy mal. El rosario de bestialidades que es capaz de ensartar, sin un pestañeo, sin descomponer lo más mínimo su plácida faz de *madonna* africana, sorprendería a un legionario.

Desde una ventana de su casa, que pilla en alto, le pareció ver a Cris acarreando cosas para la noche, y decidió ponerse cualquier cosa y bajar a echar una mano. Al fin y al cabo, trabajar por trabajar, prefiere hacerlo con su gente, que no en casa, donde su madre seguro que le endilga algún muermo de partir turrones, poner mesas, pelar uvas, sabe Dios... Y eso que aquella Nochevieja... Pero, bueno, ya dirán los otros qué se hace.

Cuando aparece por la puerta del garaje, están discutiendo no sé qué de los cazos. Al verla, Rafa le da la primera orden:

—Nena, vete a lo de Candi y compra unas tazas para el café.

Laura no se mueve más que para extender su mano morena, larga y huesuda, llena de anillos y sortijas de plata.

—Pasta —pide, lacónica.

Cris le dedica su habitual expresión maternalista, su habitual expresión de que son como niños, y le van a quitar la vida.

—No les hagas caso. En la caja no hay un duro, en el súper debemos dinero de este verano, y todavía está por pagar lo de esta noche.

—Por cierto, ¿qué víveres vamos a tener? —se interesa Rafa—. ¿Caviar «Beluga», y «Dom Perignon»?

—Sí. Y un poco de James Bond en vinagre.

—Champán catalán, y vas que te matas —le informa Laura.

—El vasquetematas me produce ardor.

—¿Por qué hay que hacer café? —pregunta la gitana, tras una mueca al seudochiste—. ¿Lo de Nochevieja no es el chocolate?

—¡Tiene razón Robert Mitchum! —aprueba Rafa—. ¿Cómo no habéis caído?

—¿El chocolate te lo tomarías en cazo? —quiere asegurarse Cris.

—Podría estudiarse. El chocolate es otra cosa.

—Laura —ordena, diligente, la pelirroja—, tráete dos libras de chocolate.

Laura vuelve a repetir el gesto de extender la mano.

—Pasta.

—¡Joder con la espiritual! —se queja Jose—. ¡Di otra cosa alguna vez!

A Rafa le da una especie de extraño ataque de locura, y se pone a hacer el macarra por el garaje, encogiéndose de hombros, torciendo la boca, y sacándose de los talones una extraña voz cascada:

—¡Y tú también, joder, y tú también! ¡Di otra cosa alguna vez! ¡Que no podéis decir dos palabras sin decir «joder», joder! ¡Y no hay quien lo aguante, joder!

Laura observa el extraño baile, sin dejar de mascar chicle, con su serena pasividad.

—¿Qué le pasa? —indaga.

Cris se encoge de hombros.

—¡No me pasa nada, joder! ¡Que me tenéis harto, joder! —insiste el macarra.

Súbitamente, se endereza, recobra su porte y su voz habituales, y la rana se convierte de nuevo en príncipe.

—Se me ocurre un juego —anuncia, incoherente.

—Pues guárdatelo para esta noche —decide Cris, poco interesada.

—Pero, ¿no decís que a lo mejor no hacemos nada? —recuerda Jose.

Laura cesa un segundo en su mascar. Así que ya saben. Los otros saben. Bueno. Bien. Mejor.

—¿Por qué? —pregunta de todos modos, para asegurarse—. ¿Por lo de Mari Ángeles, o por lo otro?

—¿Tú también sabías lo de Mari Ángeles?

—Lo sabe todo el pueblo. Mi santa madre quería, incluso, quitar el árbol de Navidad.

—¿Por...? —se extraña Jose.

—Ah, no sé... Dice que el padre de la enana era un amigo de toda la vida.

—¿Y qué?

A la madre de Laura, al padre de Laura, se les llena la boca al decir que un cantante famoso, que sale en las revistas, y al que han visto tres veces en diez años, es un amigo de toda la vida, pero resulta muy largo para que ella lo explique.

—A lo mejor piensa que el verde no es luto, yo qué sé, mi madre es muy rara.

—Pues como les dé a todos por solidarizarse, va a ser verdad que nos joden la noche —se preocupa Jose.

Rápido, Rafa posa una mano sobre el hombro de su amigo, y extiende la otra, pedigüeña, ante su nariz.

—Cinco duros —exige.

—¿Qué?

—Que me des cinco duros.

—Si deciden no celebrar nada —comenta Laura, mientras Jose se rasca los bolsillos del chándal, saca cinco duros y se los da a Rafa— nos podemos venir aquí antes. O sea, que no nos joden nada, al revés. Lo malo es lo de...

Pero tampoco ahora le es dado aludir al tema que de verdad le preocupa.

—Cinco duros —la interrumpe Rafa, bruscamente.

—¡Ay, *pesao*! ¿Para qué? ¿Qué pasa?

—Tú dame cinco duros.

Cris busca dinero en su saco.

—Ten. ¿Para qué son? ¿Qué quieres hacer?

Pero Rafa no quiere el dinero de Cris.

—No, tú no; ésta.

—¡Rafa, no empecemos con tonterías! —regaña Cris—. ¿Cuánto necesitas?

—Cinco duros.

—¡Pues ya tienes los de mi primo!

—Esos son otros. Ahora me tiene que dar los suyos ésta.

—¿Los míos de qué? —protesta Laura.

—Los tuyos, venga.

Por no discutir, Laura saca una moneda de cinco duros y se la da. Ella está pensando en otra cosa, está preocupada por otra cosa. Pero a Cris, en cambio, le interesa la cotización en Bolsa:

—¿Y para qué coño son, a ver?

Rafa se vuelve, rápido, a Cris.

—¡Cinco duros!

—¡Ya! —descubre Jose, sagaz—. Cinco duros cada vez que soltemos un taco, ¿no? Ni hablar. Yo no pienso.

—Esa es una gran verdad —admite Rafa—, pero no hace al caso. Cris, estoy esperando.

Mientras habla, busca a su alrededor un recipiente-hucha para la recaudación. No encuentra nada más apropiado que un cazo grande y colorado, madre de aquellos otros pequeños que tan poco le gustan.

—Por mí, te puedes sentar—le está diciendo Cris—. Me parece una gilipollez y...

—¡Diez duros! —multa Rafa, implacable.

—¿«Gilipollez» paga doble? —se extraña Jose.

—No. Es que debe los cinco de antes. Venga, ¿no tenemos deudas de este verano? ¿No queréis nutrir la caja del club? Pues a pagar impuestos.

—¿Y éste es el jueguecito que se te había ocurrido? —desprecia Laura—. Vaya una...

—...Necedad —corta Rafa, temiéndose lo peor—, estulticia, sandez...

Laura se saca un momento el chicle de la boca, y machaca:

—Gi-li-po-llez.

—¡Diez duros!

—No me da la gana.

Pero, inesperadamente, Jose se une con entusiasmo a la causa de Rafa, y exige a la rebelde:

—¡Diez duros! ¡Aprobado por unanimidad!

—¿A qué llamas tú unanimidad? —se escandaliza Cris.

—A lo que todo el mundo —resume Rafa, como siempre de vuelta de todo—. Diez duros cada una, venga.

Jose se apodera del cazo, y se lo va pasando a las chicas, como si fuera un cepillo de iglesia.

—¡Diez duros al bote! —pide, con voz de monaguillo—. ¡Diez duros al bote!

Cris y Laura terminan por ceder su óbolo al publicano, para que las deje en paz.

—¡Al final de la noche, nos hemos hecho ricos! —se entusiasma éste, haciendo saltar las monedas. Podremos...

—Podremos pagar lo que debemos —le interrumpe su prima—; si no, no juego.

—Bueno, habrá para todo. ¡Qué buena idea, joder!

—¡Cinco duros! —le reclaman inmediatamente los tres energúmenos.

—¡Hombre...!

—Ni hombre, ni nada —zanja Cris, apoderándose del cazo, y plantándoselo delante—. Cinco duros.

Jose vuelve a extraer, dificultosamente, una moneda, de los bolsillos de su chándal.

—¡Vamos a tener que andarnos con un *cuidao*...! —comenta, quejoso.

Rafa se queda, de pronto, mirando a Laura. Una frase de ella le ha seguido rondando, igual que un moscardón, y ahora acaba de cristalizar en su cerebro.

—¿Qué es eso que has dicho, de si era por lo de la enana o por lo otro? ¿Qué otro?

—Uno de esos tíos que brearon el otro día — le contesta, en tono displicente, como si el asunto no tuviera importancia—. Anda por el pueblo.

Un cierto aire helado, ajeno al climatológico, se extiende por el ambiente.

—¿No estaba en la UVI, muy malito? —ironiza Jose.

—El que no. Tiene un brazo roto, y la cara hecha un mapa.

Ella le vio, días atrás, al saltar la tapia, de regreso a casa. Estaba en la carretera, justo enfrente de la finca de Alvar. La miró. Sin más. Podría decirse que sin expresión. Pero no ha podido olvidar sus ojos. Ni que estaba allí, quieto, apoyado en la tapia de enfrente con su brazo escayolado. No le tuvo miedo. ¿Por qué iba a tenérselo? Su casa estaba justo ahí, con que diera un grito... Su madre estaría en la cocina, preparando la cena, a un paso. Además, entonces no sabía quién era. Luego, por la noche, su hermana pequeña, en la cama, le suministró información. Navajeros, paliza, uno había huido... Quizá, más de uno. Después había oído más comentarios. Coche que pasaba. Recogida. Denuncia. El tam-tam funcionaba.

—¿Y qué es eso de que anda por el pueblo? —quiere precisar Rafa, con aire más curioso que preocupado.

—¡Pues que anda por el pueblo! —repite ella, cargada de razón—. ¿No entiendes castellano?

—¿Y qué hace? ¿Pasearse?

—Tiene amigos aquí.

—¿Amigos? —Ahora Rafa parece incluso divertido—. ¿Qué clase de amigos?

—Oye, ¿quién es Robert Mitchum, tú o yo? —se cabrea Laura—. ¡Yo qué sé qué clase de amigos...! Serán de esos que alquilan un chalé viejo entre varios. Uno de esos chalés que están cerca del súper. Hay gente muy rara. Y huele a yerba a un kilómetro.

—¿Qué más natural que el campo huela a hierba? —bromea Rafa.

—¡Ésta está chalada! —descarta Jose—. Ha visto a un tío con el brazo roto, y ya se cree que es un yonki de aquéllos.

—Es él —sentencia Laura—. Lo saben en el cuartelillo. Y el cabo se lo ha dicho a tu padre.

El tam-tam funciona, funciona. Cris, que ha escuchado muy atenta, parece desmoronarse de pronto.

—¿Por qué al padre de éste? —pregunta, sin disimular cierta angustia.

Su primo la increpa, harto.

—¡Porque se conocen de toda la vida, y se habrán visto en el bar!

—Tu padre ha ido al cuartelillo a denunciar lo del robo del depurador —sigue informando Laura—, y por lo visto lo han estado hablando.

Jose se vuelve a Cris, triunfante, demostrativo.

—¿Lo ves?

Pero Cris ya está desasosegada, inquieta.

—Bueno. ¿Y a nosotros qué nos importa que ese chico esté aquí?

—Si viene en plan chulo... —desliza la gitana.

—Sí, hombre —se burla Jose—. Viene solo, y en plan chulo, ¿no? Con el brazo roto, solo, y en plan chulo. Es Supermán.

—O *Solo ante el peligro* —sugiere Rafa.

—¡Eso! —aprueba Jose—. ¡Esta, como es Robert Mitchum, quiere ver *Solo ante el peligro*!

—No era Robert Mitchum —puntualiza Rafa, como al desgaire, pensando en otra cosa.

—¿Que no?

—No.

Rafa esboza una sonrisa, como si empezase a imaginar algo realmente apetecible:

—Puede estar esperando a alguien...

Laura asiente despacio, como una sibila, sin dejar de mascar.

Cris sigue nerviosa.

—Bueno, ¿no decías que lo saben en el cuartelillo? —intenta tranquilizarse—. Ya estará la Guardia Civil pendiente.

—Es Nochevieja —deja caer Laura, como un gong.

—¡Y tú, la campana de Huesca! —estalla Jose—. ¿Qué puede pasar, eh? ¿Qué puede pasar?

Laura se encoge de hombros. El asunto ya está expuesto, ya pertenece a la asamblea. A partir de ahora, ella intentará manifestarse lo menos posible.

—Yo no digo que pueda pasar nada —se escabulle—. Yo sólo digo que, si a las familias les entra el susto, nos pueden jod..., estropear la noche. Eso es lo único que digo.

—Pero, ¿por qué? —insiste Cris, cada vez más nerviosa.

Rafa se ha dejado caer sobre el colchón de ruedas negras, y sueña, recreándose en sus delirios, transportándose, como un árabe que viera a las huríes.

—Supón que llegan dos coches con amigos del de la UVI... Con cadenas, con navajas, con botellas rotas...

—Sí, ya, con un misil de largo alcance —le interrumpe Jose—. Venga, Rafa, no me jod..., perturbes.

—Podría ser, ¿no? —sigue paladeando el otro.

—Pues claro que podría ser —vuelve a intervenir Laura, que no quiere que aquello se pierda en disquisiciones—. Tampoco es normal que se venga a pasar la Nochevieja precisamente a este pueblo.

—¡Si es que no será el mismo! —insiste Jose.

—Lo ha dicho el cabo.

—¡Aunque lo haya dicho el cabo —grita Cris, con un punto de histeria—, aunque sea el mismo, y aunque venga con tanques! A nosotros, ¿qué nos importa? ¿Le hemos hecho algo? ¿Alguno de nosotros le ha hecho algo? ¿Por qué tenemos que tener miedo?

Apoyada en la barra, y con sus enjoyadas manos en los bolsillos, Laura mueve la cabeza, como con lástima.

—Con lo lista que eres, a veces pareces tonta, Cris, guapa.

—¿Quién ha dicho que tengamos miedo? —finge indignarse Rafa, incorporándose.

—¿Por qué parezco yo tonta, a ver, por qué?

Laura suspira, cansada de antemano por el párrafo que va a soltar.

—Si ese fulano está esperando a una panda de macarras que viene a armar la de Dios, no van a ir escogiendo a quién le dan de host..., a quién lastiman y a quién no lastiman.

A Rafa le chifla lo de lastimar. Se pone en pie de un brinco y empieza a bailotear enérgicamente, quieras que no, con Laura-gitana.

—¡Nos van a lastimar vivos! ¡Nos van a lastimar vivos! ¡No entramos en el año! ¡No entramos en el año!

—No digas estupideces —corta ella, soltándose de un empujón.

—La fiesta es después de las doce —recuerda Jose—. Así que entraríamos igual.

Rafa le mira con pena.

—¿Qué doce?

—¿Cómo «qué doce»? ¡Las doce!

—Eso es sólo una convención. Distinta en cada lugar. Las doce de aquí no son las doce en Canarias. ¿Han conseguido convencerte de eso?

—Sí, ¿y qué?

—Pues que va por ahí. Para nosotros, no empezara el año hasta que brindemos por él, aquí, en el club. ¡Y a lo mejor, no empieza! —se entusiasma—. ¡A lo mejor, no nos dejan que empiece! ¡Un baño de sangre! ¡Dios de mi vida, qué gozada, un buen baño de sangre!

—Tú, tómatelo a... —empieza a decir Laura, y de pronto no sabe si seguir—. ¿Se puede decir o no?

—En la duda, abstente —predica Rafa.

—Bueno, pues a broma. Yo te digo que, como vengan en plan chulo...

Jose se harta de que le hagan sentirse preocupado por asunto tan baladí.

—¡Como vengan en plan chulo, se van a encontrar en la UVI, haciéndole compañía al otro!

—¡Un baño de sangre! ¡Un baño de sangre! —exalta Rafa, apoyado de espaldas contra la pared, y con los ojos cerrados—. ¡El primer año que no me aburro en Nochevieja!

—¡Cállate! —grita Cris.

—¡Ay, sí! —corrobora Laura—. ¿Te quieres callar, guapo?

Rafa se acerca, burlón, a hacerle una caricia en la mejilla.

—¡Jirafita! ¡No me digas que tú también tienes miedo!

—¿Miedo de qué? —pregunta entonces Juan Gabriel, con su tono de voz tranquilo, la mano apoyada en el marco de la puerta.

5

Juan Gabriel Alvar tiene veinte años, bastante miopía, un cierto encanto, y muy buena educación. Y aquella mañana, concretamente, un cansancio que parece ir más allá de lo humano.

Bien es verdad que él presenta, por lo general, ante la vida, una actitud de cansancio. Logostenia, la califica su padre con afable y no muy interesada sonrisa.

También hay que considerar el hecho de que, últimamente, duerme muy mal, y de que, varios días atrás, ha intentado suicidarse, lo cual lo deja a uno hecho una piltrafa, por mucha altura de miras con que se trate de asumir el hecho.

Se ha pasado casi toda la noche en blanco, fumando apaciblemente, echado sobre la cama. Solo. Porque, desde que sus hermanos mayores se han casado, tanto él como Rafa disfrutan de habitaciones individuales. No se ha movido más que para ir encendiendo los cigarrillos, uno tras otro. Se encontraba bien, disfrutando de una especie de melancolía absoluta, total, la de aquel que contempla, un poco desde lejos, cuanto sucede a su alrededor. Ahora todo estaba claro, por fin. Y concluso.

«Todo» había empezado con aquella confesión idiota de su novia. Bueno, no. A saber cuándo había empezado «todo». La confesión idiota de María había despertado su inquietud, sus sospechas, simplemente. Pero empezar...

—Juan, no sé cómo decírtelo... Es una canallada, lo sé, pero las cosas son así... Quería ser el mismo Miguel quien lo hablara contigo, pero yo le he dicho que no. Que yo primero, que yo... Ella, primero. Ella, para contarle que se había acostado con Miguel, la muy puta. Y él, tan inglés, tan ponderado, tan maravilloso, a decir que, por Dios, que no tenía la menor importancia. Lo importante era que ellos fueran felices, y que siguieran siendo amigos los tres. Como hasta entonces. El orden de factores no alteraba el producto. Y ella, a saltársele las lágrimas, y a decir que no había nadie como Juan. Que Juan era un señor.

Habían proyectado un viaje, los tres, en el «R-5» de Juan. En cuanto pasara la Nochevieja. Había que dedicarles las fiestas a las familias, ya se sabe. ¿Lo harían, de todas formas, o prefería Juan...? Juan prefería que lo hicieran, claro que sí, ¿por qué no? Todo igual que antes. Eso facilitaría las cosas, evitaría fantasmas. ¡Cómo era Juan! Sí, Juan era maravilloso.

El día en que había intentado suicidarse, había empezado por encerrarse en su cuarto, nervioso, para encender el primer cigarrillo.

Lo apagó en seguida, a medio fumar y encendió otro, inmediatamente después. No lo hizo inconscientemente, lo hizo a propósito. Era estúpido, pero lo hacía a propósito. Necesitaba ejecutar todos aquellos ritos fabricados para exteriorizar el nerviosismo. Por eso se había paseado de un lado a otro de su habitación, por eso se había sentado, apenas un segundo, sobre el borde de la cama, poniéndose en pie nuevamente, yendo a la ventana, para mirar afuera y no ver nada, volviendo después a sus paseos de lobo encerrado.

Nunca había experimentado antes aquella sensación de no estar a gusto en ninguna parte, de tener prisa sin conocer la causa, de notar, a cada momento, la propia respiración, como si no fuera ya una función instintiva, sino un esfuerzo que debiese hacer para seguir viviendo, ni aquella imposibilidad para ocuparse en cualquier cosa que fuera: abría un libro y no podía leer; se ponía a copiar unos apuntes y abandonaba el trabajo, apenas empezado; ponía discos y no podía esperar a que terminasen. Se sentía un poco loco y un poco enfermo, y no podía hacer nada, absolutamente nada, para remediarlo.

Trataba, por primera vez en su vida, de no pensar. Procuraba distraer su mente con cualquier banalidad, y, una vez allí, aferrarse a aquel estado de enfermo anestesiado, hasta que cualquier detalle volvía a abrir bruscamente una herida que aún no quería aceptar, pero que estaba ahí, palpitante, dentro suyo.

—Yo no valgo la pena de que te lleves un disgusto, Juan —había terminado María en aquella ocasión. María Modesta, María Magnánima—, de veras que no.

Como si él no lo supiera. Como si a él le importase un rábano María. Él tenía otras cosas en qué pensar, otras cosas en qué NO pensar, mejor dicho. Cosas que intentaba no ver, no saber, no aceptar, no aceptar, no aceptar.

Cuando Miguel y él habían vuelto a verse después del cambio de pareja, Juan le miraba como de lejos, con respeto, con miedo, con aprensión. Como si no lo reconociese... Aunque, en realidad, era a sí mismo a quien no reconocía.

Había sido en casa de Miguel, en aquel piso de la calle Almagro, donde habían estudiado juntos, tantas noches. Se había presentado sin avisar, muy temprano. La familia Alvar se había instalado ya en la sierra para pasar las fiestas y Juan había tenido que bajar la carretera de La Corana a cien por hora para pillar a su amigo en casa. No quería llamarle por teléfono, quería presentarse así, de improviso. Y cuando al fin estuvo frente a la importante y pesada puerta de la casa, se encontró mejor, más tranquilo.

Lo acompañaron en seguida al cuarto de Miguel.

—Aún no se ha levantado —le informó una de sus hermanas dejándole solo en el vestíbulo, camino del cuarto—, pero no le digas que te he abierto yo o se pondrá como una bestia conmigo. Se pone hecho una bestia cuando le despiertan.

Era difícil imaginar a Miguel «hecho una bestia», porque su amigo era como él. No llegaba nunca a perder la compostura, por muy furioso que estuviese. Producto de un serio plan de educación y disciplina, sin duda alguna, porque estaba claro que toda aquella contención no casaba con su verdadera forma de ser. Desde el primer día, Juan Gabriel había adivinado, tras la apariencia reposada y cortés de su amigo, un carácter violento y extraño, una especie de fiera, domesticada a medias, que, de vez en cuando, podía dar un estallido para gastar energía sobrante. Un carácter sumamente atractivo, no había ni que decirlo. Miguel solía conquistar a la gente con facilidad. Cuando estaba a punto de perder los estribos, era todo un espectáculo. Los ojos le empezaban a brillar de una manera anormal, sus movimientos se hacían rígidos, rápidos, casi mecánicos, Su voz adquiría un tono tajante, sin perder, sin embargo, un cierto matiz suave, amenazador. A Juan le encantaba verlo así, vivo.

—¿Sí? —le contestó, con voz apagada, cuando llamó a su puerta.

Juan abrió y se asomó. Estaba todo a oscuras, y la luz que entraba por el pasillo no era suficiente para ver nada.

—¿Miguel...? —aventuró, antes de arriesgarse.

—Entra... Espera, no verás.

Encendió la lamparita de su cabecera, y se cubrió los ojos con el brazo. Juan entró y cerró la puerta.

—Te he despertado —se disculpó, un poco incongruente.

—No estaba dormido... Abre un poco la persiana.

Juan fue a abrir tres o cuatro rendijas, y Miguel, sin descubrir los ojos, volvió a apagar la luz de la cabecera, y se dejó caer de nuevo sobre dos o tres almohadas muy blancas.

Juan volvió a quedarse callado. No encontraba ninguna frase de introducción. Por hacer algo, miró en torno, distraídamente. Le gustaba aquella habitación, grande, decorada con gracia. Tenía el techo abuhardillado, y una ventana muy larga, que daba a la calle Almagro. Había muchos almohadones, de varias formas y colores, tirados por todas partes, y una pared completamente cubierta por estanterías de libros. Libros que intercambiaban, que compartían. También había una columna de sonido, discos, cassettes. Y cacharros extraños; un teléfono de principios de siglo, una plancha oxidada, del XVII, varios frascos de boticario, llaves, un farol de hierro forjado, una gran cruz de madera, un montón de aparejos de fotografía...

Cuando volvió, al fin, la mirada hacia su amigo, comprendió, no sin sobresalto, la sensación angustiosa que le había provocado poco tiempo atrás, la contemplación de un cuadro, angustia que en su momento no había entendido. Era el *San Juan* de Caravaggio. Aquel san Juan lleno de sol, iluminando la sala oscura de la catedral de Toledo. Ahora lo tenía delante. Ahí estaba, desnudo, como en el cuadro, entre la blanca sábana arrugada. La misma belleza. La misma belleza increíble, qué pedazo de hijo de puta. Hasta la sonrisa. Aquella expresión en la media luz, la media sonrisa de un martirizado, de un santo en pleno éxtasis. El san Juan de Caravaggio, el adolescente de la catedral de Toledo. Misterioso. La vaga sonrisa de los labios, de los ojos...

Para que la ilusión fuera total, sólo faltaba el sol. Pero no tardó en filtrarse por las rendijas de la persiana. Un tenue, dorado haz de luz que baña un sector del lecho, incendiándolo. Un dorado haz de luz sobre la blanca sábana, sobre la piel dorada, sobre los rizos negros, brillantes, casi azules, como en el cuadro.

—Bueno, ¿tomamos café o empezamos ya? —le estaba proponiendo él, ajeno a todo.

Juan Gabriel se encogió vagamente de hombros, y se quedó inmóvil en su butaca, mirándole. Su amigo iba a empezar a hablar. De algo importante. Por lo general, era muy reservado. Sólo en determinadas circunstancias era capaz de hablar de sí mismo, de sus pensamientos, durante horas, atropelladamente, a veces sin aparente ilación incluso. Cuando esto ocurría, Juan fingía un aire distraído, para no asustarle, como cuando se tiene miedo de que un pájaro eche a volar de pronto. Le escuchaba con los cinco sentidos en vilo, casi dolorosamente atento al menor ademán que esbozaran sus manos. A veces, era agotador. —Muy bien. Pues lárgalo de una vez. Te escucho... El otro día estabas muy generoso y muy galante con María. Todo estaba muy bien, tú no querías perder dos amigos por el mero hecho de... Pero ahora te lo has pensado y vienes a mandarme a la mierda, ¿no es eso? Bueno, pues, venga. Mándame a la mierda. Pero antes, si me quieres creer me crees, y si no, no. María es de mi aire. Ella no quiere enrollarse en serio con nadie. Y tú te lo estabas tomando demasiado en serio. Novia formal y chorradas de ésas. Lo mío no es eso, yo no le importo gran cosa, ni ella a mí, pero... Bueno, de alguna manera, sí. Lo que quiero decir... ¿Me estás escuchando, por lo menos?

—¿Qué?

Ah, sí, le estaba oyendo. Hablaba de María. ¿A quién le importaba María? Él estaba pensando en otra cosa. En otra imagen, como una secuencia de película, que ahora adquiría entidad en su recuerdo.

Les estaban pasando unas diapositivas de botánica. El adjunto había pedido ayuda para manejar el proyector mientras él explicaba, y había salido Miguel, que estaba cerca. La imagen proyectada era un poco confusa, y la voz del profe un poco aburrida. Habían visto flores, plantas, y de pronto... —Lo que están viendo ahora es una droserácea... El adjunto señalaba con un puntero la diapositiva de una planta de tallo corto, de cuyo corazón surgían unas florecillas blanquecinas.

—... Se trata de las llamadas plantas carnívoras. Esos hilos de ahí, sobre las hojas, son en realidad unas glándulas que segregan una sustancia rica en pepsina, que ataca a los albuminoides. El pobre insecto que cometa la imprudencia de acercarse a una de ellas, está perdido, irremisiblemente: la planta lo absorberá por un fenómeno de asimilación que aún no se ha podido estudiar en detalle.

Ni se podría, jamás. La verdadera causa, no. ¿Se puede estudiar lo intangible...? No. Fenómenos de asimilación. Eso eran también los sentimientos, fenómenos de asimilación. Plantas carnívoras.

—... Esta especie que estamos viendo ahora es la *Rossera rotundifolia*, que se encuentra en Europa Meridional. Los alquimistas acostumbraban emplearla en sus prácticas supersticiosas. Ellos le dieron el hermoso nombre de *Ros solis*, el rocío del sol.

Miguel, de pie en la penumbra rojiza, como ante el resplandor de una hoguera, parecía el sacerdote de alguna religión desconocida. O tal vez, de una religión futura, alucinante, despiadada. *Ros solis*. Incluso la proyección de aquella fotografía formaba parte del rito: la sombra fantasmagórica de una planta que estaba en alguna parte de Europa Meridional, o que tal vez ni siquiera existiera ya, renacía sobre la pantalla, coloreada en virtud de la luz, para recordarles que no era sino un símbolo, y que él, el sacerdote a quien representaba, estaba ahí, junto a la hoguera. La hoguera. Miguel y el fuego eran como dos ideas surgidas de la misma mente, y que hubieran tomado diferente forma. En la Edad Media, le habrían quemado vivo, pensó Juan entonces. Y se estremeció, como ante una posibilidad infinitamente deseable.

—Que si me estás escuchando.

—... Sí, claro. Venía a hablarte de eso, pero... No como crees tú. No me importa lo de María, quería decírtelo yo. Personalmente. Me alegro de que ande contigo... Yo no estaba enamorado de ella, en realidad... Lo que no quiero es que esto vaya a cambiar nada entre nosotros... entre tú y yo.

—Ah. Pues... Bueno, menos mal, me he pasado tres días hecho una mierda —suspiró Miguel, aliviadísimo.

Y volvió a sonreír.

En ese momento les entraron una bandeja con el desayuno, y lo tomaron juntos, hablando del viaje que proyectaban para pocos días después.

Juan tenía la sensación de estar flotando.

Hasta ese momento, su vida había sido apacible, introvertida, y no demasiado interesante. Era el sexto de siete hermanos, y cuando había venido al mundo, sus padres eran ya mayores. Le habían recibido con sorpresa, aceptado con afecto, pero sin mucho interés. Igual que a su hermano Rafa, el último de la serie. Sólo que Rafa tenía mala salud, y había llamado más la atención.

Juan había sido educado y silencioso, como el ambiente en que vivía. Había leído mucho, pensado mucho, adquirido una falsa madurez interior, que no encajaba con su falta de experiencia. Durante la escuela primaria, durante el bachillerato, la sociedad de los demás muchachos de su edad, le pareció agradable, sin estridencias. Tenía una indudable personalidad, una especie de encanto decadente y un modo desinteresado y justo de ver las cosas, que habían hecho que le escogieran siempre como líder obligado, como portavoz de la clase para presentar protestas, o pedir disculpas. Se requería su opinión para zanjar cualquier diferencia, para tomar cualquier decisión, para organizar cualquier cosa. Era evidente que le respetaban y apreciaban de veras, pero desde lejos, como si él perteneciese a una raza intelectualmente superior, a la que los otros no pudiesen comprender. Tenía buenos compañeros, y quería mucho a alguno de sus hermanos. Esencialmente a Rafa, al que le unía una relación lejana, pero profunda. En resumidas cuentas, estaba solo. Su único contacto con sus semejantes se había efectuado a través de su familia, y de sus compañeros de estudios, y en ninguno de los dos bandos había encontrado un interlocutor. En general, sus relaciones eran ceremoniosas y distantes. Con sus compañeros, experimentaba el mismo aburrimiento cariñoso del campeón de ajedrez que juega con un novato. En mitad del bachillerato, se encontró con que un alumno de la clase superior repetía curso. Se llamaba Miguel Quirós. Era un muchachito alto y enclenque, de facciones demasiado bellas para no resultar antipático. Tenía el cabello ensortijado, revuelto, de un negro metálico, y unos ojos de gato, medio amarillos. Era muy callado y, durante bastante tiempo, se mantuvo aparte del grupo, retraído y distante. Pero Juan, como si presintiera que había dado al fin con un jugador de su talla, sintió una especie de escalofrío al enfrentarse con él por primera vez, una mezcla de miedo y de satisfacción, algo parecido a lo que podía haber sentido un gladiador al saltar a la arena.

Durante años, se tuvieron una antipatía mutua que redundó en beneficio de sus estudios, ya que establecieron una tácita competencia por los primeros puestos, y se fueron disputando también, como si se tratara de trofeos de caza, la amistad de las otras figuras relevantes de la clase. Sin cambiar, durante años, más que algún monosílabo al que los obligaba la convivencia, dividieron el mundo en dos bandos, y se retaron en silencio, cada uno desde el suyo.

Al llegar a la Universidad, sucedió el cambio. De todo un multitudinario colegio, fueron los únicos de su promoción que eligieron Filosofía y Letras. Y en la Facultad se encontraron, matriculándose, después de un largo verano. Al verle allí, en medio del bullicio de los estudiantes, todos desconocidos, Miguel se abrió paso y se acercó a estrecharle la mano cordialmente.

—¡El sabio distraído! —saludó, dándole una palmada en la espalda—. ¿Tú también vas a currar aquí? ¡Me alegro!

Juan sintió que le subía un calor nuevo por la garganta, y experimentó un enorme deseo de brincar, de dar gritos, pero se limitó a sonreír, educadamente, y a contestar:

—Yo también.

Miguel había cambiado. Seguía siendo flaco pero irradiaba fortaleza, como una energía contenida. Sus facciones se habían endurecido, adquiriendo un carácter más firme, y los rizos negros, que le habían dado siempre una cierta apariencia de suicida romántico, estaban ahora a la última moda. También sonreía con mucha más frecuencia que antes. Quizá porque se había hecho más sociable, más cortés, y menos sincero. Sus ojos, en cambio, seguían siendo los mismos ojos extraños, que cambiaban de luz a pesar suyo, traicionando su pretendida reserva.

Desde aquel momento, reanudaron una amistad que no habían comprendido nunca, y se hicieron inseparables.

Juan aceptó aquello como un milagro, como algo grande y hermoso que había descubierto por sorpresa. No le había sido difícil darse cuenta de que era un privilegiado. La mayoría de la gente iba por la vida sin llegar a conocer la amistad. Por supuesto conocían sucedáneos. «Te presento a unos amigos» «Mi amigo fulano» «He comido con unos amigos»... La palabra se empleaba con ligereza, pero era un título demasiado importante para dárselo a cualquiera. Él lo había comprendido así, al descubrir que el silencio podía ser acogedor y tibio, que la risa era un don a compartir con alguien, que las lágrimas no tenían nada vergonzoso, que la vida era una experiencia grandiosa, y que tal vez existiese Dios, al fin y al cabo.

Luego había aparecido María en el panorama. María que asistía a la misma Facultad, y asediaba, perseguía, a Miguel.

Juan había sufrido, se había creído terriblemente enamorado de María, había hecho lo indecible por conquistarla, por apartarla del otro. Pero ella dejó de preocuparle, dejó prácticamente de existir, desde el momento en que se estableció oficialmente que era pertenencia suya y no de Miguel. Aún no había comprendido aquellos antiguos celos de adolescente, por la amistad de los compañeros de colegio, celos de las hermanas de Miguel, de aquellas otras chicas que formaban su grupo, celos de cualquiera que se le acercase, aunque sólo fuera con el pensamiento.

Esa mañana, cuando volvió a verle después de los espantosos días transcurridos desde la confesión de aquella pobre tonta, mientras planeaban el viaje, hablando, como siempre, como si tal cosa, le pareció que no podría soportarlo.

Volvió a la sierra como borracho, comió con su familia como borracho, y luego, al entrar en su cuarto, cerró la puerta tras de sí, y se apoyó en ella, como si ya fuera incapaz de realizar ningún otro movimiento. Sobre su mesilla de noche, vio entonces unos libros que Miguel le había prestado días atrás. No había tenido aún ocasión de empezar a leerlos. Fue hacia ellos, como un ladrón, y, aferrándose al primero, lo estrechó contra sí, como si pretendiera fundirse con él.

Estaba completamente dominado por un sentimiento nuevo. Sentía la nuca helada, las manos húmedas, una extraña opresión en el pecho. Aspiró lentamente, profundamente, con dificultad. Luego, fue a la ventana y la abrió, como si se ahogara. Sacó un paquete de cigarrillos, del bolsillo del pantalón, cogió uno, y lo encendió. Su mano temblaba. Las cosas más familiares, su propio cuarto, sus libros, sus efectos, le parecían nuevas y sorprendentes. Como si estuviese viviendo un extraño sueño, espantosamente real.

Se echó sobre la cama, y fue tranquilizándose poco a poco. No podía evitar mirarse con curiosidad, desde fuera, estudiarse como un caso. Sabía que, si seguía viviendo, su existencia giraría a partir de entonces única y exclusivamente alrededor de Miguel, y comprendía que el impulso más fuerte lo empujaba a aceptarlo así, a conservar la vida y a vivirla lo más intensamente posible, aunque fuera sufriendo como un condenado. Sin embargo, no era lo bastante primitivo para ello. Quizá no fuera lo bastante valiente tampoco. Y fríamente, razonablemente, fiel a sí mismo en eso, consideró la otra posibilidad, la de escapar a aquella especie de dolor malsano que se le había echado encima de golpe. Sobre su pecho, el libro de Miguel era un contacto suave, irremediablemente triste. Era como un símbolo de lo imposible, de lo absurdo imposible. Como estrellarse contra un muro de cristal helado, buscando el calor del sol. Se dio cuenta de que, a través de aquel libro, la presencia de Miguel le sacudía con mucha más violencia que si él hubiera estado allí realmente, en carne y hueso. Y por primera vez, acusó con plena lucidez la sensación de angustia que esa presencia había provocado siempre en él. Fue entonces cuando, al enfrentarse con la realidad..., ¿o con la ensoñación...?, comprendió que había estado luchando desesperadamente contra ello desde el día en que se habían conocido. Y que había luchado en vano. La fascinación aniquila la voluntad, y cuando la voluntad se ha rendido, la lucha es sólo una caricatura.

Terminó por ponerse en pie, tomando una decisión tranquila y fría. Fue hacia la puerta y echó el pestillo, luego se acercó al armario y buscó en él su maquinilla de afeitar. Era una suerte que nadie hubiese pensado hasta entonces en regalarle una maquinilla eléctrica. Con absoluta calma, desenroscó el mango, levantó la lámina superior, y sacó con cuidado la hoja de afeitar, depositándola sobre la mesita de noche. Luego, volvió a colocar la tapa en su lugar, y a enroscar el mango. Lo guardó en su cajón, y cerró el armario. En pie ante la mesa, se quedó un instante contemplando la hoja rubia que reposaba inocentemente sobre ella. Se dijo que iba a pasar un mal rato, no por el significado de lo que iba a hacer, que en aquel momento le importaba muy poco, sino por lo desagradable del sistema elegido. Tal vez fuera mejor salir, y comprar algo en la farmacia... Pero no se lo venderían, sin receta. Además, él no estaba informado, no sabría qué pedir... Aquello era más expeditivo, y más seguro. Total, sólo era un momento molesto... Bueno, dos momentos... ¿No bastaría con una sola muñeca...? Resultaría demasiado largo, claro. Tendrían que ser las dos. Escurrió la cuchilla hasta el borde de la mesa, para poderla coger entre el pulgar y el índice. Sabía que estaba haciendo algo trascendental y, sin embargo, se sentía ridículo. Fue a sentarse en el borde de la cama, con la cuchilla en la mano. Se le planteaban problemas estúpidos, como el de decidir si debería echarse y abrirse las venas luego, o abrírselas, y echarse inmediatamente después. Volvió a depositar la cuchilla en su mesita de noche, y se desabrochó los puños de la camisa, enrollándolos después sobre los brazos. Probablemente iba a mancharlo todo. El primero que entrase iba a llevarse una impresión espantosa. Bueno, sería Rafa, y Rafa era una roca. Además, qué demonios, le importaba muy poco todo lo que ocurriera después. Cogió de nuevo la cuchilla y, volviendo la mano izquierda hacia arriba, se la acercó a la muñeca. Otra vez el dolor de estómago. No iba a ser tan fácil hacer aquello con serenidad. Tendría que dar un corte muy fuerte, no era cuestión de que sólo consiguiese una herida superficial, y tuviera que repetir el trabajo.

Y, de pronto, comprendió que no iba a hacerlo. Pero no por la repugnancia física que pudiera producirle, sino por aquello que había pensado segundos atrás, aquello de que no le importaba lo que pudiera ocurrir después. Por un instante había sido un pensamiento sincero pero, inmediatamente, el recuerdo de Miguel se le había puesto delante como una advertencia. Él desaparecería, sí. Él dejaría de ser, de preocuparse, de sufrir, pero Miguel seguiría vivo cuando él desapareciese. Vivo para reír, para llorar, para hablar con la gente, para respirar... Comprendió que era una idea demasiado insoportable para aceptarla. Su muerte iba a provocar todo tipo de conmociones, pero él se quedaría sin verlas, porque estaría muerto. Y para Juan Gabriel Alvar, muerto quería decir inexistente.

Volvió a ponerse en pie y, con la misma parsimonia de antes, sacó de nuevo la maquinilla de afeitar del cajón, y guardó en ella la cuchilla.

Para matarse en paz, tendría que haber matado antes a Miguel. Era estúpido no haberlo comprendido.

Le vino a la mente una frase que había leído en alguna parte, le parecía que en un libro de Bataille, que el mismo Miguel le había prestado: «La necesidad de destruir lo que nos alucina, es quizás el modo más primitivo de amar...».

Sonrió, solo en su cuarto. Era curioso que aquello hubiese tenido que pasarle a él, que buscaba la razón en todas las cosas, que preconizaba la ciencia, la cultura...

El modo más primitivo de amar...

¿Cómo seguía? Buscó un cuaderno en el que solía tomar apuntes de sus lecturas, y lo hojeó hasta encontrar el párrafo: «... tal vez porque el Mal es la expresión más violenta de la pasión, y el Mal puro sólo existe cuando alguien encuentra la paz en la destrucción».

Sí, era gracioso. Siglos atrás, le hubieran dicho que estaba poseído del Mal, endemoniado. A él también lo habrían quemado vivo.

Volvió a sonreír, tristemente, a su propia imagen en el espejo, y se sentó a escribir una larga carta para Miguel Quirós.

En la mañana del 31 de diciembre, cuando entró en el garaje donde Los Pelargones habían instalado su club, ya le había dado tiempo de sobra para comprender que su carta no recibiría ninguna clase de respuesta.

6

—¿Miedo de qué?

—¿Qué hay, Juan...?

Juan Gabriel ha entrado a tiempo de oír la última frase de su hermano y, por lo visto, su pregunta es puramente de introducción, porque no parece esperar respuesta.

Laura y Rafa, al verle, se dejan caer de rodillas, haciendo grandes aspavientos y reverencias, que él admite con una sonrisa cansada. Está acostumbrado a las payasadas en su honor, por parte de Los Pelargones.

Cris, nerviosísima, se aparta del grupo, y busca un rincón entre trastos, para arrancarse los rulos, sin la menor piedad para el cabello que los envuelve. Blasfema, por lo bajo, para sí misma, porque uno de ellos se enreda, y no ve el modo de librarse de él ni quedándose calva.

—¡Es él, él mismo, *in person*! —se extasía Laura, desde el suelo—. ¡Dios mío, no puedo creerlo! ¡No puedo creerlo!

Rafa ha reptado hasta las botas de su hermano, y finge besuquearlas con abyecto servilismo.

—¡Oh, Juan! —balbucea, mientras—. ¡Oh, Juan Gabriel Alvar! ¡Has venido...! Pero no somos dignos de tu presencia, ¡oh, Juan!

Juan le aparta y se acerca a coger un pitillo del cartón que Rafa dejó sobre la barra, al entrar.

—Podéis alzaros, buena mujer —le concede gentilmente a Laura, al pasar.

—No, no puedo —explica ella, frotándose, quejosa, la parte dolorida—. Me he perturbado una rodilla.

—¿Perturbado?

—Te lo vendo —le ofrece Rafa, por el cigarrillo—. Muy barato. Sólo el diez por ciento de recargo.

—¡No quiero un paquete —protesta Juan—, sólo un pitillo!

—Pues eso, te lo vendo. ¡No te lo vas a fumar gratis! Es del club.

—¿Y qué? ¿Tan mal estáis de dinero?

—Mal, no. Peor —informa Jose, acercándose para encendérselo—. ¡ Pero a partir de esta noche, nos vamos a forrar...! Bueno —corrige, acordándose de pronto—, se van a forrar éstos, yo me voy.

—¿Os volvéis ya a Madrid?

—Me voy yo.

—Ah... ¿Dónde?

—Aún no lo sé.

—¿Y eso?

Cris sale de su escondrijo, con su espléndida mata de pelo, suelta y desacordada, unas puntas rizadas, y otras, húmedas aún, tiesas como estropajos. Se ha arrancado más de un mechón, con la precipitada *toilette*, pero, con la misma alegría, se habría arrancado los dientes, de haber hecho falta. Por supuesto, también se ha jorobado definitivamente el peinado que tenía previsto para la fiesta de por la noche, ¡pero mucho le importa a ella! Juan no formará parte de la susodicha fiesta y en cambio ahora está allí, y a ella le da el corazón unas patadas, que milagro será si no le pasa cualquier cosa.

—¡Que se va de casa! —informa, burlona, reintegrándose al grupo—. Que ha cogido un cabreo y se va. Así vestido, además, ¿sabes?

Jose señala una gran bolsa de marinero, apoyada en el muro.

—Tengo ahí la ropa.

—Pues vente conmigo —ofrece Juan, fumando apacible y lentamente—. En principio sobra una plaza en el coche, y a lo mejor, me sobran las tres.

A la pelirroja se le escapa un lamento, en forma de pregunta:

—¿Te vas?

—¿Dónde vas? —quiere precisar Jose, para dejar constancia de que él escoge, él decide, él no se va así, con el primero que le echa una mano.

—A Francia, última etapa, París.

—¿Tú solo? —se extraña el otro.

—Íbamos a ir un amigo, otra chica y yo, pero estos días nos hemos desconectado con lo de las fiestas, y no sé si al final llamarán. Si no, igual pensaba irme solo, así que si te animas...

—¿Qué tal está la chica? —bromea Jose.

—Buena. Te gustará —bromea Juan, con una pizca de autocachondeo.

—¿Qué es, la hermana del otro chico, de tu amigo? —pregunta Jose, queriendo establecer conexiones, y dedicándoselo a Cris, que lo fulmina con la mirada.

—No, ¿por qué? —se extraña Juan, en la más absoluta inocencia.

—Por nada, pensé... ¿De verdad me dices que vaya?

—¿De verdad te quieres ir?

Jose duda sólo un segundo.

—Sí.

—¿Tienes el pasaporte en regla?

—Tengo todo. Ahí, en la bolsa.

—¡Jose, no seas imbécil! —regaña Cris.

—Y tú, no te metas en donde no te llaman —se defiende él, antes de seguir cambiando impresiones con Juan—. No sé qué plan llevaréis —le comenta—, yo sólo tengo cien mil pesetas.

—¡Joder! —exclama Laura, sin poderlo evitar.

—Cinco duros —le pide Rafa, en frío trámite.

Laura saca un billete de cien, de entre sus pertenencias, lo mete en el cazo-hucha, y se lleva escrupulosamente el cambio.

—Serás el rico del grupo —le está diciendo Juan a Jose.

—¿De dónde has sacado tanto dinero? —quiere saber Cris.

—Maté a una vieja, el otro día.

—Lo digo en serio.

Laura enarbola el cazo de las multas, señalando a Juan.

—Habría que avisarle, ¿no?

—¿A mi hermano? ¿Para qué? A éste no le sacas ni una perra.

—Oye, pues o jugamos todos, o rompemos la baraja —se queja la contribuyente, que aún camina con la rodilla lesionada en alto, como un flamenco.

—Aunque juegue —aclara Rafa—. Éste no ha dicho un taco en su vida, ni una mala palabra a nadie, ni una impertinencia. Nada. Éste, nada. Ni un duro.

—Lo malo es que mañana es fiesta —le está comentando a Jose el limpio de pecado, mientras tanto—, y no me hace gracia que vayamos por ahí con tanto dinero en efectivo.

—No es en efectivo —informa Jose—, es un talón... bueno, un cheque.

Cris, que no suele ver a Juan más que si se cruza con él en la puerta, al entrar o al salir —sobre todo en invierno, porque, al menos, en verano, con la piscina...—, está como si se le fueran a llevar el marido a la guerra. Y trata de disimularlo, la mujer, con entereza, con valentía, como es ella. Pero le cuesta mantener la compostura y, lo que no puede evitar, lo que se le escapan, como plantos, son las preguntas:

—Pero..., ¿es que te vas mañana mismo?

Y es que si Juan se va, ¿qué mierda de vacaciones van a ser aquéllas? ¡Todavía falta, hasta el día de Reyes! Todavía quedaba mucho de saberle allí, tan cerca, de verle de lejos, de pasar por delante de la ventana de su cuarto, como aquella mañana, de la posibilidad de un encuentro inesperado, como entonces, de un bajar juntos al pueblo, por la carretera. «¿Vas a la compra? ¿Te llevo...?». De un verse en misa, la mañana de Año Nuevo, todos con cara de resaca y unas ojeras hasta los pies, bostezando, cambiando miradas de «A ver si no se alarga don Faustino en la plática, que nos caemos», o la mañana de Reyes, después del roscón y el escarchado gallego de la noche anterior. Juan no es creyente, pero cuando está con sus padres en la sierra, sigue yendo a misa, por deferencia hacia ellos. Y Cris, reza por ella y por él, transportada, como un sufí al borde de la levitación, y, de paso, le mira, y le tiene cerca, demonios, le tiene cerca, y él la ve y, a lo mejor, algún día, se fija, ¿no?, quién sabe... Ella está muy buena, qué caramba y, al fin y al cabo, no se llevan tanto. Cuatro años. ¿Qué son cuatro años? Pero todas aquellas esperanzas, aquellas pequeñas ilusiones están a punto de irse al traste, porque el señor quiere marcharse a dar una vuelta por el Pirineo. ¿Qué se te habrá perdido a ti en el Pirineo, Cuatro Ojos? Y, encima, llevarse al cretino de Jose, que ni se merece esos privilegios, ni los necesita, ni los sabe apreciar.

Con gesto hábil y decidido, como quien se inmola, aprisiona entre sus dedos la mata pelirroja, y se hace una trenza apretada, que le va a caer nuca abajo, y le va a fustigar la espalda, a modo de penitencia, de renuncia, y de cabreo. Total ya, a lo mejor ni baja a la fiesta de por la noche. Y no es que tuviese la menor esperanza de que Juan fuese a asistir. La pandilla de Juan tiene organizada una cena-baileorgía en el Club de los Mayores. A la cena, no, porque su familia insistía en tomar las uvas juntos, en plan tribu, pero Cris votó ardientemente por asistir al baile, días atrás, cuando se habló del tema, perdiendo por abrumadora mayoría, porque, entre Los Pelargones, sólo ella y Paco, el de «Los Enebros», aman fuera de su rebaño. Cris, a Juan Alvar, y Paco, a una joven casada que, o no le hará caso nunca, o será una guarra, claro. O sea, que no hubo consenso, y, ahora, además, aquello...

—Pero..., ¿es que te piensas ir mañana mismo?

—Por eso se ha dignado venir a la sierra, mujer: Nochevieja familiar, ¿comprendes? «¡Al menos, pasa las fiestas con nosotros, hijo!» —imita Rafa, tragicómico—. Mi madre, llorando, mi padre, mesándose los cabellos..., ¡y como éste es un santo, un santo! Que no nos lo merecemos, os lo digo yo.

—¿Cómo le aguantas? —le pregunta Laura a Juan, dejando por un segundo de triturar goma.

—Mal —contesta él, con cariño—, ¿no ves que me voy?

Laura, deslizándose hasta el suelo, con la espalda apoyada en la pared y las piernas encogidas, recuerda una etapa que le resultó dura de vivir, o así lo intenta manifestar.

—¡Me acuerdo, cuando tuvo los *helios* aquellos...!

—Hilios, Laurita, hija. Eran hilios —corrige el aludido, con paciencia nacida de una inteligencia superior, y de una cultura mucho más superior todavía.

—Lo que sea —zanja la otra, que no tiene manías—, un pulmón jodido.

Se tapa la boca en cuanto se le escapa la palabra y tira, furiosamente, una moneda en el cazo, sin que nadie le diga nada.

—¡Me voy a arruinar, coño...! ¡Aaaaah! —grita, irritada consigo misma, al caer de nuevo en falta.

Y de nuevo vuelve a echar moneda, muy rabiosa.

—¿Qué es eso —se intriga Juan—, pagáis prendas?

—Se va a enfriar el café —decide Cris, poniéndose en marcha, diligente, coleta de chino saltándole por los omoplatos—. ¿Quieres café, Juan?

—Bueno.

Cris, esponjada dentro de la desgracia, se sienta ante uno de los barriles pintados de rojo, cafetera en mano, y con intención de que Juan la siga.

—No tenía el pulmón perturbado en modo alguno —se defiende Rafa, mientras tanto—. Era una dolencia pasajera, y me vino como Dios, me tiré varios meses aquí, sin ir a clase, tratado a cuerpo de rey.

—¡Y leyendo libros todo el santo día! —recuerda Laura, compadecida, como si Rafa hubiera tenido que hacer cestos, como los locos.

—Menuda envidia os daba...

Laura se levanta para ir repartiendo los cazos de los cafés. Solidaria y al cabo de la calle, le indica a Juan con un ademán, que el suyo está sobre el barril ante el cual se ha sentado Cris.

—Sí —va diciendo, mientras—, sobre todo en verano, cuando te ponían a la sombra, en una tumbona, y los demás nos bañábamos en tu piscina.

—No hay nada como ver a alguien bañarse en una piscina, para perderle el respeto —desprecia Rafa—. Le perdí el respeto a la gente. Y a casi todo, por otra parte. Además, cultivé mi espíritu.

—Ya —reta la garamanta, respondona—, y te quedaste así.

—Así, ¿cómo? —se le encara Rafa, provocón.

Laura va a hablar, a machacar, a empezar una gresca ritual, pero se arrepiente.

—No puedo —explica—. Me iba a costar un dineral.

Rafa mira con aprensión el cazo que ella le está ofreciendo.

—Venga, no seas cursi, tío —anima Cris, al observar su expresión.

Juan sonríe, divertido, y señala a Cris con un dedo acusador.

—Cinco duros —prescribe.

—¡Pero si no lo he dicho! —se defiende ella.

—Has dicho «tío».

—¡Pero no he dicho «gilipollas», que es lo que iba a decir!

—Peor —decreta el de las gafas de oro—, lo que has dicho es peor: «Vale, tío, no te enrolles, tronco, eso no mola, cuerpo, ¿tienes tate, colega?, sí, titi, no me comas el coco...». Absolutamente vergonzoso, mi pobre hermano debe de estar sufriendo como una madre. No sé cómo podéis decir cosas tan monstruosas en su presencia.

—¡Pagando por ello! —exclama Rafa, encantado de que le vengan refuerzos—. ¡«Tío» paga desde ahora cinco duros, «vale», otros cinco!

—«Rollo», veinte —estipula Juan, deleitándose con las bocanadas de su segundo cigarrillo.

—¿Veinte? —se escandaliza Jose.

—Como mínimo.

—Pues a mí, me hacéis una lista para que yo me aclare —se harta Laura—. Que la haga aquí el carroza, que tiene más autoridad. ¿Se puede decir «carroza»?

—Pronto no vas a poder decir otra cosa —comenta Rafa.

—¿Por...?

—Porque es en lo que va a ir tu padre al trabajo.

—En el suponer de que haya trabajo —añade Cris, optimista.

—¿Y eso por qué? —quiere que le aclaren Laura.

—Petróleo, nena —telegrafía Rafa.

—En todo caso —interviene Jose, celoso del cupo de multa—, en ese sentido, no lo podías decir... ¿Qué podemos hacer con lo del talón? —añade, dirigiéndose a Juan.

—¡Venga, Jose, déjalo ya! —se harta Laura—. ¡Si no te puedes ir, eres menor de edad!

—¿Yo? Soy el mayor de todos vosotros. Dieciocho tacos, guapa.

—El mayor es éste —aclara Rafa, por Juan.

—Tu hermano no es de esta panda —insiste Jose—, ¡y además, no discutamos tonterías! ¿Quién te crees que me ha dado las cien mil pelas? —añade, dirigiéndose a Cris—. Mi padre. Me habría dado autorización y lo que fuera, ¡si te crees que le importa que me vaya!

—¡Huy, huy, huy, cómo me ha sonado eso! —se burla Rafa.

—¿Cómo te ha sonado qué? —se revuelve Jose, agresivo.

—«¡Papáaaa, ven a buscar nene —sigue burlándose el otro—, nene pupa, nene solito...!». Tú no te vas a ninguna parte. Esta noche, con las uvas, abrazos, besos...

—No pienso ir a casa, así que... —interrumpe el aludido.

—¿No vas a cenar con ellos? —pregunta Juan, con un punto de reconvención.

—No pienso.

—Pues eso me parece infantil. Si te vas, te vas, pero...

—Me voy, no —interrumpe Jose—. Ya me he ido. Esta noche he dormido aquí.

—¿Y qué? —le pincha su prima—. ¿Qué harías si Juan no tuviera un viaje, eh? ¿Qué harías?

—Irme a Madrid, y empezar a buscar trabajo.

—¡Trabajo! —desprecia ella—. ¡Pues sí que está el patio...! Lo que tú quieres es que te contemplen, y que te rueguen. O mejor, que tu padre se harte, te venga a buscar, y te dé una buena mano de hos...

—¡Shhhh! —corta a tiempo Rafa—. La observación es muy buena, pero por poco pagas tributo al cazo. Por cierto, no lo quiero ver más, ¿eh? Lo primero que vamos a comprar con el dinero de las multas, son...

—¡Ay, que sí, pesao! —le interrumpe Cris—. No... perturbes más con los cazos.

—¿Y qué más dará? —se extraña Laura, encogiéndose de hombros—. Lo importante es que esté bueno el café.

Rafa se vuelve hacia su hermano, como un Hijo del Sol a otro Hijo del Sol.

—¿Te das cuenta, qué asco? «Lo importante es que esté bueno el café». ¿Y tu sentido de la estética? —pregunta, dirigiéndose a Laura.

Laura hace una pausa bien medida y carga las tintas en lo del chicle.

—¿Mi qué? —pregunta entonces, lentamente.

—¿Tú tomarías el champán en botijo? —se pone a predicar Rafa, proclive a la parábola.

Laura se vuelve a encoger de hombros.

—No me gusta el champán...

Rafa suspira, y de nuevo busca refugio en Juan.

—Lo desagradable del diálogo con este tipo de gente es que, de pronto, te hacen un quiebro idiota y te dejan sin contestación.

—No caerá esa breva —se lamenta ella, escéptica.

Juan ha cogido uno de los pequeños cazos y lo estudia, meticulosamente.

—Pues son graciosos —decide.

—Sí, mucho —ironiza su hermano—, parecen de cuartel.

Y de pronto se acuerda de algo y se vuelve a poner contentísimo, tan lleno de entusiasmo como un alcohólico ante la promesa de un trago.

—¡Eso es! —exclama—. ¡De cuartel! ¡De trinchera! ¡De falsa paz antes de la masacre! ¡Especiales para hoy!

—¿Por qué? —pregunta Juan—. ¿Os pensáis pelear?

—No le hagas caso —desecha Laura, rápida.

Pero Rafa sigue con su paraíso naranjomecánico.

—¡Nos amenaza una orgía de salvajismo y barbarie! —le anuncia a Juan, divertidísimo—. ¡Moriremos jóvenes, como los elegidos!

—Y como Aceves Mejía —pretende bromear Jose.

Pero, como siempre, alguien le enmienda la plana, en tono gris. Rafa esta vez.

—Negrete. Jorge Negrete.

—¿Qué?

—Que no era Aceves Mejía —termina de hundirle Cris, también como siempre.

—¡Una batalla feroz —sigue soñando Rafa—, que esta noche convertirá nuestra amable fiesta juvenil en...!

—En un baño de sangre, sí —interrumpe Laura, harta—. Venga, corta ya, que lo tienes claro. Y no tiene gracia, además.

—¿De qué habláis? —pregunta Juan, aparentemente sin el menor interés, y acercándose a coger otro cigarrillo.

—Nada, éste... —le responde Laura, moviendo la cabeza con maternal desaprobación.

—¡A brindar! —decide Rafa, que no quiere que le cambien de conversación—. ¡Por esta noche! ¡Porque sea una fiesta inolvidable!

Laura está incómoda, inquieta. Querría que Rafa no le diera tantas pistas a su hermano sobre lo de los quinquis. Juan habrá oído algo, seguro, ¿y quién te dice que no va y dice en su casa...? Además, aquel asunto la está poniendo nerviosa, está empezando a tener miedo. Los otros no vieron al del brazo roto, apoyado en la tapia, noches atrás. No han visto aquellos ojos.

Pero Juan sigue in albis, como de costumbre.

—Brindar sin alcohol trae mala suerte —bromea.

—No hay nada que traiga mala suerte, si uno no quiere — afirma Rafa, tajante.

—¡Brindo por eso! —aprueba Cris, enarbolando su cazo.

Laura decide sumarse al juego, que quizá lleve la atención por otros cauces.

—Y yo —se resigna, sentándose también ante el barril, cazo en mano—. Si es para que se calle antes, brindo por todo lo que quiera. Venga, Jose, tú también.

—¿Por que no pase nada? —sugiere Cris, hurgando en la llaga, la muy cretina.

Pero Juan sigue como si tal.

—¡Al contrario —protesta Rafa—, por que pase algo! ¡Lo que sea! ¡Por que tengamos una noche inolvidable! ¡Inolvidable!

7

—Más inolvidable no pudo ser, ¿verdad? —susurra la voz, junto al brasero—. Inolvidable del todo... ¿Sabes una cosa? No me hago idea de que haya pasado ya un año. Ahora mismo, juraría que fue ayer cuando quedamos en volver a encontrarnos aquí en Nochevieja... No creí que vinieras... No, de verdad que no. No había pensado mucho en ello tampoco, pero desde las vacaciones, me empecé a poner como un flan. A veces, venir me parecía una idiotez, y no venir... Bueno, yo quería venir. Pero cuando he cogido el autobús me sentía como una mema, me daba hasta vergüenza. ¿Qué digo si me encuentro con alguien por el camino? ¿Que me manda mi madre a buscar cualquier cosa de la sierra? No puedo decir que he quedado allí con él, porque si luego no está, menudo corte... Pero no me he encontrado a nadie por el pueblo. ¿Has visto que la mayoría de las casas están cerradas? A lo mejor, es por aquello... ¿Sabes lo que he hecho, nada más bajar del autobús? Me he ido al cementerio, a poner unas flores sobre la tumba de Rafa... Todavía me cuesta creerlo, es que Rafa era..., no sé. Como algo muy importante para todos nosotros. No sólo porque era un amigo, y porque era tan..., ¿tan qué? Bueno, iba a decir *demasiao*, pero precisamente eso, a él no le habría gustado nada. Pero es que era *demasiao*. Era más guapo, más alto, más inteligente, más simpático, más hijoputa, más todo. Siempre se le ocurrían a él las cosas, y hacía como que se les ocurrían a los demás. Nos manejaba a todos como le daba la gana, y hacía ver como que no, como que eras tú que querías. El gastaba siempre la broma de decir que era más viejo que todos sus hermanos, más que todos nosotros, y hasta más que sus padres, porque había estado tanto tiempo en aquella tumbona, haciendo reposo, y venga leer, y venga mirar a los demás, y venga pensar. Pero a mí no me parecía que fuera más viejo, ni que fuera más joven tampoco. A mí, lo que de verdad me parecía era que no tenía años, que estaba fuera, que era otra cosa. Claro que tampoco es eso... Qué difícil es hablar, ¿verdad? Yo estaba en la pandilla gracias a Rafa. No lo supo nunca nadie, pero él fue quién me metió. Como éramos vecinos, a veces hablábamos. Él hablaba conmigo, quiero decir. Yo estaba, a lo mejor, en la terraza del chalé, y él se subía a la tapia de su casa a leer, y eso de «Hola, enana, ¿qué haces?» «Pues, ya ves» «¿Te aburres?» «Como no tengo con quien salir...». Y, aunque yo era demasiado pequeña, me dijo un día: «Mañana limpiamos la piscina, pásate a ayudar. Y estate callada, trata de no cundir mucho». Y otro día, les ayudé a coser los disfraces. Y otro día, me freí todas las chuletas de la barbacoa. Y él hacía como que ni me veía, ni sabía por qué estaba yo allí. Y los demás pensaban que me habría traído algún otro, pero como yo no estorbaba, pues, poco a poco... Yo quería mucho a Rafa. Y no sólo por eso, aunque eso era lo principal, claro. Son cosas que no se olvidan. No nos veíamos más que en verano, porque yo en Navidades no solía venir a la sierra. El año pasado fue el primer año, y mira tú... ¡Te advierto que llevo un día! Esta mañana, estuve oyendo una misa por mi padre. Yo, normalmente, no voy a misa, pero como era por mi padre... El caso es que él tampoco iba, pero si no es una misa ¿qué vas a hacer cuando hace un año que se ha muerto tu padre? De la muerte de mi padre, me parece que hiciera veinte años. Como si llevara veinte años echándole de menos, y cada día fuera muy largo, muy largo, aunque haya ratos en que no me acuerde de él... Y hablando de días, vaya día aquél, ¿no? Nunca pasa nada y de pronto, hala, se juntan un montón de cosas... Me río porque me estoy acordando de la cara que pusiste cuando te dije aquello: «Por favor, ¿quieres hacer el amor conmigo?». ¡Qué cara! «Por favor, ¿quieres hacer el amor conmigo?». ¡Para que alguno te hubiera hecho una foto...! Qué día... No veas cómo estaba yo cuando llegué aquí, al garaje. Bueno, al club. Nunca me acostumbré a decir eso del «club», y Cris me regañaba siempre. Y sin embargo, para mí era..., yo qué sé, importantísimo... Como mi verdadera casa, como una iglesia, como..., pues eso: un club. Sólo que siempre decía «el garaje». Después del entierro, me tiré yo qué sé las horas dando vueltas por Madrid, sin saber qué hacer. Tenía las llaves del apartamento de mi padre, pero no quería ir. No quería ver sus cosas, no quería nada. Me hubiera gustado ser un perro, y poder enroscarme en el suelo, en un rincón, como hacen ellos, y que me dejaran en paz. Pero ya sabía que, si me paraba en algún sitio, no me dejarían en paz. Y venga andar. Hasta que pensé que lo mejor que podía hacer era volverme a la sierra, y venirme directamente aquí, al garaje..., al club. No sabes qué rato. Espantoso. No sé si te habrá pasado alguna vez...

... Fue entrar en el garaje vacío, oscuro, helado, y sentirse de pronto empapada de sudor, y con la sensación de haber gritado. Sin haber gritado. Respiraba entrecortadamente, se apartaba el cabello de la cara, se aferraba a su bolso de lona, sin saber qué hacer. Se ahogaba en una sensación de angustia, de terrible desamparo, en el convencimiento de no poder seguir consciente ni un segundo más. ¿Cómo podía sucederle a ella semejante cosa? Sentía deseos absurdos, animales, de estrellar la cabeza contra la pared. *Calma, calma, Mari Ángeles, calma*. ¿Qué puede hacer? ¿Tomar algo? A lo mejor, si toma algo, se le pasa. Enciende la luz, busca una botella de coñac, del que bebe Jose, se sirve y no llega a bebérselo porque ni se da cuenta, porque casi no sabe lo que hace. ¿Qué pasa? ¿Qué pasa? Aquello no le ataca a uno así, de pronto, a traición. Aquello tiene que ser por algo, tiene que tener sentido, ¿qué pasa, qué pasa? Recuerda haber llorado en el cementerio. ¿Llorado? Más bien aullado, ahogando aquel vergonzoso sonido contra el bolso de lona. Y ahora, ni siquiera puede aullar.

No puedo más, no puedo más, no puedo más...

De nuevo, el deseo de estrellarse contra la pared, una y otra vez. ¿Es posible que se esté volviendo loca? De pronto, como un dolor nervioso que tocara un punto débil, la necesidad imperiosa de apoyarse en alguien, de descargar aquella salvajada en otros brazos.

Ayúdame, ayúdame, ayúdame...

Pero allí no hay nadie, y no se va a poner a llamar a gritos. Esencialmente, porque acabarían alertando a su madre, y ella no necesita el apoyo de su madre, entonces. Necesita un amigo, alguien de su edad, alguien que pueda entender. Con un profundo suspiro, un cuidadoso y largo suspiro, como si el aire tuviera que pasar a través de agujas puntiagudas clavadas en su estómago, se va deslizando insensiblemente hasta el suelo, recogiéndose en sí misma como un ovillo, como si quisiera fundir todo su cuerpo en una masa amorfa, y a ser posible, inconsciente. No puede soportar los próximos diez minutos. No, no puede. Y, sin embargo, los está soportando. Relajarse, cuando se siente un gran dolor, hay que intentar relajarse y aquello es, evidentemente, un gran dolor.

No puedo, no puedo, no puedo...

¿A quién, adonde, hay que increpar a gritos diciendo ¡Basta!? ¿No ves que no puedo? ¿No lo ves? No puedo, no puedo...

Otra vez el gemido agudo, medio ahogado de perro apaleado y solo... Pronto se le comunica el frío del suelo, pero no quiere, no se siente con fuerzas para moverse. Lo único que puede hacer es seguir meciéndose, y emitiendo aquel gemido contra sus dientes apretados.

Y entonces fue cuando entró Jose.

Al principio, le pareció una especie de milagro que entrara precisamente él. Pero luego supo que tenía una explicación muy natural, como todos los milagros, claro. Rafa había dicho una vez que los milagros no eran un milagro porque no tuvieran explicación, sino porque pasaban justo cuando hacía falta. Bueno, el caso era que Jose había dormido allí, y tenía allí un bolsón con todas sus cosas. Y venía a cambiarse, porque llevaba un chándal. Habían estado allí toda la mañana, los más íntimos. Se habían ido juntando como por casualidad. Primero Jose, y luego Cris, y luego Rafa, y luego Laura. Bueno, y Juan. También había estado Juan, por lo visto. Y se habían reído la tira, con Rafa, que decía que por la noche, les iba a atacar una panda de navajeros que iban a violar a los chicos y a degollar a las chicas, y Jose, tronchándose, que en todo caso al revés, y Rafa borrándole del mapa con una mirada de desprecio absoluto que intentaba ser cariñosa. Bueno, total, que habían estado allí, y se lo habían pasado genial, tomando café, con una cafetera que había llevado Cris para la noche, y charlando, y diciendo idioteces, hasta que Laura advirtió lo tarde que era.

—Oye, no sé si sabéis que es casi la hora de comer. La nena se larga, no sea que la echen de casa, como a otros.

—Si va por mí, a mí no me ha echado nadie —se pica Jose—. He sido yo el que...

Su prima le interrumpe con un gesto de fastidio.

—Por fin, ¿qué se decide? —quiere saber—. Todos aquí, en cuanto nos libremos de la cosa familiar, ¿val..., de acuerdo?

—Sí, pero no tardéis, que me voy a chupar todo el día solo.

—Tú lo que tienes que hacer, es ir a cenar a tu casa —predica Laura.

—No te empeñes, que no le convencerás —la desengaña Cris—; es muy burro. Como se le meta una cosa en la cabeza...

—Por lo visto, eso es de familia —vuelve a picarse Jose.

Al ponerse todos en pie, Juan se dirige hacia el abeto pintado con tiza, como si lo descubriera en ese momento. Se queda de espaldas a los demás, contemplándolo como si fuera un Goya. Está claro que lo que quiere es no salir con todos. Seguramente, quiere que se vayan las chicas primero. Pero Cris no se quiere ir así como así. Recoge cosas, las lleva al fregadero, remolonea.

—Entonces, te subes ahora con nosotros —le está diciendo Rafa a Jose—, aquí no te vas a quedar.

—¿Y esta obra de arte? —pregunta Juan, siempre sin volverse.

—¿Vamos? —insinúa Laura, apoyada en el marco de la puerta.

—¿Tú vas a bajar luego, Juan? —pregunta Cris, acuciada por las circunstancias.

Rafa y Laura cambian una rápida mirada divertida. Querida Cris, querida...

—¿Qué? —pregunta Juan, aparentemente distraído con el abeto—. Ah... No sé. Si os parece que no estoy de más...

—Baja, hombre, baja —anima Laura—. Necesitaremos una persona de respeto.

—¿Quién lo ha pintado? —vuelve a preguntar Juan, decidido a agarrarse al abeto como a un clavo ardiendo.

—Chus— informa Cris.

—¿Chus?

—Sí, hombre —aclara Rafa— Jesús Mari, el del súper, el pequeño.

—Ah, ahora se llama Chus.

—¡Yo no sé las horas que se tiró ahí sentado, con las tizas de las narices! —comenta Cris, decidida a alargar la conversación como sea.

—Menuda labor de chinos —la ayuda Laura, que en el fondo es buena.

—De chinos borrachos —matiza Rafa—, porque está torcido.

Y se produce un silencio mientras Juan sigue de espaldas a todos, mirando el abeto, con absoluto emperramiento. Silencio que rompe Laura, tras consultar de nuevo su reloj.

—Bueno, si os quedáis, hasta luego... ¡Venga, Cris! —regaña, ya desde el jardín, para arrancarla de allí.

Y Cris se resigna.

—¡Que seáis buenos! —recomienda, mientras se aleja con Laura—. ¡Y que os pongáis muy guapos!

Todavía se las oye zurear, alejándose cogidas del brazo, cuando Jose comenta, frotándose los brazos, helado:

—Deberíamos inventar algo para calentar esto un poco, porque la verdad es que hace un frío del...

Rafa le interrumpe a tiempo, agitando frente a su nariz el cazo de las multas, como si fuera una campanilla.

—... del padre y muy señor mío —termina Jose, dando un quiebro.

Rafa, que lleva un rato observando a su hermano, se decide a romper la situación.

—¿Te pasa algo, Juan?

Juan se vuelve entonces, con la parsimonia debida, y se enfrenta con Jose, ignorando absolutamente a Rafa.

—Ahora, al subir, le daré ese cheque a mi padre. Le diré que es para mí, que es de otro amigo mío, cualquier cosa.

—Yo preferiría no mezclar a nadie en...

Juan le interrumpe, muy tranquilo.

—Lo que tú prefieras, da igual.

—¿Qué? —pregunta Jose.

Está desconcertado. Más que eso, como paralizado. El tono de Juan ha seguido siendo amable, sus ojos han seguido manteniendo su expresión serena pero, de pronto, Jose ha tenido la impresión de que le habla desde otra dimensión, y eso le ha infundido pavor, una sensación de vacío, de vértigo. Consigue, no sin esfuerzo, mantener una aparente naturalidad, porque su razón le dice que no hay ninguna explicación lógica para no hacerlo. Lógica. Razón. Y sin embargo, Juan le está pareciendo un ser evanescente que le mirase, triste, dulcemente disgustado, desde algún grado superior de la escala animal. Un ser bondadosamente lejano, que pudiese desaparecer de un momento a otro. O matarle.

—¿Qué pasa, Juan? —pregunta Rafa.

Juan sigue dirigiéndose a Jose, como si no oyese siquiera a su hermano.

—Esta noche, después de las uvas, tú y yo haremos acto de presencia en esa mierda de fiesta que tenéis organizada aquí. Cuantas más personas nos vean, mejor. Y cuantas más sepan que te has peleado con tu familia, y que aprovechas mi viaje por casualidad, también mejor. A última hora, nos largamos. Mañana, como muy tarde a la hora de comer, pasamos la frontera... Y, eso sí, una vez pasada la frontera, te bajas de mi coche, y que yo no te vuelva a ver más... En la vida, ¿lo oyes, hijo de puta? En la vida.

Jose sigue paralizado.

—Pero... —balbucea.

—Juan —interviene Rafa, con su tono desenfadado de siempre—, a todos nos gustan mucho los *shows*, pero, ¿te importaría decir qué pasa?

Su hermano se vuelve por fin a mirarle.

—El chico que ingresó en la UVI, ha muerto... Lo ha dicho la radio.

Jose, realmente impresionado, se deja caer lentamente sobre las ruedas de automóvil. Rafa, en cambio, mantiene la sonrisa. Con un poco de dificultad, pero la mantiene.

—Qué barbaridad... —comenta—. Parecía más resistente.

—Por favor, cállate —ruega su hermano, con desagrado.

—Lo único que digo...

—¡Cállate, joder! —estalla Jose.

Delicadamente, Rafa deja caer unas monedas en el cazo-hucha.

—Te invito a esta ronda —le dice a Jose, y luego, a su hermano—: ¿Sabes quién era?

—¿Quién era quién?

—Ese tipo, el muerto.

—Han dado su nombre por la radio; no me acuerdo. ¿Por qué?

Rafa se encoge de hombros.

—Yo qué sé, podía ser alguien.

—¿Alguien?

—Alguien conocido, alguien que tuviera que ver con algo.

—Era un pobre chico.

—¿Lo saben en casa? Nuestra... vinculación al asunto.

—No.

—Entonces, ¿cómo lo sabes tú?

—No estaba seguro. Ahora ya estoy seguro.

—¿Te das cuenta, qué astuto? —se admira Rafa.

—¡Te quieres callar! —vuelve a estallar Jose.

—Tengo una curiosidad, Juan. ¿Por qué te llevas a Jose y no a mí? ¿Te da igual que yo me meta en un lío?

—A nadie le va a extrañar que éste se vaya. Que os fuerais los dos, daría que pensar.

—Sí, pero ¿por qué él y no yo...? No es que tenga ningún interés, ¿eh? Mera curiosidad.

—El padre de éste está en el secreto, y el tuyo, no. Y yo no quiero que lo esté.

—¡Qué bueno eres! —sonríe Rafa, burlón.

—Si estás buscando que te parta la cara, no lo vas a conseguir.

—¿Por qué, por mi salud, tal vez?

—Por la mía.

—¡Ah...! Oye, ¿y los otros? Porque había otros, ¿sabes? Claro, que tampoco vas a fletar un autobús.

Su hermano se revuelve al fin, como picado de veneno.

—¡Deja ya de hablar en ese tono, o...!

Rafa sonríe, una vez más conseguido su objetivo.

—¿O qué? ¿En qué quedamos? Creí que eras contrario a la violencia.

Juan suspira, tratando de contenerse.

—Rafa...

—¿Lo ves? —le interrumpe el aludido, con expresión de inocencia—. Es cuestión de dar con el punto débil. Todo el mundo es violento, en el fondo... No te enfades conmigo, ¡si es que no sé hablar de otra manera! Es una larga costumbre, un vicio. A veces, incluso duele, pero no me la puedo quitar. Es como esas...

Pero se quedan sin oír la explicación, porque una campana, llamando desde la casa, lejos, al otro lado del pinar, les interrumpe.

—El rancho —anuncia Rafa, contento en el fondo de romper la situación.

—Vamos —ordena Juan, encaminándose hacia la puerta del garaje.

Jose sigue sobre las ruedas de automóvil, cabizbajo, todavía hecho polvo.

—Ir vosotros delante, mientras yo me cambio.

—Te subes la bolsa, y te cambias arriba —decide Juan.

Jose le mira, dócil.

—Mejor aquí, y evitamos comentarios, ¿no?

—¿Y para qué te vas a cambiar? —pregunta Rafa, volviendo a la carga—. Entra en el comedor haciendo *jogging*. Ahora todo el mundo hace *jogging*, entre plato y plato, mientras charlan, mientras leen... Todos *jogging*.

Juan se aleja, furioso, y Rafa pasa un brazo por los hombros de Jose, para llevárselo de allí.

—Venga, tú, que se enfada el santo.

Y por eso Jose dejó allí su equipaje, y por eso bajó al club a media tarde, y por eso se encontró antes que ninguno con Mari Ángeles.

8

Al ver a Mari Ángeles tirada en el suelo, encogida contra la pared, sollozando de un modo ronco, extraño, Jose se detiene en la puerta, sorprendido.

—¡Anda, coño...!

Ella se sobresalta, se vuelve, y seca sus lágrimas como a manotazos.

—... Hola.

Se quedan un momento quietos, mirándose, mudos e inmóviles, sin saber qué hacer, ni qué decir. Por fin, Mari Ángeles vuelve a explotar en un sollozo desesperado, y Jose se le acerca y la abraza, como si en vez de consolar a un ser humano, tuviese que transportar un saco de ropa. Su ternura es un poco torpe, pero no deja de ser ternura.

—Venga, enanita, venga. Échale valor, mujer. Como no le eches a la vida dos... Eso, valor...

Mari Ángeles sigue llorando cada vez más fuerte. Jose, chascando la lengua muy paternal, la levanta como a un fardo y la sienta sobre uno de los barriles.

—Bueno, di que sí. Llora. Llora todo lo que te dé la gana, que aquí está Jose, en plan «Kleenex»... Es jodido, ¿verdad?

Mari Ángeles asiente, con furia.

—Como si te acabaran de empujar desde un avión —sigue él—, y sin paracaídas.

Sorprendida, Mari Ángeles se aparta un poco para mirarle.

—...Sí.

Jose enciende un cigarrillo, se lo pone a ella en la boca, y sonríe, triste.

—Qué me vas a contar...

Mari Ángeles no fuma, no ha fumado nunca, pero se guarda muy mucho de comentarlo. Trata, simplemente, de estar a la altura y de no toser.

—¿A ti, por qué? —pregunta.

Jose le arrebata el pitillo que, por lo visto, van a compartir en privada pompa fúnebre, y se sienta a sus pies, sobre una rueda de automóvil.

—Porque hoy nos ha pasado a los dos lo mismo, enana. Tu padre se ha muerto y el mío, no; pero, por lo demás, es igual: nos hemos quedado sin seguro.

—¿Qué?

—Que nos han hecho mayores de un plumazo. Y yo, al fin y al cabo, lo soy, pero tú... Lo tuyo es muy jodido.

Inseguridad. Miedo. El mundo es hostil. Las cosas ya no son como debían ser.

Los ingleses toman té. Los judíos son inteligentes y avaros. Los americanos son como niños. No se habla con la boca llena. Dos y dos son cuatro. ¿Dos qué, cuatro qué? Dos todo, cuatro todo. Los animales son animales, las personas, no. Las personas son personas, los animales, no. Las personas se agrupan en familias. Las familias constan de un padre,

*una madre, hijos. La noche está hecha para dormir. El día está hecho
para esperar la hora de dormir. La muerte está... lejos.*

¿Lejos?

No, las cosas ya no son como debían ser.

—... muy jodido.

*Inseguridad. Miedo. Asesinatos. Delincuencia. Atentados. Paro.
Hambre. Suciedad. Provocación. Terrorismo. El terrorismo como una
religión, como un deporte, como un negocio. Sí, miedo. Un miedo profundo, cerval. No sólo ceñido al pequeño país que uno habita circunstan-
cialmente, sino extensible como una mancha hasta ceñir todo el pequeño
planeta que uno habita irremediablemente. Sí, miedo, miedo. Terrorismo
y tecnocracia. Todopoderosa tecnocracia ahogando cualquier manifesta-
ción de auténtica vida. Miedo. Miedo de verdad. Sorprendentes estallidos
de salvajismo desordenado, en medio de la uniformidad monstruosa del
miedo conocido. Un megalómano se corona emperador sobre un inmenso
trono de oro puro, y lo celebra como un caníbal. Caníbal. Probos y doctos
hombres ilustres, de corbata a la moda, le obsequiarán con credenciales.
El les obsequia con diamantes. Cordiales caníbales. Cordiales corbatas.
Campos de concentración para minusválidos. Campos de concentración
para refugiados. Casuales nuevos brotes bacteriológicos. Ríos envenenados, mares envenenados, alimentos envenenados. Ejecuciones. En el Este,
en el Oeste, arriba, abajo. Probos y doctos hombres ilustres, desayunos de
trabajo: «La paz mundial parece amenazada por...».*

*¿Parece amenazada? ¿Lo parece? ¿La paz qué? Mundial. La paz
mundial. La paz. Probos y doctos hombres ilustres, bebiendo un sorbo de
té, mientras sopesan educadamente si es justo humillar, torturar, asesi-
nar. Derechos humanos. Té. Miedo. Miedo.*

Desde aquella noche, meses atrás, durante el último verano,
cuando entre unos cuantos vecinos indignados, aterrados, llevaron a
Cris a casa, blanca como el papel, sin voz para llorar ni para gritar, la

ropa desgarrada, los muslos ensangrentados, los ojos como los de un animal abatido, Jose vive en una especie de hormiguero de exaltación, de ira y de desesperanza. Pero no es consciente de que «lo de Cris» no ha sido para él una causa, sino la canalización de algo que ya existía. «Lo de Cris» fue como darle una bandera cuando él andaba perdido, con las manos extendidas, buscando algo que asir, que enarbolar. La exaltación, la ira y la desesperanza ya estaban ahí, antes, sin que él supiera muy bien a qué achacar cada cosa. Por eso, a veces lloraba, encerrado en su cuarto, poniendo una vez tras otra algún disco, cuya música le despertara todo ese confuso afán de que la vida fuera algo mejor, para poder vivirla con toda la fuerza de sus cinco sentidos. Por eso, le parecía, a veces, no tener fuerzas para hablar, para moverse, dentro de aquel universo extraño que era el suyo, que, hiciera lo que hiciera, era el suyo. Por eso, a veces sentía que había que cambiar de arriba abajo su estructura y la del hombre, aunque pareciese una empresa perdida de antemano porque, en medio de todo eso, tenía de sí mismo una opinión bastante pobre. Y por eso, a veces, esencialmente cuando bebía, se sentía tan grande, tan fuerte, que le parecía que algo iba a estallar en su interior, algo que contagiaría al mundo, convirtiéndolo en un mundo glorioso. Para ello, había que ser fuertes, fuertes, mandar. *La corbata más chic, el reloj más caro, la moto más potente, el trono de oro puro. Arriba, arriba, hay que estar arriba. Mandar. Aterrorizar, para no sentir terror. Hay que ser fuertes, fuertes...*

Le hubiera gustado poder explicarle todo eso a la enana, en aquel momento, como una contraseña útil, de conspirador a conspirador. Porque ahora forman parte del mismo grupo: el mundo es hostil, y ellos están solos. *Inseguridad. Miedo. Caminar sobre una cuerda floja sin que nadie espere al otro lado, sin que nadie mire, desde abajo, con los brazos abiertos, por si uno se cae.* Le hubiera gustado decirle algo de eso, como una especie de presente a su luto, como una ofrenda, o algo así. Pero él no sabe hablar. Conoce sus sensaciones, pero siempre le faltan imágenes, palabras. Sobre todo, palabras.

—... muy jodido.

Mari Ángeles observa, un poco extrañada, que su amigo mete un billete de cien en un cazo rojo y se lleva de él unas monedas.

—¿Qué haces?

—Ya te lo explicarán luego.

—Creí que no vendría nadie hasta lo menos las doce —comenta ella, olvidando el asunto.

—Vine a cambiarme. Tengo ahí la ropa.

—¿Aquí...? No sé si es que estoy sonada, pero no entiendo ni la mitad de lo que dices.

—Te lo cuento mientras te llevo a casa.

—No quiero ir a mi casa.

—Pues deberías darte un buen baño, y meterte en la cama.

—Quiero quedarme a la fiesta... Es lo que a mi padre le hubiera gustado.

—¡Claro! —explota Jose, como si le hubieran hurgado en una llaga—. ¡Como al mío! ¡Son la generación de los simpáticos! «Hijo, cuando yo me muera, no se te ocurra llevar luto» «Hijo, yo para ti, soy un camarada, un amigo más». ¡Ni una responsabilidad quieren, los muy cabrones! ¡Ni una! ¡Ni la de que llores por ellos! Se sacuden más que un perro *mojao*... ¡Lo que tienes que pensar, de ahora en adelante, es en lo que te gusta a ti, en lo que quieres tú! ¡Eso, eso es lo jodido!

—¿Por qué? —pregunta Mari Ángeles, de nuevo intrigada al verle arrojar furiosamente, monedas al cazo—. Yo sé perfectamente lo que quiero. Ahora quiero quedarme aquí, y pasar la Nochevieja contigo.

Cogido de sorpresa, un poco incómodo, Jose se encoge de hombros, y va por su bolsón de marinero.

—Bueno, pues si te apetece pasar la Nochevieja con nosotros, te vas a casa, te vistes de festejo, y vienes después de las uvas, como los demás.

—Te acabo de decir que no quiero ira casa... Mi madre no se asustará, cree que me he quedado en Madrid.

—Entonces, vente conmigo a casa de Rafa —propone él, yendo hacia la puerta—, y luego...

—Jose —le interrumpe ella, bajándose del barril—, ¿puedo pedirte un favor?

—Claro.

—Ya sé que no te caigo bien, pero...

—No digas tonterías. Venga, ¿qué favor?

—¿Quieres hacer el amor conmigo?

Jose se la queda mirando un momento, petrificado, como si no acabara de entender lo que ha oído. Por fin, una santa indignación le hace reaccionar.

—No te doy dos bofetadas —informa, soltando la bolsa y mirando a Mari Ángeles lleno de reconvención— por lo que te ha pasado hoy, que si no...

—Te quiero.

—¿Tú? ¡Tú que sabes!

Aquella pequeña no tiene miedo. Ha perdido al padre. El padre. Y no tiene miedo. Lo que siente, es dolor. Pero no miedo. Su dolor es inmenso, pero no tiene miedo, la muy insensata. Y eso es lo que ha indignado a Jose, aunque él no lo sepa, aunque él esté haciendo desfilar ante su mente las grandes palabras del fichero: Honestidad, Moral, Responsabilidad.

—¿Que yo qué sé? ¿En qué quedamos? ¿No tengo que saber lo que quiero? Pues lo sé. Te quiero.

Parece un paje, con su flequillo y su melena lacia, y su pantalón ceñido, y su zamarra. Un paje insensato, temerario, idiota.

—Aunque fuera verdad. Una mujer decente no va por la vida diciendo...

—No quiero ser «una mujer decente» —interrumpe ella, tan segura como un monolito—, quiero ser yo. Y yo te quiero. Y quiero hacer el amor contigo. Precisamente hoy. Precisamente aquí. Precisamente ahora. Si me quisieras, me lo habrías pedido tú a mí. Como sé que no me quieres, te lo he pedido yo... Y te lo he pedido por favor.

La situación no sólo escandaliza a Jose, le sobrepasa. Vuelve a lanzar su bolsa, y se la echa al hombro.

—Anda, pasa... —conmina cogiendo a Mari Ángeles de un brazo, y empujándola delante de sí, sin rudeza—, pasa antes de que acabe dándote las bofetadas a pesar de todo... ¡Vaya día! ¡Joder con la fiesta...!

9

—¿Esto una fiesta? —pregunta Rafa, con una media sonrisa de desprecio—. No tenéis ni idea de lo que es una fiesta... Yo tampoco, por otra parte. Pero, al menos, me lo imagino. Las verdaderas fiestas debieron de acabarse hace siglos... Lástima...

Con su esmoquin de terciopelo de corte impecable, y su maravillosa camisa blanca, inmaculada, y algo así como etérea, Rafa sigue tan fresco y tan perfecto como al principio de la noche.

Parece un príncipe.

Los demás, en cambio —los que quedan, porque la mayoría hace rato que ha empezado a desfilar hacia sus casas—, tienen ese aire vencido y ese desaliño de las veladas demasiado largas: un cuello de camisa arrugado, un rímel corrido, un botón de menos, un dobladillo pingante, alguna mancha y, sobre todo, el desencaje de la faz, el ojo tirando a vidrioso, y la color quebrada, señales inequívocas de que la Nochevieja, por mucho que se la intente estirar, está tocando a su fin.

Cris, que acaba de entrar del jardín, arrebujada en su chal castellano —¿después de una hora?, quizá de más—, muestra el aspecto más derrotado del cotarro. Aunque quizá no, quizás el aspecto más derrotado del cotarro habría que adjudicárselo a su primo Jose que, con la camisa por fuera y un desgarrón en el jersey, pugna por mantener latente su borrachera, que es de las de no te menees. Pero lo de Cris no es sólo cansancio ni desgaliche, es algo más. Efectivamente, el artístico peinado que le fabricaron en la peluquería del pueblo, se ha desmoronado como las murallas de Jericó, y ella —una vez despojada del mantón, que suelta al pasar, al desgaire, como quien suelta su pasado— termina de quitarse unas horquillas, aquí y allá, y sacude la cabeza para que el pelo le caiga libre sobre la espalda. Acodándose frente a Rafa, que está en plan barman mayestático, preparando un cóctel de su invención, pone en evidencia que se le ha roto uno de los tirantes del vestido, tirante que le cae sobre el brazo gordezuelo, como un despojo de guerra. Efectivamente, su vestido, ligero y disparatado, que igual puede ser un modelo de firma que un trapajo, está arrugado y maltrecho. Y efectivamente, también se le ha partido uno de los tacones de sus sandalias plateadas. Pero no es eso, es la actitud. Los soldados vienen de la guerra hechos una mierda. Pero unos llegan victoriosos, y otros, vencidos. Y se les nota. Ahí está el *quid*.

—¿Me das de eso que preparas?

—No sé ni lo que me va a salir.

—Da igual. Es por culminar la maravillosa fiesta.

—¿Esto una fiesta? No tenéis ni idea de lo que es una fiesta... Yo tampoco, por otra parte. Pero, al menos, me lo imagino. Las verdaderas fiestas debieron de acabarse hace siglos... Lástima.

Rafa está muy, muy decepcionado. Él esperaba la fiesta, la auténtica, la desenfrenada. En cierto modo, la había preparado, provocado... Y nada. Al final, nada.

—¿Y qué es para ti una verdadera fiesta? —pregunta Cris, un poco superior, un poco cansada y un poco triste—. ¿Una orgía?

—Si fuera eso... Lo de esta noche se ha parecido bastante a una orgía; en varios momentos.

—Entonces, ¿qué?

Rafa se encoge de hombros.

—Algo trascendental, absoluto, y no este medio pelo... Algo auténtico y no una caricatura.

—¡Quién fue a hablar de caricatura, vestido con un esmoquin de su padre!

—¿De mi padre? —se escandaliza él, papiroteando una imaginaria mota de polvo de su regio atavío.

—No me vas a contar que es tuyo.

—Por supuesto que es mío.

—¿Y por qué?

—¿Por qué, qué?

—¿Por qué vas de uniforme...? De uniforme antiguo, además.

Rafa vuelve a sonreír, agitando hábilmente la coctelera, que no es otra cosa que un termo.

—¿Y de qué crees que vas tú? —contesta, al modo gallego.

Cris no es tonta. Cris es la única que capta en seguida las alusiones de Rafa, los sobreentendidos de Rafa, las filosofías de Rafa.

—Ya —admite, encogiéndose de hombros—. Pero el mío no es antiguo, por lo menos.

—Mucho más que el mío. El tuyo es de trapera, y eso es de toda la vida.

—Bueno..., hay que vivir con los tiempos, ¿no?

—Con los de dentro, si los encuentras.

—¿Qué?

—Que no sé por qué hay que vivir con los tiempos que marquen los grandes almacenes.

—¿Dónde te has comprado el esmoquin? ¿En un estanco?

—Para empezar, te diré que yo no me pongo un esmoquin de confección. Me lo ha hecho Pajares. A la medida.

—¡Ooooh!

—Sí: Ooooh. Y además, yo no digo que no haya que comprar nada en los grandes almacenes, ni digo que haya que volver a la artesanía familiar, ni hacerse macrobiótico, ni teñirse el pelo de verde... De hecho, yo no predico.

—¡Ooooh!

—Sí: Ooooh. A lo que no me presto es a que me vendan eso de la juventud como si fuera un jarabe.

—«¡Para ti, porque eres joven!» —asiente Cris, poniendo voz de *spot* publicitario.

—«¡Una bebida jóoooven!» —la sigue Rafa, sirviéndole un poco de mezcolanza, tras comprobar, no sin extrañeza, que con tanto zarandeo no se ha roto el frágil revestimiento del termo—. «¡Vístete jóoooven!» —insiste—. «¡Cálzate jóoooven!». Y en resumidas cuentas: «¡Jódete jóoooven!».

Cris no tiene más remedio que echarse a reír, casi sin fuerzas.

—Paga prenda, forastero.

—Yo soy el de la idea. Estoy exento.

—Paga como cada quisque, o me pongo a jurar en hebreo. Y corro la voz, además.

Rafa se resigna y deja caer una moneda de cinco duros en un cazo repleto.

—Eso también se te ha ocurrido por lo mismo, ¿no? —comprende ella, de pronto—. «¡Habla jóoooven!».

—Claro. Nos quieren hacer tragar que somos maravillosos porque tenemos jerga propia. Somos maravillosos, y originales, y libres. La mar de libres. Curiosamente, la jerga es tan uniforme como un prospecto oficial, el mismo que nos cantan los rockeros de las multinacionales, y el mismo con que nos venden las camisetas, las hamburguesas y los refrescos ¡tan jóooovenes! «Cómprate esto, colega, que mola tela y verás cómo te enrolla...». No. No juego.

—Quieres decir que lo intentas.

—Está bien, seamos humildes; lo intento.

—¿Qué harías si te invitaran, por ejemplo, a una recepción diplomática? ¿Cómo irías?

—Vestido de gitana, naturalmente.

Cris vuelve a hacer el esfuerzo de echarse a reír.

—Para mí que no es tuyo —insiste, estudiando con los dedos la solapa del esmoquin—; para mí que es uno de tu padre, arreglado.

—¡Ya salió otra vez! Si en la lista de palabras tabú, hubiéramos incluido la palabra padre, a estas horas ya éramos ricos. ¡La una, llorando porque se le ha muerto! ¡El otro, emborrachándose porque se independiza del suyo! Y los demás, igual: mi padre, esto; mi padre, lo otro; mi padre, sí; mi padre, no. ¡Caray con el arquetipo, qué país!

—Que yo recuerde, no he dicho nada de mi padre en toda la noche —puntualiza ella, relamiéndose con el brebaje, que es dulcecito y espeso.

Rafa sonríe, malicioso, dispuesto a entrar en confidencias.

—Porque le has sustituido. La palabra no significa nada en concreto, en realidad. No es más que un símbolo. Alguien a quien adorar, a quien seguir, a quien temer un poco. Un verdadero tacataca para no tener que andar solo, que es tan incómodo... Por cierto, ¿te salió bien?, ¿has cubierto el puesto?

Ella no levanta la mirada de la copa que tiene entre manos. Con su dedo regordete humedece todo el borde de cristal, y por fin contesta, escueta:

—No.

Rafa se queda un poco sorprendido. Él habría jurado...

—Te estás quedando conmigo —insiste, desconfiado—. Lo que quieres es que...

—No —le interrumpe ella, siempre sin mirarle.

—Pero..., ¿no vienes de estar con él?

Efectivamente, avanzada ya la noche, como quien dispara a la desesperada sus últimos cartuchos, Cris sacó a bailar a Juan, y luego se lo llevó a un rincón, y estuvieron cuchicheando los dos con aire de profundidad, hasta que ella volvió a ponerse en pie con actitud decidida, se envolvió en su negro mantón castellano, y se lo llevó al huerto, literalmente hablando.

Por lo visto, para nada.

—Vengo de estar con él, ¿y qué? —pregunta, un poco provocona.

Rafa, cosa rara en él, se queda un poco cortado, quizá por la sorpresa. Él habría jurado...

—Lo siento —comenta, con absoluta sinceridad.

—Se aceptan las condolencias.

Ella es muy orgullosa. Ella es una mujer fuerte, valiente, práctica. A ella no le va el lamentarse, ni el llorar por los rincones. ¿No salen las cosas como uno quiere? Pues a aguantarse tocan, y a ponerle al mal tiempo, buena cara... Buena cara. ¡Pues buena la tiene, la pobre! Querida Cris, querida...

—O sea —reemprende Rafa, volviendo a su tono habitual, en vista de que su amiga no le consiente otro—, que tu padre no te impresiona, no has conseguido el novio que querías, y, que yo sepa, no andas por ahí siguiendo a ningún líder. Entonces, ¿qué va a ser de ti lejos de casa, nena, qué va a ser de ti?

—Tú ponme otra copa, y cuéntame lo de las fiestas, que para eso te pago. Déjate de versos.

—¿Lo de las fiestas? Pues es lo mismo.

—¿Qué mismo?

—Pues eso, lo mismo. Las fiestas tendrían que ser una liberación, un estallido…, algo que produjese una auténtica interrupción en esta vida idiota que llevamos todos. Una especie de…, de paroxismo de la existencia.

Ella abre exageradamente los ojos mientras se recrea con un nuevo sorbito.

—Sigue, que me estás alucinando. Sigue… ¿Qué más?

—¿Más? Pues eso. Algo que destruyera esa especie de círculo que pintamos a nuestro alrededor para defendernos de los demás, ¿entiendes?

—Regular… —confiesa ella—. Dímelo de un modo sencillo —añade burlona—, como tú eres.

—Zambullirse en la vida hasta el fondo, para resurgir completamente transformados. Eso es una fiesta.

Sin dejar de apoyarse en la barra, Cris gira medio cuerpo hacia el resto de los celebrantes.

—¿Estáis oyendo, chicos?

Los chicos no están oyendo nada. Están cada uno a lo suyo, apurando las últimas gotas de la copa de Nochevieja. En el caso de Jose, de modo rigurosamente literal, porque sigue bebiendo, solo, en la mesa-barril del rincón, después de que a su pareja de aquella noche, Mariche, la de «Los Laureles», se la han llevado sus hermanos a casa.

Juan acaba de volver del jardín con la enana —lo que sorprende a Cris, porque ella lo dejó allí solo—, duda un momento en la puerta, y por fin va a sentarse en la mesa de Jose y se pone a hablar con él por lo bajo. De pronto, recuerda en voz alta lo del chocolate ritual, que se les está olvidando. Cris se dispone a prepararlo, y Rafa se escabulle oportunamente, dejándola que encienda ella sola el infiernillo de alcohol, y tire de la jícara de barro, mientras gruñe que nadie la ayuda nunca a nada, y que un día se va a hartar.

Quique *el Largo* y su novia renuncian al chocolate porque se mueren de sueño, y desaparecen en la oscuridad del jardín tras un vago ademán de despedida.

La enana, arrodillada junto al tocadiscos, que es donde ha pasado la mayor parte de la noche, haciendo de *disc-jockey*, rebusca entre los *long-plays* y acaba por quitar la lentorrez melódica con que se refocilan desde hace mucho rato Laura y Chus, bailando —si es que a aquello se le puede llamar bailar— pegados como lapas, y pone el *Himno a la Alegría*, versión Miguel Ríos, que por lo visto le reconforta mucho el dolorido espíritu, porque lo ha puesto ochenta veces aquella noche. Las lapas ni se inmutan. Siguen deslizándose unidas, en sensual lentitud y ojos semicerrados. Quizá, de haberlos tenido cerrados del todo, no hubiera sido Laura la primera en dar un grito, soltándose bruscamente de Chus, y quedándose petrificada mirando a la puerta.

A Cris se le estrella la chocolatera contra el suelo, salpicando toda la falda de su vestido de fiesta.

El *Himno a la Alegría* chirría desagradablemente antes de enmudecer del todo, porque la mano de Mari Ángeles se dispara hacia el brazo de la aguja, como si en un momento así, fuera un contra Dios que sonase música alguna.

En realidad, el único en iniciar algún tipo de acción es Jose, que vuelca el barril al ponerse bruscamente en pie, pretendiendo lanzarse hacia la puerta como un toro. Pero Juan le sujeta. Juan, que está blanco como el papel.

Rafa, también inmóvil y tenso, y asustado, muestra sin embargo un extraño brillo, un brillo exaltado y alegre en los ojos. Al fin, la fiesta.

10

¡Habían dedicado tanto tiempo y tantas energías para preparar aquella noche! Toda la pandilla en general y, en particular, aquellos seis rezagados. Bueno, siete, contando a Juan, pero Juan ni era de la pandilla ni había preparado nada. En cambio Chus, sin ir más lejos, había pintado el árbol de colores de la pared, y había escrito aquello de «¡Los ochenta son nuestros!», y se había pasado la tarde anterior acarreando botellas y latas y víveres del súper. El súper, «La Casuca», era de su padre, y aquél era el primer año en que él confraternizaba de un modo tan total con la gente de la colonia, y a él le gustaba Laura, y había trabajado como un cafre para contribuir al éxito del cotillón.

Y no sólo Chus.

Y no sólo era lo que se había trabajado, de cara al club, sino de cara a uno mismo, en casa, velando las armas.

El dinero del esmoquin, por ejemplo —mira tú que la perra del esmoquin, en plena sierra—, se lo había sacado Rafa a su hermana Cora, la mayor, que era rica y le daba todos los caprichos. Pero sacárselo llevaba un tiempo, un esfuerzo, un ir a probarse, en fin...

¿Y Laura, que mucho encogerse de hombros y a mí me da igual todo, se había pasado la tarde haciéndose trencita por trencita, y adornándolas abalorio por abalorio, para lucir aquella cabeza por la noche?

¿Y Cris, que se había dejado los dedos a coserse el vestido, sacado del *Burda*, porque ella era muy apañadita y su madre la ayudaba? Quién le iba a decir, quién le hubiera dicho cuando se metió a las cuatro de la tarde, llena de ilusión, en la peluquería del pueblo...

La *esthéticienne* —eso pone en la puerta de la peluquería, en plena plaza porticada: «Marianne, *esthéticienne*»— ocupa su lugar a la cabecera de la camilla. Se sienta sin hacer el menor ruido. Tiene aspecto cansado. Medio pueblo, o al menos media colonia flotante, ha debido de pasar por su establecimiento desde por la mañana temprano. Nochebuena, Nochevieja, dos fechas punta para el gremio. *Y casi más Nochevieja, ¿no? Pues casi más, la víspera de Reyes, fíjate lo que son las cosas.*

Cris le sonríe. Una cara al revés. Dama de trébol. La *esthéticienne* le recoge el cabello, se lo envuelve en un turbante esponjoso, blanco, inmaculado, y deposita de nuevo la cabeza sobre la almohada. Cris cierra los ojos, respira de nuevo profundamente, y recuerda que conviene no pensar en nada y relajarse. «Si te relajas, te queda un cutis genial».

Su madre se ha portado bien, cediéndole la hora que tenía pedida para ella desde días atrás, pero es que desde «aquello», desde «lo que pasó», desde «la desgracia», su madre va dejando notar un preocupante y muy poco moderno afán por colocarla como sea, por buscarle novio, en seguida. Un novio, no un noviete, un novio formal, como los de antes, y los Alvar son serios y de antes; la familia, al menos. A Cris le irrita profundamente descubrir en su madre esos anhelos, pero, en este caso, cede gustosa, porque las intenciones de ambas se confunden. Juan había prometido bajar al club, y era la última noche, porque al día siguiente se largaba y luego ya, hasta el verano... Eso, si venía en verano, que estaba por ver. Es su última oportunidad, y tiene que estar guapa, guapa...

Una luz violenta enfoca su rostro. Durante largos minutos silenciosos, varias clases de cremas y lociones caras se alternan sobre su piel. La *esthéticienne* elimina barrillos, da masajes y, por fin, enjuga la piel con un algodón empapado en un líquido aromático. Luego, extiende la pasta de la mascarilla, protege los párpados con dos nuevos algodones humedecidos, y va vendando, por zonas, el rostro de Cris.

Ramsés II.

Algo helado se pasea por encima del vendaje, estremeciéndola de pies a cabeza. De pronto la situación le da risa y tiene que morderse el interior de la mejilla para contenerse.

No hay nada que conserve mejor a una momia, se lo aseguro. Mis momias gozan de un aspecto inmejorable. Nuestros productos son famosos en el mundo entero. ¿Por qué resignarse a ser un cadáver corriente? Cuídese. Embalsámese. Sólo le sacaremos las entrañas. El ser humano ha perdido ya el pelo y varias muelas inútiles, ¿para qué quiere usted las entrañas? Una momia inca no vale lo que una momia egipcia, digan lo que quieran. Nuestros productos...

—¿Estás cómoda?

La momia está cómoda. Las momias son esbeltas y gráciles. Siempre están cómodas.

—Descansa. Yo vendré en seguida.

No tienes por qué preocuparte. Los resultados son espectaculares. Ramsés quedó maravilloso de nuevo. Naturalmente, le operaron en París. Hongos. Una extraña variedad de hongos. Horrible, ¿verdad? Pero siempre hay procedimientos. El único handicap es carecer de dinero, Sin dinero no hay embalsamadores, ah, no, querida, eso no, por Dios, qué dices. Sin dinero no hay nada. ¿Tú en qué mundo vives?

Crisis.

Cris.

Cris, de Cristina.

Cris, de crisis.

Pues maldita la gracia que tiene.

La tienda ya no es como antes. Años de déficit, hija. Como no se arreglen las cosas, lo que es el chalé... Y lo malo es que vender ahora es de locos, de locos. No te dan ni la cuarta parte de su valor, ¡qué digo la cuarta parte...! Y es que hemos vivido por encima de nuestras posibilidades. Todos, ¿eh? ¡Pues claro que los pobres también! Y no te creas que la gente se resigna, no se resigna. Aquí la gente es muy suya, no pasa por según qué. Quiere sus comodidades, sus coches, sus casas, sus estatus, tatus, tatus... Sabe Dios lo que va a pasar. Con el Mercado Común dicen que diez años de apretarse el cinturón, y aquí la gente es muy bruta, aquí no les hables de apretarse el cinturón. Somos así. Aquí, el cinturón, nos lo aprietan de vez en cuando al cuello, pero así, por gusto, y en su sitio... No, no, quita, quita. Estatus. Pero tú, estudia. Tú, prepárate. ¿Cómo para qué? ¡Para el porvenir! ¿Qué porvenir? ¡Pues el porvenir, venir, venir...! Que ahora ya no vale eso de que te mantenga un hombre, ¿eh? Ahora, cuatro manos son pocas, una chica se las ve moradas, igual que un chico. O más. Si vas a mirar, más, porque os exigen más, y os dan menos, y os ponen todo tipo de pegas, y ya no os dejan el asiento en el autobús...

—¿Estás cómoda?

Sí, está cómoda. Aquella cama articulada es un invento, y le está entrando un sopor, un sopor...

Descansa. Yo vendré en seguida.

La misma frase que aquella noche, el verano anterior, cuando por fin pasó todo y se encontró en su cama, limpia, rodeada por los suyos, protegida: «Descansa...». Y fue entonces cuando empezó a temblar, y a llorar como una loca hasta que el médico le puso un calmante. Porque antes no había llorado. Hasta aquel momento, no había llorado. Hasta aquel momento no había actualizado la salvajada que acababa de ocurrirle, no la había hecho suya y, por lo tanto, era como si no le hubiese sucedido.

La sujetaron entre cuatro.

Salieron, ni se sabe cómo, de entre unos matojos. Eran cinco, y aunque la matasen no podría recordar sus caras. No tenían cara. De hecho, no eran nadie. No seres normales dentro del tiempo y el espacio. Al menos, no para ella. Eran sombras, manos, gruñidos, un amasijo brutal y sucio que la había atacado de pronto, inmovilizándola, tapándole la boca, antes de darle tiempo a nada más que a constatar su impotencia, la peor de las pesadillas. Paralítica de pronto, muda, y ciega, sin más comunicación con el mundo que el asco y el dolor físico.

Y el odio.

El odio como una fuerza desconocida y arrasadora, sacudiendo su ser igual que un cataclismo. Porque aquel espanto no era irracional, no era un aterrador accidente de la Naturaleza, sino la voluntad de alguien, el deseo aceptado de alguien a quien la fuerza, y sólo la fuerza, otorgaba un poder total sobre ella.

... No. No sobre ella. Sobre su cuerpo, sus sentidos, su yo...

Hasta que de pronto, un extraño, inefable estallido, en algún lugar de su mente, empezó a borrar la pesadilla, haciéndola desaparecer como a una pompa de jabón que se alejara en el aire y se destruyera a sí misma, sin ruido, sin color, casi sin forma.

Y con ella, desapareció el odio.

Los brutos, los íncubos abominables... y estúpidos, ¡qué estúpidos!, seguían abusando de su cuerpo, pero no importaba, porque toda la escena había dejado de tener que ver con ella. Comprendía que había traspasado alguna barrera, que algo se había transformado en su interior, pero le era imposible describirlo, describírselo a sí misma, saber exactamente qué.

Hasta que por fin captó un dato. Había prescindido de su cuerpo. Había cambiado de raíz, ella y, curiosamente, también su entorno. Nunca antes había visto aquella carretera, ni aquellos árboles, ni aquellas casas, no conocía a aquellas gentes cuyas siluetas adivinaba tras las ventanas, ajenas a lo que a cincuenta, cien metros, le estaba ocurriendo a... ¿Ocurriendo a ella? No, ése era el caso.

Ella misma era una extraña a sus propios ojos. Se daba cuenta, de un modo reflexivo y sensible, de que estaba viva. Se veía fuera de sí misma, como si la palpitación consciente que era ella en realidad, empezase a considerar objetivamente los accidentes y circunstancias de lo que los demás conocían por Cris. Empezó a ver a Cris, como si fuera un vestido que pudiera quitarse a voluntad.

Cuando las bestias se cansaron de ella, de Cris, del cuerpo de Cris, o salieron corriendo porque oyeron la moto de Chus, el de «La Casuca», cuando el pobre Chus, un poco ingenuamente, se arrancó la camisa para cubrirla mientras alertaba a las casas vecinas, cuando la recogieron, la llevaron, la atendieron, aquella curiosa sensación de desdoblamiento persistía. Miraba a su propia gente con sorpresa, se recreaba en sus propios ademanes, pareciéndole que nunca los había ejecutado antes. «Está como ida» «Pobrecita, no reacciona». Y aquella frase de alguno de ellos —¿su padre, su madre, quién?—: «Descansa, ahora descansa...», la devolvió a sus límites, a sus datos, a su cuerpo, a su nombre, y lloró ferozmente por Cris sometida, por Cris humillada, hasta que todos se quedaron tranquilos de verla hacer cosas normales. Normales...

Pero a partir de aquel día no fue la misma. Empezó a pensar en muchas cosas en las que nunca había pensado. Era increíble que los seres humanos se angustiaran como lo hacían por cosas transitorias, secundarias, y no dedicaran toda su energía y su tiempo a estudiar el verdadero fenómeno de la vida. Hablaban de ello, claro. Hablaban de ello sin saber. Le daban ese nombre, la vida, a una circunstancia anecdótica que los aprisionaba como impidiéndoles respirar verdadero aire puro. Se ahogaban en palabras que adulteraban la verdadera esencia de las cosas, pero no las comprendían. Y ella había estado a las puertas. Había pasado el umbral de aquel conocimiento, el único importante. Le había sido necesaria aquella experiencia brutal, para desgajarla de su propia circunstancia, hacerla vibrar como una cuerda que saltara de pronto de una guitarra, y proyectarla hasta aquel extraño punto del espacio en el que había experimentado tan sorprendente sensación de libertad. Pero la había probado, y ahora sabía. Alguna vez, sobre todo si estaba sola y repetía intensamente «Yo..., yo..., yo...», la privilegiada situación volvía, como un aroma que impregnara el aire, ¡pero era tan fugaz...! Se le escapaba, y ella volvía a ser Cris, Cris gruñona, Cris pelirroja, Cris gordita.... Cris que, de todas formas, sabía. Sabía que aquel estado era accesible al ser humano y que, de ser perpetuo, nada en el mundo le daría miedo, nada la detendría, nada podría hacerle daño.

Una noche, tuvo un sueño extraño y dulce. Soñó ser Juan, mirar con sus ojos, hacer sus mismos gestos, hablar con su voz... Cuando despertó, se sintió embargada por una extraña paz, parecida a la de aquella otra noche. Fundirse en otra personalidad, en la de aquel muchacho al que amaba, le había hecho comprender que también él era un conjunto de circunstancias, en su mayoría desconocidas para ella, agrupadas todas bajo el nombre de Juan Gabriel Alvar, detrás de las cuales, libre en el tiempo y en el espacio, palpitaba un ser vivo. Era alucinante.

—¿Te has relajado bien? Seguro que hasta has dado una cabezadita...

Marianne *esthéticienne* la libera de sus vendajes.

—Estupendo —calibra, dándole palmaditas aprobatorias en las mejillas—, te ha quedado el cutis genial... Tú tienes muy buen material, eso también hay que admitirlo.

Cris sonríe, contenta de su material, y se incorpora.

—¿Te vas a peinar?

Sí, se va a peinar, se va a maquillar, se va a hacer de todo. Para aquella noche, todo es poco.

El vestido le ha quedado precioso. Todas las vacaciones cosiendo, eso sí, pero valía la pena. Precioso. Su padre se ha reído, al vérselo probar, ya terminado, y hasta le ha preguntado si no se ha puesto sólo el forro, por equivocación, pero se le notaba que la encontraba guapa. Y es que el negro le favorece. Y la hace más delgada, además.

Es curioso que no pueda abstraerse de todas aquellas vanidades, de todos aquellos deseos, incluso de todos aquellos sentimientos, sabiendo lo que sabe. Pero no puede. Está tan presa en ellos como antes, como siempre... O quizá no como siempre, tampoco.

Un día, el verano anterior, no mucho después de la «desgracia» como se alude al hecho en su familia, con gran irritación por su parte, intentó hablar con Rafa de todo aquel mundo interior que había intuido. La conversación no llegó a cuajar, no llegó a ser verdadera comunicación, probablemente por falta de palabras. El lenguaje era pobre para ese tipo de experiencias, y uno acababa siempre hablando en parábolas que lo hacían todo mucho más complicado aún. Pero de todas formas, fue una conversación, y Cris sacó en consecuencia que Rafa también había vislumbrado, del modo que fuere, la misma puerta que ella.

—¿Por qué se quiere a la gente? —tanteó, metida en la piscina, apoyada de codos en el borde, y como quien pregunta por preguntar, pensando en otra cosa.

Estaban solos. Era muy temprano, y aún no habían llegado los habituales. Rafa, meciéndose suavemente bajo la sombra del balancín, se incorporó a medias para mirarla con cierta curiosidad.

—¿Te ha dado mucho el sol?

—No. En serio.

—¿Por qué se quiere a la gente? Los sentimientos son una cosa inexplicable, ¿no?

—¿Y qué son los sentimientos, realmente?

—Algo así como el grado siguiente a lo que es el instinto en los animales —improvisó Rafa, que no tenía el menor pudor en largar lo que fuera con tal de no quedarse sin respuesta.

Cris esbozó una mueca, escéptica. Mueca que no vio nadie porque su amigo había vuelto a tumbarse en el balancín y a cerrar los ojos.

—Indudablemente, la vida sin sentimientos sería mucho más cómoda —volvió a la carga Cris, agarrándose al rebosadero y estirándose para aletear las piernas.

—Seguramente —admitió el príncipe, sin gran interés, entre los chapoteos de la bañista.

La bañista cesó en sus chapoteos, y volvió a asomar la cabeza.

—Pero, ¿valdría la pena?

—¿Qué? ¿Valdría la pena, qué?

—Vivirla.

—Claro.

—¿Por qué?

Rafa se incorporó definitivamente, se sentó y encendió un cigarrillo.

—Porque no tenemos otra cosa. Lo que importa es vivir, estar vivo.

—Y estar vivo..., ¿es sentir?

Rafa hizo una larga pausa, exhalando una lenta bocanada de humo y guiñando los ojos contra el violento sol.

—Hasta las lechugas sienten —sonrió por fin—. Se han hecho experimentos.

—¿Las lechugas?

—Las plantas. En general. Están vivas.

—¡Ya sé que están vivas! —protestó Cris, impaciente—. Todo el mundo lo sabe, pero...

—¿En ese sentido? ¿Sabías que estaban vivas en ese sentido? ¿Que sienten? ¿Eso lo sabías?

—Mi madre les habla. Y les pone música.

—Y a ti, te parece una idiotez.

—A mí me importa un bledo. Lo que quiero decir...

—Tienes razón. Tienes toda la razón. Yo no le hablo ni le pongo música a mi guardés, y también está vivo... Bueno, no estoy seguro. Además, hablarlé, a veces le hablo.

—¿No puedes dejar el cachondeo alguna vez?

—No estoy de cachondeo, pero es que le estás dando vueltas a algo, y no me dices a qué. ¿Por dónde vas ? ¿Quieres decir que tus sentimientos te hacen sufrir?

—¿A mí por qué?

—Empezaste hablando de sentimientos.

Cris soltó las manos y se echó hacia atrás, hundiéndose de espaldas en el agua, y salpicando como una foca. No deseaba entrar en confidencias personales, deseaba filosofar, pero ya se había temido que iba a resultar difícil. Incluso con Rafa.

Hacía muy poco que habían descubierto el placer de la conversación, hacía tan poco, que eran como esquiadores novatos, cayéndose constantemente, riéndose avergonzados de su propia ineptitud. Cuando trataban de temas elevados —de temas que ellos mismos calificaban de elevados—, solían ponerse muy pedantes, hasta que se daban cuenta de ello y, temerosos de ser excluidos del rebaño, se hacían los idiotas, los zafios, y tartamudeaban, para poder utilizar con menos vergüenza, alguna palabra erudita, alguna frase rebuscada que disfrazase lo confuso y lo inquieto de sus ideas.

—¿Te hacen sufrir tus sentimientos? —preguntó de nuevo Rafa, inflexible, en cuanto su amiga sacó la nariz fuera del agua.

Apoyando las palmas en el borde, Cris se elevó en el aire con un conocido y hábil impulso, y quedó sentada cerca del anaranjado palio de su interlocutor.

—No va por ahí.

—¿No? —ironizó Rafa, tragándose el humo hasta los talones, cómo si nunca hubiese tenido un pulmón enfermo.

—No.

—¿Pues por dónde?

—En general. ¿No crees que se podría hacer algo, lo que fuera, para que todo te importara tres narices? O sea, para dejar de ser tú, pero siendo más tú que nunca... No sé si me entiendes.

—¿Has estado leyendo filosofía oriental, o alguna mierda de ésas?

—No he estado leyendo nada. Es una cosa que digo yo.

—Pues suena a... trascender.

—¿Trascender?

—Sí, nena.

—¿Trascender qué?

—A ti misma. Tu propia... realidad, o lo que sea eso.

—¿Personalidad?

—Tú no tienes personalidad.

—¡No, en serio, Rafa, venga...! ¿Qué es uno sin sus sentimientos?

—Su cerebro.

—Es como si dices que uno es su hígado.

—Claro, y lo es.

—Pero no sólo, ¿verdad? No puedes decir que tú eres tu hígado.

—Con la mierda de hígado que tengo, desde luego que no.

—¡Rafa...!

Y en ese momento, Rafa esbozó una sonrisa dulce, dulce.

—¿Eres feliz, Cris?

Cris soslayó la espinosa pregunta con otra.

—¿Y tú?

—Yo no me preocupo por eso.

—Yo tampoco, me lo acabas de preguntar tú.

—Tienes toda la pinta de buscar la felicidad con el mismo hambre que sueles tener a la hora de merendar.

—Y tú tienes toda la pinta de... Además, ¿qué es ser feliz?

Rafa dudó un segundo.

—Pues a lo mejor, eso que tú estás queriendo investigar.

—¿Yo...? ¿Por dónde hemos empezado?

Rafa suspiró, aplastando la colilla de su cigarrillo con sus inmaculados zapatos de tenis.

—Por los sentimientos. Me preguntaste qué eran los sentimientos.

—¿Y tú qué me dijiste?

—No me acuerdo.

—O sea, una estupidez.

—Seguramente.

—¿De qué habláis? —intervino entonces Laura, subiendo la escalera que llevaba a la zona de la piscina.

—De nada —respondió Cris, encogiéndose de hombros, y comprendiendo que, desgraciadamente y en última instancia, esa era la verdad.

Laura, dispuesta como siempre a darse el primer chapuzón casi antes de saludar a nadie, llegó hasta ellos quitándose el albornoz por encima de la cabeza, lo arrojó, como una ofrenda, a los pies de Rafa, y se zambulló de un salto, sin salpicar ni una gota, casi sin hacer el menor ruido.

—En cualquier caso, habría que saber si hay billete de vuelta cuando uno quiera —comentó Rafa, también como distraídamente, antes de que Laura emergiera de nuevo al otro lado de la alberca.

Cris le miró asombrada; él simplemente sonrió de nuevo, y por eso Cris pensaba, desde entonces, que Rafa también sabía. No sabía QUÉ sabía Rafa, pero ya estaba claro que sí, que había algo que saber, y que fuera lo que fuera, él lo sabía.

Y por eso, porque no estaba segura de querer marcharse a aquella apacible, y fría, y desconocida tierra, sin billete de vuelta, seguía prendida en los pequeños deseos, las pequeñas ambiciones, los pequeños sobresaltos, y la pequeña angustia de su gran amor. Y por eso, aquella Nochevieja necesitaba echar el resto para estar guapa, guapa...

—¡Qué guapa estás, tía! ¡Vaya trapo *guay*!

Fueron los primeros duros que Laura tributó al cazo de las multas aquella noche.

La encomiástica frase le brotó espontánea, al ver entrar a su amiga en el garaje, apenas dadas las doce y media, y Cris se esponjó, sonrió, un poco nerviosa, como una estrella ante la avalancha de muchos *flashes*, saludando a unos y a otros, leyendo la admiración en muchos de ellos, la envidia cochina en otros, y creciéndose mientras avanzaba hacia la barra, creciéndose...

Como de tácito acuerdo, todas las chicas que habían acudido al sarao, y las que fueron llegando después, se habían puesto de tiros largos, con creps, y Sedas, y escotes y faralaes, confiando mucho en el calor animal para no helarse de frío. Bueno, todas menos la enana, claro, que andaba por allí con sus pantalones y su jersey, vestida igual que los chicos, que iban todos de sierra, menos Rafa, y su terciopelo negro, y su camisa maravillosa. Rafa, que le abrió los brazos desde lejos, como para un vals —¡porque ése era el recibimiento que Cris se merecía, qué caramba, era su entrada, ¿no?—, y la acogió en ellos, y le hizo dar una vuelta por el aire...

—Feliz Año Nuevo, gordi.

... y cuando la volvió a dejar en el suelo, un poco mareada, le guiñó un ojo de conspirador, porque allí, tras ellos, sentado ante una de las mesas-barril, charlando con unas chicas del pueblo de abajo, con aire un poco ausente y un poco aburrido, estaba Juan.

Juan. Juan Gabriel.

Y Cris no se dio cuenta, hasta ese momento, de la incertidumbre que la había dominado toda la tarde, toda la noche, porque no había estado en absoluto segura de que él acudiese realmente. Pero allí estaba, allí estaba.

Rafa se lo había traído.

Y se lo había traído porque, claro, resulta embriagadora la idea de trascender, de hacerse al fin mayor, pero uno no sabe cómo se da el paso, y además es muy doloroso, mucho, renunciar a los juguetes.

11

—¡Y yo que pensaba empezar el año triste y sin ganas de nada...! —susurra Cris, rota, dulcemente fundida y cálida en el frío de la noche.

Hace rato que el hierro transversal del balancín se le está clavando en la nuca, pero no quiere hacer nada, ni un solo movimiento para prescindir de ese dolor que forma también parte de aquella noche encantada.

—¿Sabes una cosa? Cuando me has traído aquí, tenía un poco de miedo. No me imaginaba que podía ser así.

Juan se incorpora entonces, con aquellos movimientos suyos, tan armónicos, tan sencillos y tan fáciles en cualquier circunstancia. La incorpora con él, levantándola por la cintura, manteniéndola contra su corazón, y la acaricia un poco distraído, como pensando en otra cosa.

—El amor es siempre así, Cris.

—Pero yo tenía miedo... Ten en cuenta lo que me pasó.

Quizá debería dejarse ya de utilizar la maldita historia como comodín, ser honrada con Juan y no especular con la-pobre-Cris-que-fue-violada. Quizá debería contarle, a él mejor que a nadie, lo que realmente le pasó aquella famosa noche, lo que pasó en su interior, pero, al fin y al cabo, la pobre-Cris-que-fue-violada es un arma como otra cualquiera, como el rímel de las pestañas, qué bueno debe de estar, por cierto, y como el vaporoso y sucinto vestido negro que —¿inconscientemente, o casualmente?— había escogido abierto y envolvente como una túnica griega.

—Olvídate ya de aquella historia —le interrumpe él, apartándole dulcemente un mechón pelirrojo de la cara y enroscándolo, con suave y meticulosa precisión, detrás de su oreja.

—No creas que es tan fácil.

Juan busca sus gafas, de cuya montura, fina y como táctil, la difusa luz de los faroles diseminados por el jardín arranca extraños destellos.

La máscara de oro.

Investido de nuevo con ella de su carácter sacro, vuelve a enlazar a Cris, y se reclina sobre el respaldo del balancín, cerrando los ojos, y aspirando profundamente el aire helado.

—Olvídala. El amor es siempre así, ya lo verás.

Ella recupera, buscando a tientas, sin volverse, las puntas de su grueso mantón castellano y, levantándolo con los brazos extendidos, se envuelve y lo envuelve en él, como en una capa pluvial.

—Bueno, la verdad es que siempre estuve segura de que sería-así... contigo.

Los brazos de Juan estrechan más su cintura, entrañablemente, apaciblemente, fraternalmente.

—Conmigo o con otro. Será así siempre que sea verdad.

Cris se queda rígida en los brazos de él. Rígida y sola.

—¿Contigo o con otro?

—Claro.

—¿Es una broma?

—¿Una broma, por qué?

Ella comprende de pronto. No ha ganado la guerra, ni siquiera una batalla.

—Te irás mañana de todas formas, ¿verdad? —resume.

Él intenta bromear.

—¿Mañana? Querrás decir hoy. ¿Sabes qué hora es? Por cierto...

Liberando su brazo de la improvisada tienda de lana, Juan hace girar su muñeca, intentando comprobar la hora.

—En realidad, deberíamos habernos marchado ya.

Cris se repliega, se acurruca en un rincón del balancín, arrebujándose en su gran toca de viuda.

—Siento haberte entretenido —musita, aferrándose a una patética frase digna, que no casa con el tono frágil con que la pronuncia.

En vez de recuperarla para el abrazo, Juan la arropa más en su propio mantón, envolviéndola lentamente, cubriéndole las piernas, los pies, como con una mortaja.

—Cris —le va diciendo mientras, con cierto reproche—, ¿a qué viene esto? Tú ya sabías...

—Soy tonta —interrumpe ella, con la voz cada vez más firme—. Soy tonta, palabra.

—Y vas a hacer que me sienta yo como un idiota.

—Supongo que habrá que darte las gracias. «Gracias, Juan —recita, con voz de colegiala—, has sido muy amable, no tenías por qué molestarte».

—Cris..., por favor.

Se hace el silencio entre los dos. Pero no como antes, ardiente, emprendedor, un poco amenazador y un poco enloquecido, lleno de susurros, de caricias, como un sobresaltado paseo en la oscuridad de alguna caverna mágica en la que acecharan peligros y maravillas. No, el de ahora es un silencio helado, de incomodidad, de distancia.

—¿No volveremos a vernos? —pregunta ella por fin, muy triste.

Juan la atrae de nuevo hacia sí, toda envuelta en su mantón, como un paquete.

—¿Por qué eres tan dramática? Claro que nos veremos. Nos hemos estado viendo desde que éramos niños, ¿no?

—Ya...

—Cris, escucha...

El tono le ha salido demasiado paternal para que ella lo aguante. Se separa, voluntariamente, airosa y desenfadada, arreglándose el desmoronado cabello con aire maquinal.

—¡Por Dios, no vayas a llorar! —bromea a su vez—. No soporto a los hombres que lloran. Te sobrepondrás. Ahora, todo esto te parece un mundo, pero hay otras mujeres. No como yo, que soy divina, pero las hay...

Y de pronto hace un quiebro, mirándole directamente a los ojos.

—¿O no son las mujeres lo que a ti te gusta, Juan?

Él no le concede a la pregunta ni un leve pestañeo.

—Todas no, desde luego —sonríe sin alterarse.

Cris le observa durante unos segundos. Pues sí, cuatro años cuentan, al fin y al cabo. Ella no dispone aún de semejante rapidez de reflejos, de tamaña elegancia, de tal displicencia. Claro que no deben de ser sólo sus dieciséis años. También cuenta que ella no es una Alvar.

—No te ha sorprendido la pregunta —comenta por fin.

—¿Por qué me iba a sorprender?

—A la demás gente le sorprende.

—¿Estás haciendo una encuesta?

—Además, no me has contestado. Te has salido por la tangente.

—¿Y a ti qué más te da? —contesta él un poco cansado, empezando a estar lejos, muy lejos de allí—. Hemos hecho el amor, ¿no era eso lo que pretendías?

—Pero no me quieres.

—Pues claro que sí... Siento un gran cariño por ti.

—O sea, que no me quieres.

Juan suspira, un poco harto.

—Cris, ni tú a mí tampoco.

Cris se arrodilla sobre el asiento del balancín, acortando de nuevo las distancias.

—¿Que yo...? —se indigna—. Mira, si no te importa, preferiría no discutir eso.

—Y yo. Es un tipo de conversación que me pone enfermo.

Ahora se parece a Rafa. Sí, ahora Juan no es Juan, sino el hermano de Rafa, capaz de la misma crueldad fría e indiferente para con el ser inferior que se permite exhibir su debilidad. Es sorprendente. Parece una actitud que no tuviera nada que ver con él. Y sin embargo es totalmente suya, no está fingiendo, no. Cris debería rehacerse y mostrarse, como hace un momento, burlona y fría, muy fuerte, más fuerte que él, pero no puede. Y además, no le da la gana. Ya tendrá tiempo de mostrarse indiferente y altiva, luego, con los demás, el resto de la cochina vida. Pero ahora se siente despojo humano, y quiere comportarse como un despojo humano.

—Si no te quisiera... —balbucea al borde de las lágrimas—, ¿qué habría venido a hacer contigo al balancín? ¿Qué te crees? ¿Que voy por ahí acostándome con todo el mundo?

—Ya sé que no —admite él, dulcificando su tono—. Rafa cree que te horroriza la simple idea, desde que...

Juan se interrumpe, dejando la frase sin terminar. Es tan evidente que acaba de cometer un error, que ni siquiera trata de disimularlo. Cris desdobla lentamente las piernas, y se pone en pie, sin dejar de mirarle.

—Así que era eso... Lo has hecho por eso.

Juan suspira pacientemente.

—Cris...

—... Para librarme del trauma, ¿no?

Él sonríe, queriendo arreglarlo de alguna manera.

—¿Quién te crees que soy? ¿Teresa de Calcuta?

Ella se cruza el mantón sobre el pecho y le hace burla.

—«¡Pobre niña ultrajada!» «¡Y enamorada de mí desde que era pequeña, como una cretina!» «¡Yo le enseñaré que el amor es otra cosa, mientras hago tiempo para coger el tren». Pues, enhorabuena. Misión cumplida. Ya has hecho tu obra buena del día. Y ahora...

Juan la atrapa por uno de los bordes del mantón, a tiempo de impedir que se vaya, y ella gira sobre sí misma, como si la desvendaran, hasta volver a caer a su lado.

—Siéntate y no seas mema.

—Suelta —tironea ella, poniéndose de nuevo en pie.

—No quiero.

—Siéntate.

—¿Para qué?

Juan la obliga de nuevo a sentarse, esta vez definitivamente.

—Para estar conmigo. ¿No me has dicho que te gustaba estar conmigo? ¿O si no es como inversión no te interesa?

—No sé qué quieres decir con eso.

Pero sí lo sabe, por supuesto. Y además, si profundizaran —que no lo van a hacer, porque, no hay que engañarse, la posibilidad de una auténtica comunicación se ha roto, o no ha existido nunca—, esa frase podría encajar muy bien dentro del estado superior al que Cris aspira.

¿... al que Cris aspira?

—¿Has sido feliz esta noche? —le está preguntando Juan.

—¿Haciendo el amor? Sí, muchas gracias, muy amable.

—¡Cris! Quiero decir todo el rato, hasta ahora mismo, cuando te has puesto a hacer planes de futuro.

—... Sí.

—¡Pues entonces! ¿Por qué no eres feliz cada vez que la felicidad se te ponga a tiro, y te dejas de pamplinas?

—No soy un gato.

—Ya lo creo que sí —sonríe Juan, utilizando la vieja broma de la gata siamesa, mientras vuelve a enroscar aquel mechón detrás de su oreja—. Además, ¿qué tiene que ver?

—Según tu hermano, los gatos viven «en la deliciosa eternidad del instante».

—Pues toma ejemplo.

—¿Tú lo haces?

—... Sí.

Cris se rebela. Se rebela ante la felicidad que ha tocado apenas con la punta de los dedos, y que se le escapa, irremediablemente.

—Pero, ¿por qué?, ¿por qué...? ¿Por qué no puedes pensar en crearte una familia, forjarte un porvenir, todas esas frases de siempre?

Juan se encoge de hombros.

—Todo el mundo va forjándose un porvenir, le guste o no. La única manera de no forjárselo es morirse, y esa resulta un poco drástica. Yo prefiero no pensar mucho en el mío, simplemente.

—Es muy triste lo que dices.

—No me cabe la menor duda.

—¿Y para qué empiezas cosas que no van a durar?

—«Durar» es una palabra que he borrado de mi vocabulario.

—Pues yo no puedo. Me educaron con ella. Yo necesito construir cosas.

—A mí también me educaron con ella. Y la he borrado.

—Pues es muy triste.

—Ya te he dicho que sí.

—Lo de este viaje... no es más que el principio, ¿verdad? No es sólo para pasear.

—No te entiendo.

—Habrá muchos viajes. Y cada vez más largos. Para que tu familia se vaya acostumbrando, ¿no es eso? Y un buen día, desaparecerás del todo, y por estas fechas, mandarás postales.

—Podría ser.

—Bueno, ¿y por qué?

Él se encoge de hombros, se diría que aburrido.

—¿... Eso es lo que quieres hacer con tu vida? —sigue Cris—. ¿Gastarla dando tumbos por ahí? Este país está empezando algo...

Juan sonríe, sin mirarla, pero ella no se arredra.

—... No sabemos muy bien qué, pero no cabe duda de que estamos empezando algo, y...

—¿Estamos? ¿Tú también?

—Naturalmente. Yo quiero participar.

—¿Ves? Acabas de emplear la palabra clave: participar. Yo, en cambio, no quiero participar. En nada.

—No, si va a tener razón mi tío.

—¿Qué dice tu sacrosanto tío?

—Que los jóvenes no tenemos estímulos, que estamos desencantados.

—Muy bien, y ahora que ya sé lo que dice él, ¿qué dices tú?

Cris se encoge de hombros, admitiendo el reproche.

—De acuerdo. Me pongo muy pesada con mi sacrosanto tío, como tú lo llamas. Normalmente, lo hago más que nada por jorobar a Jose; se llevan a matar... Bueno, se llevaban, porque a partir de hoy...

—Si para encontrar estímulos —interrumpe Juan— hay que ir por la vida como tu primo Jose, prefiero seguir desencantado.

—... Jose es un buen chico —desliza Cris, leal.

—Eso es lo malo. A los buenos chicos, con estímulos, sólo se les ocurre la guerra santa. Con cualquier bandera, pero la guerra santa. Ya han desenterrado la del Islam. No me extrañaría nada que algún celoso cristiano empezase a organizar Cruzadas cualquier día... Sin contar con las ideológicas que ahí siguen, más idiotas y más virulentas que nunca. Y todo eso, organizado por los buenos chicos que tú dices.

—A lo mejor es que también están desencantados.

—Pues mientras no haya algo más tranquilo que los encante, yo me abstengo.

Cris toma buena nota de que él no ha dicho «yo paso» y, sin comentárselo, pregunta:

—¿De qué?

—De todo. Mi actividad se va a reducir al mínimo posible. Y mira, para no caer en tentaciones, podría hacer eso que me has dicho: parar muy poco en cada sitio, o sea, viajar.

—¿Viajar de la cosa turística o de la cosa del «porro»?

—Empezaré con la turística, que es con la que no te meten en la cárcel.

—... En algunos países.

—Sí. Y de momento. Pero aprovecharé la clarita.

—Juan...

—¿Mmmm...?

—¿Por qué no me llevas contigo a viajar?

Vuelve a producirse un corto silencio. Él sonríe, y se toma el tiempo de encender un cigarrillo.

—Tienes muchas cosas que hacer —bromea por fin—. Este país está empezando no sé qué cosa, y creo que cuentan contigo. Además, tú quieres participar, ¿no?

—Juan... Lo digo en serio.

Pero él no quiere hablar en serio. Por lo menos, no de aquello.

—No, verás lo que vamos a hacer: tú te quedarás aquí, luchando por ese luminoso amanecer, y serás mi contacto. El contacto del hijo pródigo. Yo te mandaré a ti las postales de Navidad, para no perder totalmente... ¿mis raíces, no? Son las raíces lo que podría perder, supongo... ¿O qué...? Bueno, tú serías mi faro en medio de las tormentas.

—¡Joder...!

Hay muchas maneras de arrojar la toalla. Quizá la más valiente es sumarse al cachondeo que organizan los demás con los sentimientos de uno, sonreír, moviendo la cabeza con aire superior, y exclamar: «¡Joder...!», o cualquier otro poético vocablo. Y Cris lo hace.

—Cinco duros —bromea Juan.

—Estás listo.

—¿Cuánto llevas gastado en multas?

—He firmado varios pagarés, pero la que se lleva la palma es Laura. Se acabó, se acabó, se acabó.

La barca abandonó el curso del río y se desvió por el arroyuelo, cómodo e inocuo, de la conversación paralela.

—Lo de Laura es de psiquiatra —comenta Juan.

—Hombre, tampoco es eso. Tacos decimos todos.

—Pero tú no te has levantado ahora, y te has ido dentro, a echar cinco duros al cazo, ¿no?

—Estaría bueno. Estamos en privado.

He oído que ha estado lloviendo en Cheltenham, milady. Sí, milord; en cambio, en Dorchester parece que no llueve desde hace días. Sensible. Exacto, milord, extremadamente sensible.

—Ella lo habría hecho. Me he estado fijando. De vez en cuando, se acerca al cazo, y echa un montón de monedas.

Cris sonríe superior, muy superior.

—Y no sólo eso —sigue Juan, implacable—. Cuando algún otro cae en pecado y se hace el sueco, le regaña y le obliga a pagar.

—Sí —continúa sonriendo Cris, dolorosamente—, es muy suya, la Watusi. Mi primo hace igual, te advierto.

—¿Jose?

—Sí. ¡Con lo intransitable que es! Tiene gracia.

—Yo no creo que tenga tanta.

—¿Por qué no?

—Por lo que significa. Llega un carismático de éstos, como hoy mi hermano, y se inventa un deber, el que sea. Y en seguida, ya te encuentras con una serie de individuos que, no sólo lo cumplen, sino que lo cumplen sin pensar... ¿Te das cuenta de adonde puede llevar eso?

—Mientras la gente siga desencantada, como tú, a ningún sitio —ataca Cris—. Ni para bien ni para mal.

Juan se echa a reír, suavemente.

—*Touché!* —admite, esbozando un ademán de aceptación.

Quizás el rumbo de la barca, todavía...

—Entonces —coquetea Cris, medio en serio, medio en broma, medio aferrada a un clavo ardiendo—. ¿Sólo te veré cada cuatro años, cuando no tengas más remedio que venir a votar?

—¡Pues sí que has ido tú a decir una cosa...!

—¿No piensas votar? Yo, en cambio, estoy deseando tener la edad.

—¿Para votar a quién?

—Lo de menos es a quién —desdeña Cris, muy superior—; lo importante es tener derecho a votar, sentirse persona.

—Sentirse persona... —repite él, como si se tratara de una historia muy triste—. Siempre he creído que eras inteligente.

—¡Ah! ¿No es inteligente querer votar?

¿Leche o azúcar, milady? ¿Y por qué no las dos cosas, milord? Por favor, milady... Perdón, milord, perdón.

—«Gobierno por consentimiento de los gobernados», ¿no es eso?

—No sé por qué lo dices en ese tono; claro que es eso, ¿te parece poco?

—Me parece mentira. Y lo es. Siempre se queda en dos o tres alternativas prefabricadas al gusto de unos pocos.

Hacerse cartujo.

Ésa es la solución.

Lo malo es que hay que ser hombre. Como para casi todo.

Hacerse cartujo. Recluirse en un agujero y no volver a hablar nunca más. Nada. Con nadie. «Hermano, morir habemus...».

No, seguramente no lo dicen. ¿Cómo van a decir semejante idiotez? No dicen nada.

Hacerse cartujo. O bonzo. Los bonzos tampoco hablarán gran cosa, seguramente.

Recluirse en un agujero con un reducido número de personas... ¿Número...? ¿Recluirse con un número? Es curioso que haya personas —un número de personas— que consideren viable eso de vivir todas juntas y tratar desesperadamente de comunicarse con algo intangible, ajeno a su mundo, a su dimensión... Porque eso es lo que hacen, ¿no? Hermano, morir habemus...

—¿... me estás escuchando, Cris?

No es que tenga mucho interés en que le esté escuchando. No debe de ser eso. Simplemente, quiere asegurarse, para parar en caso contrario. «Dos o tres alternativas, prefabricadas al gusto de unos pocos». Le está escuchando, sí.

—Menos da una piedra. Hay cosas peores.

—¡Ya lo creo! Que mientras tú, o yo, o quien sea, se imagine que está decidiendo su porvenir, algún organismo paramilitar, que ni tú ni yo conocemos, ni, por supuesto, hemos elegido, esté enviando «consejeros especiales» a un distante lugar que ellos llaman «crítico», para prepararnos el próximo infierno. O que algún comandante de submarino, al que tampoco hemos elegido ni tú ni yo, dirija una nave equipada con armamento capaz de desencadenar el mayor de los horrores, e intente decidir, por razones que desconocemos tanto tú como yo, si ha llegado el momento, que ni tú ni yo elegiremos, de apretar el botón ¡Y todo esto, ni siquiera se me ha ocurrido a mí! Lo he leído. Y a lo mejor es mentira, a lo mejor me lo han hecho leer para que yo mismo apriete quién sabe qué botón, quién sabe cómo, quién sabe cuándo. Eso es lo que llaman ser un ciudadano «consciente» y «libre». Pues muchas gracias. Paso de...

Ahora, sí. Ahora decía «paso de», pero con una especie de guiño de complicidad supuesto. No, mejor; como el señor conde, cuando, campechano, se toma un chato con los capataces.

—Lo pintas de un negro, hijo...

—Como lo veo.

—En cualquier caso, algo habrá que hacer.

—¿En qué sentido?

—Pues no sé. No digo que intentes cambiar el mundo, ya que te pilla tan *desganao*, pero tendrás que vivir en él, ¿no? Trabajar, ganarte la vida, esas cosas.

—¿A qué llamas tú trabajar?

—Oye, no empecemos con las coñas...

Ella no le llama nada, a nada. Ella querría recluirse en un agujero y no volver a hablar. Nunca más. Nada. Hermano, morir habemus.

—... yo le llamo trabajar, a lo que todo el mundo.

—Es que no todo el mundo está de acuerdo en eso. En general, se ha dado en llamar «trabajar» a conseguir, a codazo limpio, un puesto, cuanto más distinguido mejor, en una determinada escala de valores.

—¿Y qué es lo que está mal?

¿Está frío el té, milord? Altamente lamentable.

—No comparto esa escala de valores, nunca he tenido el más mínimo espíritu competitivo.

—Con esa teoría, la civilización se iría a la mierda.

... de la que nunca debió salir.

—¿De qué hablas exactamente cuando dices «la civilización»?

—De la civilización.

—¿Una cosa abstracta que has leído por ahí, en sitios? ¿O un modo de vida que tú compartes y defiendes?

—Las dos cosas... o lo segundo sólo, no sé.

—A mí me tiene sin cuidado que se vaya a la mierda. Y además, hace mucho que va camino. ¿A quién crees que le va a importar? No puede decirse que haya sido precisamente un éxito.

—¿Me vas a negar que esta civilización tiene cosas buenas?

—Claro que no. Y esas durarán. Pero el resto, la gran morralla, desaparecerá y se perderá en la memoria de las generaciones que vayan viniendo.

—¿*Lo que el viento se llevó*?

—*Lo que el viento se llevó*, exactamente.

—Bueno..., ¿y qué va a pasar?, ¿qué hay que hacer?

Él se encoge de hombros.

—Si yo lo supiera... De lo que no te quepa duda, es de que, si no saltamos todos por los aires, cualquier día, esto que ahora aún nos parece inamovible y monolítico, dará un cambio radical.

—¿Y se convertirá en qué?

—No sé... Tú eres cristiana, ¿no?

—Sí, ¿qué tiene que ver?

—¿Lo eres de verdad, o como la mayoría de la gente de aquí?

—De verdad, creo yo.

—Bueno, entonces sabrás que al principio se despreciaba a los cristianos, se les calumniaba. Corrían bulos de que comían niños, de que eran inmorales...

—De que quemaban Roma, sí. Pero, ¿a quién se desprecia ahora, en quién estás pensando?

—No pensaba en nadie. Sólo en que los cristianos fueron, en su momento, una contracultura, y ahora son la almendra de lo establecido.

Hacerse cartujo para enmudecer para siempre y quemarse los ojos a leer, a leerlo todo, y a escudriñar, y pensar, y comprender, y saber... o hacerse vagabunda para recorrerlo todo, y hablar con todos, en todas partes, para buscar, buscar...

—Seguramente será de comunidades como fue aquélla, con un profundo sentimiento de renovación, con un descontento radical, de donde nazca una nueva forma de vivir, más normal, mejor y más comprensiva para la raza humana... Aunque la verdad es que tampoco sé si me importa mucho.

—Y a lo que yo te he dicho, sigues sin contestarme.

—¿A qué?

—¿De qué vas a vivir?

—Eso es lo de menos.

—¿Cómo que es lo de menos?

*Cris de crisis. Años de déficit, hija. Como no se arreglen las cosas...
Y no te creas que la gente se resigna, la gente no se resigna. La gente está
muy hecha a su comodidad, a su confort, a sus chirimbolos, a sus, a sus,
a sus...*

—A mí no me hace falta mucho para vivir. Y cada vez me hará
falta menos.

—No digas tonterías. Cantidad de gente muriéndose de hambre, y tú...

—Es muy difícil que yo me muera de hambre; y, de momento,
tengo ese problema resuelto.

—Tu familia, ¿no? O sea que a chupar del bote, a consumir sin
contribuir.

Juan se echa a reír.

—«¡Consumir sin contribuir!». Ya estoy oyendo otra vez al sacrosanto tío: «No vale renegar de la sociedad de consumo, y seguir
consumiendo. Porque entonces no se trata de acabar con ella, sino de
no contribuir, simplemente...».

Cris sonríe. Efectivamente, le parece estar oyendo a su tío. «No
vale convertirse en parásito de la sociedad que se condena. Vosotros
aceptáis, ¡a veces, incluso exigís!, servicios sociales, pero, eso sí, vuestros principios os impiden contribuir a la economía general. No sois
protestatarios, sois unos mantas». ¿No?

Cris ríe francamente, lo que no le impide preguntar:

—¿Y no se te ha ocurrido pensar que puede tener razón?

—¿Y a ti no se te ha ocurrido pensar que esa contribución puede no ser necesaria?

—¿En qué sentido?

—Habrás oído la anécdota esa de la mili, del soldadito que
hacía guardia junto a un banco.

—No.

—Sí, la habrás oído. Yo se la oí a mi hermano Gonzalo, que la cuenta con mucha gracia. Pues nada, es que en no sé qué cuartel, o destacamento, o como se llame, una de las guardias reglamentarias se hacía junto a un banco...

—¿De sentarse?

—Sí, en una plaza, en un paseo, no me acuerdo. Un banco. Ocho horas de guardia hasta que venía el relevo. Y así, las veinticuatro. Hasta que a un capitán se le ocurrió preguntarse por qué se hacía aquello tan tonto. Y averiguó que cincuenta años antes habían pintado el banco.

Cris vuelve a echarse a reír.

—La guardia se hacía para que nadie se manchase de pintura —sigue Juan—. ¿Qué te parece? Al oficial que había dado la orden en su día, lo habían destinado a otro sitio y... Yo, si no trabajo porque no quiero, seré llamado parásito, pero ¿y todos esos parásitos forzosos que andan muriéndose de hambre por ahí?

—¿Los parados?

—Sí.

—No sé dónde está, pero me parece que, en lo que dices, hay una trampa.

—Busca, busca, y verás cómo la trampa no está precisamente en lo que digo yo.

Y Cris sonríe mirando a Juan, con una inmensa oleada de afecto, que seguramente ya no es amor. Por lo menos, no como aquel que la ha enfebrecido durante meses, con la obsesión sacrílega de profanar al dios. El dios está ahí, con ella, charlando del mar y de los peces, después de haber disfrutado de su ardientemente ofrecido cuerpo, con encomiable habilidad de amante, suma elegancia, dado lo incómodo del entorno, y realmente no gran interés. Realmente, no.

Una gran velada, milady. No tiene importancia, milord.

Cris se abraza tiernamente a su cintura, y él acaricia su magnífico cabello despeinado.

—Juan...

—¿Qué?

—Me gustaría poder ayudarte.

—A mí también me gustaría poder ayudarte a ti.

—Pero tú lo has intentado.

—Y no sé si he puesto las cosas peor que estaban.

—No, claro que no.... Perdóname por haberme portado como una cretina hace un rato.

Él sonríe y la estrecha, en aquella larga, larga despedida.

—No me acuerdo.

—Pues yo sí. Y quería decirte que... Verás, a ver si lo sé explicar... Yo no soy tan pesimista como tú. Bueno, es que yo no soy pesimista. Nada. A mí me parece que algo...

—Que algo va a empezar, ¿no?— sigue sonriendo él.

—Sí. Y no sólo aquí. Eso es lo de menos. Lo que quiero decir es que, mientras en el mundo siga habiendo personas, y haya dos que... Bueno, no sé por qué dos. Más. Un número. Mientras haya un número de personas que sientan algo como... Aunque no sea para siempre, ¿entiendes?, aunque no sea más que un momento. Un número de personas que sientan... Me estoy liando. La verdad es que sólo quería darte las gracias...

Se aparta para mirarle y acariciar su mejilla, suavemente.

—... Gracias, mi amor.

Rápidamente, se libera y se pone en pie, como para evitar cualquier peligro de rozar el ridículo.

—No vengas conmigo, ¿quieres? Nos mirarían todos, y gastarían coñas y, a la mínima, puedo matar a alguno, así que... Te quedas aquí un rato, te fumas un pitillo, y luego entras como si nada, ¿de acuerdo?

Él asiente sin hablar, mirándola.

—... ¿Sabes qué te digo? —termina Cris, antes de alejarse definitivamente por el jardín—. Que me has puesto en guardia, que me voy a andar con mucho cuidado, y que a mí, no me va a hacer apretar un botón que yo no quiera, ni Dios.

Él le sonríe, por última vez, siempre sin comentarios, y Cris sabe, mientras se aleja camino del garaje, que la seguirá mirando, hasta que se pierda en la oscuridad del pinar con cariño, con la misma nostalgia extraña y —de eso sí que no cabe duda— con una buena dosis de escepticismo.

Al entrar en el recinto del club propiamente dicho, Cris comprueba, de una ojeada, que la celebración ha tocado a su fin, también allí dentro. Se ha ido ya casi todo el mundo. Sólo bailotean, derrengadas, como en uno de esos maratones de las películas americanas, dos parejas: Laura, con Chus, el de «La Casuca», y Quique *el Largo* con su novia. Nadie pone los discos, la enana ha debido de irse por fin a dormir su drama, y Jose, considerablemente tajada, murmura algo de que ya lleva tres veces cayendo aquel mismo rollo de Julio Iglesias, y que ya no lo aguanta.

Rafa está detrás de la barra, impecable, como al principio de la noche, fabricando un extraño bebercio, con cara de Si Lo Sé No Vengo. Charlan un rato, barra por medio. Rafa intenta provocar confidencias, pero se repliega en seguida al ver que ella no está por la labor, y dice no sé qué de las fiestas.

—... tendrían que ser una liberación, un estallido, algo que produjese una auténtica irrupción en esta vida idiota que llevamos todos. Una especie de..., de paroxismo de la existencia.

Una campanita empieza a sonar, muy atrás, en el cerebro de Cris. Es por ahí. Cris sabe que es por ahí. Esas palabras no son aún lo bastante buenas, pero es por ahí: liberación, estallido... Sí, va por ahí desde luego.

—Sigue, que me estás alucinando —bromea, fingiendo burlarse un poco de Rafa—. Sigue..., ¿qué más?

—¿Más? Pues eso. Algo que destruya esa especie de círculo que pintamos a nuestro alrededor para defendernos de los demás, ¿entiendes?

—Regular —sigue disimulando ella—. Dímelo de un modo sencillo. Como tú eres.

—Zambullirse en la vida hasta el fondo, para resurgir completamente transformados. Eso es una fiesta.

Cris tiene que hacer algo, lo que sea, volverle la espalda, para que él no descubra su ansiedad, su euforia. Es por ahí, es por ahí... Aún no es la puerta, pero es el camino. Magnificada, la sensación se parece a la de esas veces en que el cerebro se niega a facilitar una palabra, y uno culebrea, nervioso: «Lo tengo en la punta de la lengua», «me acaba de pasar por aquí, pero...», o como esa otra sensación, en el amor, igual que aquella noche, con Juan, en el balancín, segundos antes de... Pero no hay que pensar en Juan, ni en el balancín. No más. Nunca más.

—¿Estáis oyendo, chicos?

Y, gracias a Dios, nadie le contesta.

—¿Cuántas personas hay en el mundo? —pregunta, volviéndose de nuevo hacia Rafa, importándole de pronto un bledo traicionarse y caer abiertamente en la curiosidad filosófica.

Pero Rafa ni se burla, ni se hace el que no entiende. Porque entiende. Cris está segura de que Rafa la entiende.

—No tengo ni idea. Muchas, desde luego. Parece que más de la cuenta incluso.

—Pero, ¿cómo cuántos? Más o menos.

—No sé. Me parece que andamos por los cuatro mil millones, o casi.

—Da un poco de..., de vértigo, ¿no?

—... ¿Pensar que cada uno de ellos puede estar tan vivo como tú...? ¿Que cada uno se cree el centro del mundo? ¿Que pueda haber tantas..., no sé, identidades..., individualidades?

Hablan sin mirarse. Mejor dicho, él no la mira. Finge ocuparse de cosas tras el mostrador, cambia de sitio una botella, coloca un vaso aquí o allá, con aire displicente. Es como si abordaran temas escabrosos y trataran de disimularlo ante los demás, ante ellos mismos...

—¡Aja! —admite Cris, saboreando el asqueroso cóctel y esperando que él vaya más allá, más allá.

—A lo mejor no lo están.

—¿Cómo?

—Bueno, no lo sé... Quiero decir, ¿cómo puedes tener la seguridad?

—¿Y qué son si no son... individualidades?

Él se encoge de hombros.

—Quién sabe... Partes de un todo, a lo mejor, o... En cualquier caso, no creo que lo importante sea el número... En el sentido en que nosotros lo entendemos, por lo menos. Habrás oído hablar de Pitágoras...

—¡Hombre! —se ofende Cris, primerísima de su clase—. Hasta ahí, llego: «La suma del cuadrado de los catetos...».

—No seas idiota —interrumpe él—, no me refiero a eso. Pitágoras era un filósofo.

—¿Y qué?

—Fundó una escuela.

—¿Y qué?

—Los perseguían.

Los perseguían.

—¿Por...?

—Eran una especie de secta.

Secta. Una especie de secta.

Una secta a la que preocupaban los números. No estaban solos.

Eran un número que se agrupaba para escudriñar otros números. Porque tenían miedo del número uno. Seguro que sí.

La entrada de Juan, que vuelve del jardín, consigue que tampoco aquella conversación llegue a cuajar. Igual que la otra, del verano.

Juan ha tardado mucho en volver, y además no vuelve solo. Vuelve con la enana. La enana que, por lo visto, no se había ido a dormir. ¿Qué haría una criúca como Mari Ángeles tanto rato con Juan en el jardín?

Al entrar se separan, Mari Ángeles vuelve al tocadiscos, a ocupar su puesto de *disc-jockey*, y Juan va a sentarse en la mesa de Jose.

Quique *el Largo* y su novia se despiden. Ya es casi de día, ya no pueden más, ya se han ido Mariche y sus hermanos, los de Robledo, los de Villa Inés, los del pueblo de abajo, bueno, todos.

Jose dice algo sobre la cantidad de desgraciados que cada día tienen que despertarse a esa hora.

Despertarse.

Él no tiene ni idea de lo que eso significa realmente.

Seguro que despertar no es desagradable, no puede serlo. A lo mejor, hay un momento de tránsito que pueda resultar incómodo, sí. Incluso angustioso. Pero inmediatamente, el estado de alerta lo llenará todo, como un aire nuevo, más puro y saludable.

A Juan se le notan las ganas de disolver la reunión de una vez, de coger su coche y largarse con Jose a ese viaje, preludio de otros muchos. Pero respeta el protocolo. Sabe que en el club, ellos son quienes abren y clausuran los actos, y que tienen que darle un punto de solemnidad al asunto. Menciona el chocolate. El rito del chocolate. Rafa escurre inmediatamente el bulto, dejando a Cris que gruña, por cubrir las formas, encantada en el fondo de ocuparse de ello.

La euforia la está ganando por momentos.

Echa una ojeada posesiva sobre aquel grupo —aquel número—, de íntimos amigos de los que no sabe realmente nada.

Hace dieciséis años que estoy viva, queridos desconocidos míos, queridos hermanosmorirhabemos, y me acabo de dar cuenta, y no quepo en mí de gozo, y desde luego no sé qué hacer con mi descubrimiento, pero el mero hecho de respirar, o de impresionar mi retina con vuestras putrefactas expresiones de larvas trascendentes, me da ganas de gritar de júbilo, como un sano animal que exulta de existir, en la inefable eternidad del instante, y os amo, dormidos, muertos, hibernados, escayolados espejos, con cada una de las fibras materiales e inmateriales de mi ser, porque sois carne de mi carne y sangre de mi sangre, recuerdo de mis recuerdos y esperanza de mis esperanzas, y me gustaría arrancaros de vuestras hornacinas y obligaros a andar. Para no irme sola al desconocido y alucinante éxtasis de ser, dándome cuenta de que soy.

Tiene que pasar algo, lo que sea. La presión en su interior es demasiado fuerte, y sube, sube, en un crescendo mucho más poderoso que el del *Himno a la Alegría* que Mari Ángeles acaba de hacer sonar por enésima vez.

Por eso la chocolatera de barro se le escapa de las manos y se estrella contra el suelo, salpicando lo que queda de su vestido de fiesta, al encontrarse de pronto frente a aquella poderosa presencia, que se manifiesta cuando ya nadie, si es que alguien la había esperado, la esperaba.

La música cesa, y todos se quedan inmóviles, menos Jose, cuya violenta arremetida impide Juan.

La figura que apoya un brazo sobre el marco de la puerta, un brazo en el que resalta lo blanco de la escayola que lo envuelve contra el color oscuro de un amplio poncho, es de una electrizante y extraña belleza. Su voz, grave y serena, en la que vibra apenas la provocación, les saluda:

—Feliz Año Nuevo a todos.

Y Cris, cada vez más presa de la misma violenta exaltación, toma aire como si se estuviera ahogando.

Porque aquél podría ser el Ángel de la Muerte.

12

—Yo también tenía un vestido nuevo para aquella noche. ¡Menuda lata le había estado dando a mi madre! Pero, al final, fue mi padre quien me regaló el que yo quería. Y no me lo pude poner, ¿te das cuenta? No sabe uno nunca... Tanta historia a vueltas con un vestido, y luego... Era rojo. De crep de seda, precioso. Mi madre, cuando lo llevé a casa, empezó a decir que iba a parecer disfrazada, que mi padre estaba loco, pero él decía que, al fin y al cabo, no me lo iba a poner en público, que era para una reunión de amigos, en una casa... Y no es que fuera muy exagerado, ni que enseñara nada, ni..., ¿de qué te ríes...? ¿De que maldito lo que tengo que enseñar, no...? ¿Que no? Te creerás que soy tonta... Le costó a mi padre una burrada. Fue mi regalo. Mi regalo de Navidad. Y no me lo pude poner, ya ves tú. Pero por nada, ¿eh? No me lo puse por no ir a casa después del entierro, y decirle a mi madre que había vuelto al pueblo. Quería que me dejara en paz... ¿Con mi madre? Fenomenal, pero aquella noche quería que me dejara en paz, quería pasarla con mis amigos en el ga... club. ¿Sabes esas veces que estás *matao*, que te duele todo, y tienes la cabeza tonta, y lo único que quieres es que no te den la murga? Bueno, pues una cosa así, pero a tope. A ratos, estaba bien, o sea, no demasiado mal, como con anestesia. Pero a ratos... Cuando no podía más, me ponía a bailar. Si no, si estaba medio bien, charlaba con la gente y estaba allí con los discos. Me gustó que hubieran desaparecido todos los de mi padre. Fue un detalle. La gente es muy burra y no cae en esas cosas, por lo general. Hasta me llegué a temer que alguien me pusiera uno, en plan homenaje. Y me muero, te juro. Sólo con que hubiera visto un disco suyo, no digo ya oírlo, sólo con ver uno, me hubiera puesto mala. Por eso te digo que fue un detalle... ¿Quién? Rafa, supongo. Bueno, no supongo, seguro... Hubo un momento en que sí, en que me sentí como a punto de montar el número, y por eso cogí, sin decir ni mu a nadie, y me fui un rato al jardín, a que me diera el aire...

... Caminando por el pinar, con las manos en los bolsillos, la cabeza alta, y una falsa actitud de mujer madura, de mujer que está de vuelta de todo, esencialmente de los duelos con plañidera, hasta que, de pronto, se le rompe la entereza en mil pedazos, y se va deslizando lentamente hasta el suelo, descomponiendo la figura, encogiéndose y llorando, llorando...

—¡Shhh...! ¡Eh, señora...! ¡Señora...!

El que la interpela, a media voz, como un cómplice, consiguiendo sobresaltarla y hacer que empiece a secarse las lágrimas a manotazos, está en la zona más oscura, seguramente en el balancín.

—¿Quién eres?

—San Gabriel el Anunciador.

Es Juan. Reconoce su voz, y además, al dar una chupada al cigarrillo, un resplandor rojizo, irreal, le ilumina un segundo la cara.

—Ah, eres tú... He salido a respirar un poco, ¡ahí dentro hay un humazo...! Creí que te habías ido a dormir.

—¿Por qué?

—¿No lo has dicho? ¿No habías dicho que querías dormir algo, antes de conducir?

—Sí, pero se han liado las cosas y, para acostarme una hora, prefiero no acostarme... Y tú, enanita, ¿por qué no te vas a dormir?

No te dejes vencer, Mari Ángeles, por esa tentación horrible de querer y de que te quieran, de que te quieran, de que te quieran. Nadie quiere a nadie lo suficiente y, además, la gente se muere, ¿no has visto que la gente se muere cuando menos falta hace?

—Estoy esperando al chocolate.

—Hacerse la fuerte, está muy bien, pero no hay que pasarse.

—No me hago la fuerte. Soy fuerte.

—¿De verdad?

—Sí.

Juan se incorpora para mirarla, apoyándose sobre un codo.

—¿Y por qué llorabas, hace un momento?

—¿Y por qué no? Hoy me ha pasado de todo.

... Esta niña no parece una niña... Bueno, pero, ¿qué es realmente una niña...? No sé, pero en cualquier caso, ésta no lo parece... Parece un viejo. Ni siquiera una vieja, un viejo... Ahora, todos los niños parecen viejos. O subnormales. O viejos subnormales... Es su manera de defenderse, seguramente... ¿Defenderse? ¿Defenderse de qué...? Todo el mundo se defiende de algo, ¿no...?

... Niña con indudables posibilidades, pero sin ninguna aplicación para el trabajo... Inteligencia natural, distraída, sin ningún sentido de la disciplina... Podría hacerlo mejor, si se tomara interés... Sería una alumna brillante, si quisiera, pero sólo se aplica en aquello que le interesa... El esfuerzo justo para aprobar... Peligrosamente imaginativa... Solapadamente rebelde.... La obstinación en pensar por su cuenta, puede llevarla a la más angustiosa soledad... Vaga afición por la música... Bien en gimnasia.

... Hay que ser más dúctil, hija, más simpática, más..., no sé, más humana. No se puede ir con ese mutismo, y ese gesto hosco, y esas pocas ganas de agradar. Que no, Mari Ángeles, que no, hazme caso, así no se puede ir por la vida...

La vida, la vida. ¿La vida de quién? La vida.

Como si fuera un partido de tenis que uno jugara porque quiere, cuando quiere, y hasta cuando quiere. La vida.

¿Qué se creerán que es la vida, mano de *taraos*? —¿De todo? ¿Te ha pasado algo más? Ven, cuéntamelo... ¿O no tienes ganas de conversación?

—No hace falta que te molestes por mí, Juan. Estoy bien.

Ahora ya se ha acostumbrado un poco a la oscuridad y puede medio ver a Juan que sonríe, un tantico protector, el hombre.

—¡Todo el mundo está reticente esta noche! ¡Nadie quiere que me moleste!

Se sienta y le tiende una mano. Ella es la pequeña, la enana, y él es el mayor, el que ni siquiera pertenece a la pandilla. Y todo es muy simpático y entrañable y muy humano y un día se morirán y se acabó el festejo.

—... No es ninguna molestia, señora. Me encantará charlar con usted un ratito. Lo que no me apetece es volver allí... Anda, ven, cuéntame tus cuitas.

Te echarán tierra encima, Juan, Juan Gabriel Alvar, maravilloso de mierda. O te meterán en un hueco en la pared para que te pudras, o, si tienes mucha suerte, te quemarán y guardarán tus cenizas en un arconcito, como los documentos de los notarios, qué ridículo, madre de Dios, y ya me contarás en qué se va a quedar tu aristocrática y solidaria mano tendida en Nochevieja, Año Nuevo, vida nueva.

Vida.

Qué engañifa, qué canallada, qué corrida de vaquillas tontas, deslumbradas, indefensas...

Mari Ángeles se sienta junto a Juan, pero no acepta su mano. La rechaza palmeándola cariñosamente, como una abuela con el nieto coñazo, pero amado a pesar de todo.

—Ya estoy mejor.

—¿De verdad?

—Que sí. Te advierto que he estado bastante bien toda la noche. Ha sido ahora mismo, que me he empezado a poner fatal... No sé, una angustia, un ahogo... Fatal.

—Esta hora es terrible.

—¿El amanecer?

Efectivamente no hay luz aún, ni ha salido el sol, por supuesto, pero la oscuridad se va haciendo paulatinamente menos espesa. No como si fuera iluminando nada, sino como si fuera descorriendo velos. Mari Ángeles no tiene costumbre de ver amaneceres, y le sorprende.

—Es la hora de las depresiones profundas —sigue comentando Juan—, la hora del desánimo y del miedo.

Sí.

Por ahí es posible que lleguen a hablar de algo. Y sobre todo, es posible que a ella le sirva de algo hablar con él.

—¿Eso que dices es verdad o simbólico? —pregunta Mari Ángeles.

Juan vuelve a sonreír. Tiene una sonrisa luminosa y cálida, que consigue... Que consigue un rábano, tiene una sonrisa que no es más que una fila de huesos pegados a otros huesos, y que un día... Bah.

—Las dos cosas, seguramente.

—Puede ser. Si oyes a mi madre, ella no volvería a tener mi edad por nada del mundo. En cambio mi padre dice...

Tonta, tonta, tonta, Mari Ángeles, tonta del culo. ¿Cómo has caído? Todo el día, toda la noche en guardia, como un centinela con la bayoneta calada y los ojos doloridos de puro abiertos, y ahora... ¿Tu padre dice, imbécil? ¿Dice? ¿Qué dice, qué va a decir nunca ya tu padre, eh? Y hasta se te quiebra la voz, para más inri.

—Continúa —exige Juan, sin inflexión ninguna en la suya.

Muy bien, el superviviente de las narices. Muy bien, ni un fallo... Y después de todo, ¿por qué no relajarse un poco...? ¿No le ha venido bien llorar, hace un momento...? ¿No le vino bien llorar, después de comer, en el hombro de Jose?

—... No puedo acabar de creer que ya no le veré más. Que se ha muerto lo sé, lo acepto, pero que nunca más... Nunca, nunca más le voy a volver a ver... Es absurdo. Como si de pronto desaparecieran todos los árboles o algo así.

—Si te digo que se te pasará... ¿no te enfadarás conmigo?

Gracias a Dios no ha caído en manos de un superviviente idiota, manejando hábilmente el fichero de los lugares comunes para consolar niñas huérfanas... Aunque, bien mirado, ¿eso que ha dicho no será un lugar común para consolar niñas huérfanas?

—... Uno se puede morir en cualquier momento, ¿te das cuenta? —comenta Mari Ángeles, poniendo el dedo en la llaga, en su llaga.

—Bueno... Eso es algo que sabemos desde el principio, ¿no?

—No. Lo oímos decir, como tantas cosas, pero saberlo, saberlo de verdad, no lo sabemos. Yo, por ejemplo, lo he sabido hoy. Hasta hoy no tenía ni idea. Y tengo miedo... ¿A ti no te da miedo la muerte?

Juan se toma su tiempo, y por fin vuelve a sonreír.

—... No. Creo que no. A mí, lo que me da miedo es la vida.

—Tiene gracia. Jose piensa lo mismo.

—¿Eso te ha dicho? —se extraña él.

Bueno, la verdad es que no se lo ha dicho, no con palabras, pero estaba claro que era eso lo que quería decir. O mejor, lo que no quería decir, pero se traslucía de su actitud, de sus balbuceos, pretendidamente enérgicos. Y si tiene gracia es porque Jose y Juan parecen los más distintos del mundo. Y lo son, por supuesto. A Mari Ángeles no la ciega la pasión.

—No, no me lo ha dicho... Ni me lo va a decir, no nos hablamos.

—¿Y eso? —Se divierte el mayor, el paternal, el que comprende y disculpa, el que, caso de pedírselo, llegaría incluso a celestinear, porque la enana es tan pequeña, tan inexperta, tan tierna, y eso de los amores de la adolescente es cosa tan natural, tan de la vida misma...

La vida.

Mari Ángeles se encoge de hombros, dispuesta a representar su papel de adolescente enamorada. Al fin y al cabo, lo es.

—Me lo he encontrado en el garaje, al llegar, y me ha soltado tres idioteces. Nada... ¿Es verdad que se va contigo?

—Eso ha dicho.

—¿Vais a estar mucho fuera?

El mayor vuelve a reír, suavemente.

—Te mandaré postales desde todas partes... ¡Me voy a arruinar en postales...! Y te tendré al día de sus actividades.

—No seas tonto. ¡Si es un animal!

—En eso, estoy de acuerdo. Pero también lo era este verano. Y hace tres días, y hace dos...

Así que se la están tomando a cachondeo. Lo suyo se sabe y divierte al personal. Pues qué bien.

—¿Quién te ha venido con cuentos? ¡Jo, qué pueblo! ¡No hacen más que cotillear!

—No te enfades conmigo, enanita. No tiene nada de particular que te guste un chico.

Ya estamos. Ya estamos otra vez con el fichero y con las gaitas.

—No. No tiene nada de particular que me guste un chico, ni tiene nada de particular que se haya muerto mi padre. Son cosas que pasan. Todos los días. Pero como a mí solo me pasan las mías, me parecen de lo más particular. Las dos cosas más terribles del mundo.

—El amor y la muerte... Puede que lo sean.

Juan hace su comentario en tono natural, sin amoscarse por el filo cáustico en la voz de la pequeña. Pero ella quiere que lo acuse, siente la necesidad de desahogarse, de estallar, de patentizar de algún modo que no quiere ser un caso clínico, un caso especial. —¡Claro, que lo suyo son cosas que pasan! ¡Claro que es natural!— Pero ella es un individuo, un individuo a quien duelen sus propias heridas, y que tendrá que levantarse a la mañana siguiente, y aprender a vivir con ellas, por mucho que las coordenadas sociológicas digan que en este preciso momento de la Historia, ella forma parte de un contexto, de un determinado contexto pequeñoburgués, y que debería preguntarse qué hace, qué lugar ocupa, a qué está obligada, socialmente hablando, socialmente hablando, socialmente hablando, en vez de mirarse el propio ombligo de su padre muerto y de su chico que le gusta y no le hace caso, pero es que le duele, demonios, le duele, y alguien debería ayudarla, solidarizarse, y con algo más sustancioso que el fichero ese de «Nena, el tiempo lo cura; nena, tú tienes la vida por delante...». *La vida...* Alguien debería ayudarla a respirar en este momento espantoso, y no decirle sólo memeces, o esperar para echarle una mano el día de mañana, cuando tenga problemas laborales, ¿no?, y por eso grita, extemporáneamente:

—¡No te lo tomes a cachondeo!

Juan le coge una mano, y su mano está tan desamparada como la de ella, pero es solidaria, y, al fin y al cabo, Mari Ángeles no es el Cid Campeador. Gracias a Dios.

—Lo he dicho muy en serio, enana.

—... Perdona. Estoy un poco borde.

—Es natural. Pero para eso estamos los amigos.

—Mira, ésa es la otra palabra.

—¿Borde? —bromea él.

—Amistad. Eso que has dicho del amor y de la muerte. Habría que añadir la amistad, ¿no?

—Amor, amistad, compañerismo, lealtad... Es todo lo mismo. O debería serlo, al menos.

—... Gracias.

—No hay por qué darlas, señora.

—No habrá por qué, pero me apetece.

—De acuerdo. Entonces se aceptan.

—De toda esa mano de cretinos, no me toma en serio ninguno, ¿sabes? Si acaso tu hermano, pero a su manera... Con eso de «la enana», «la enana», se deben de creer que ni siento ni padezco, que soy de otro planeta.

—El problema generacional, ya sabes. Ellos no miden el abismo en años, sino en meses. ¿Cuántos tienes tú ahora?

—¿Años?

—No van a ser meses.

Estás esperando que diga «casi quince», ¿verdad? La enana, la tierna, la Casi-Quince. Pues te vas a jorobar.

—Catorce.

—Claro. Es que ellos son muy mayores. Laura te lleva lo menos uno.

—Sí. Tiene quince, pero casi die...

—¿Qué?

—Nada... Es una pena que te vayas, Juan.

Se le ha ocurrido de pronto. En realidad, ella nunca ha pensado en Juan más que como en un adorno del paisaje, como la campana de la iglesia, el club de los mayores, el Pico del Rey don Sancho, allá arriba, o la misma finca de Alvar. Como no forma parte de su tribu, no le ha conferido nunca categoría de persona. Si acaso, si acaso, se le ha ocurrido considerarlo como la persona —exótica y lejana— por la que se la colado la mema de la pelirroja, pero nada más. Y la verdad es que es majo...

—... Es una pena que te vayas, Juan.

—Sobre todo, llevándome a Jose, ¿no?

Ella sonríe, bajadas al fin las defensas.

—Sí —admite honradamente—, sobre todo eso.

—No te preocupe demasiado la cuestión. Volverá.

—¿Tú crees?

—Seguro. No tiene madera de vagabundo. Volverá. Y volverá a su casa, por supuesto. Con papá y mamá. Este verano ya le tienes aquí.

—Es igual, ¡para el caso que me hace...!

—Te apuesto lo que quieras a que acabáis en boda.

Mari Ángeles clava en los de Juan sus grandes ojos oscuros. Este chico es imbécil. Tiene la mejor intención, es buena gente, pero es imbécil.

—¿Y quién se quiere casar?

—Ah, ¿tú no?

—No soy partidaria —niega ella, para no meterse en más aclaraciones.

—¿Por qué? ¿Solamente porque tus padres se equivocaron?

Bueno, por ahí no pases, Mari Ángeles, cuerpo. Tonterías, las precisas.

—¿Se equivocaron?

—Bueno, puede que no sea esa la palabra... Quiero decir que como su matrimonio no resultó...

—Resultó fenomenal. Mientras duró. Fueron muy felices. Y un buen día, se dieron cuenta de que ya no lo eran, de que si seguían juntos, lo iban a jorobar todo, lo hablaron y decidieron separarse... ¿Me quieres contar en qué se equivocaron?

Él se echa a reír suavemente, con cara de admitir que estaba recitando la guía de teléfonos sin darse cuenta.

—Perdón, señora, perdón. Yo pienso lo mismo que usted, no me avasalle. Me parece perfecto que cada cual viva como crea que es mejor... Siempre que no me quiera matar a mí si hago otra cosa, claro.

... cada cual viva. Viva.

La vida.

—Que no te mate nadie, no está en tu mano. Trata de no matar a nadie tú. Es una manera, al menos.

Juan la mira con cierta sorpresa. Se le está emborronando el fichero, lo cual siempre es una lata, una incomodidad, pero está vislumbrando a una persona, lo cual siempre es un hallazgo, dígase lo que se quiera.

—Me gusta como eres, Ángeles.

A ella le suena un gong en mitad del pecho. Como si la acabasen de armar caballero.

—¿Qué has dicho?

—Que me gusta como eres.

—No, eso no. Lo otro.

—¿Lo otro...? Te he llamado Ángeles.

Alguien dijo que darles nombre a los seres y a las cosas es darles alma. La mayoría de la gente no tiene nombre, o el que lleva —al que responde, mejor dicho— está equivocado, y así andan, como malformados. Muchos, sin que les importe, y otros, como quien va mal vestido, lo sabe y sufre por ello, pero no tiene medios para remediarlo.

La enana se queda un momento pensativa, saboreando el que acaban de darle.

—Ángeles... —repite a media voz, aceptándolo, fundiéndose con él—. Eso es, Ángeles. Juan...

—¿Sí?

—¿Me podrías hacer un favor?

Juan está cansado de la Nochevieja, de hacer tiempo, allí en el balancín, y quién sabe de cuántas cosas más.

—Sí —cree comprender, incorporándose como para ponerse en pie—, ¿te llevo a casa?

—No.

—¿Qué favor?

—¿Quieres hacer el amor conmigo?

Igual que Jose varias horas antes, Juan se la queda mirando en suspenso, durante unos segundos, pero éste no se indigna como el otro, éste no se indigna en absoluto. Al contrario. Se echa a reír. Y no con una risa paternal y protectora de Anda Pequeñita Qué Cosas Dices, no. Es una carcajada. La auténtica carcajada de alguien a quien le estalla por dentro algo muy serio que —eso está claro— no tiene nada que ver con ella. De todas formas, la situación es desairada, y Mari Ángeles no sabe muy bien cómo hincarle el diente.

—Podrías decir que no, sin reírte de mí, me parece.

Él se ríe todavía más y trata de explicarse.

—No es de ti... Palabra que no es de ti... Te juro.

—Ya, ¿entonces de quién? ¿De ti? —sigue gruñendo ella, para recitar bien su parte.

—Pues sí, de mí. Precisamente. De mí.

—Ya me explicarás por qué.

La frase aumenta el ataque de risa de su amigo.

—No... No creo que te lo explique.

Mari Ángeles se pone en pie, muy digna, pensando que lo mejor que puede hacer, lo único que puede hacer en realidad, es volver al garaje.

—Seguro que ya están haciendo el chocolate —profetiza, a modo de despedida.

Apenas ha dado unos pasos cuando él la llama, empleando la palabra mágica...

—... ¡Ángeles...!

... que, como buen conjuro, consigue detenerla en seco.

—No te he dicho que no.

Mari Ángeles se vuelve, muy poco segura de sí, ante el nuevo giro que toman los acontecimientos.

—¿Quieres que vuelva? —indaga.

—Sí.

—¿Al balancín?

Él se pone en pie, se le acerca y vuelve a tomarla de la mano.

—No. Ven, vamos dentro.

Mari Ángeles se clava al suelo, igual que un cachorro que aún no ha aprendido a pasear.

—¿A tu casa? —pregunta, como si hubiera otra respuesta.

—Sí. La chimenea está encendida, y todo el mundo se ha ido a dormir.

—Pero...

—Mi cuarto está abajo, nadie nos molestará.

Mari Ángeles no había contemplado una posibilidad tan solemne, una iniciación tan seria.

—Los otros nos echarán de menos... —arguye, más que nada para darse tiempo.

—¿Y qué? Ahora también nos estarán echando de menos.

—Es que en tu casa...

Está desconcertada. No tiene miedo, no le desagrada la idea, es otra cosa. Se siente como quien pide una bicicleta para dar una vuelta, y se encuentra con que le tienden las llaves de un deportivo.

—¿No quieres?

Un punto de guasa sí que puede que haya en los ojos azules de Juan Alvar, un punto de guasa, muy tenue, y disimuladillo tras los cristales de sus gafas.

—¡Vamos a hacer una cosa! —propone ella, llena de un súbito y sospechoso entusiasmo—. ¡Vamos con los otros hasta lo del chocolate, y después...!

Juan la interrumpe atrayéndola hacia sí, abrazándola y revolviéndole el pelo.

—De acuerdo, enanita, de acuerdo.

No puede verlo, pero imagina su sonrisa. Y la verdad es que no le molesta. Es bueno que Juan le tenga cariño a una, y le revuelva el pelo como a un perro que se ha hecho mucho daño.

—¿No te habrás enfadado? —pregunta, por si acaso.

Él la aparta y le pasa un brazo por los hombros, echando a andar con ella hacia el pinar, hacia el garaje, hacia el club, hacia los otros.

—Sí, un poco... Conmigo mismo —añade ante la rápida mirada de preocupación de ella—. Siempre que intento hacer una buena obra, me equivoco de destinatario.

—No te entiendo.

—No importa... Anda, vamos a que nos den el famoso chocolate y se acabe de una vez esta noche idiota.

—¿Es más idiota que las otras?

—No.

—¿Entonces?

—Por eso.

Van cruzando el pinar en silencio, en amor y compaña, hacia la música que viene del garaje, cuando a Mari Ángeles se le ocurre comentar, un poco por decir algo, tontamente:

—Se va a acabar la Nochevieja sin que hayan venido los quinquis...

—¿Qué quinquis? —pregunta Juan, divertido por la palabra.

—Esos que iban a venir a matarnos a todos.

—¿Y eso?

—¿No lo sabes? ¿No sabes que el otro día les dieron una paliza a dos navajeros, en este pueblo, y que...?

Juan se para en seco, como antes ella, y ya no sonríe.

—¿Qué?

—Que uno está en el hospital —sigue informando ella, no sin cierto orgullo de estar ofreciendo la exclusiva—, y, por lo visto, el otro anda por aquí rondando y...

Juan la interrumpe una vez más, muy seco. Sus facciones se han endurecido.

—El chico del otro día ya no está en el hospital, ha muerto. Y desde luego no era un navajero.

—¿Que no...? ¿Pues entonces por qué decían que iba a venir una panda de ellos a...?

Él vuelve a interrumpirla. Mari Ángeles ha conseguido preocuparle con su comentario, pero ahora es él quien la está preocupando a ella.

—¿Quién te ha contado esa estupidez?

—No sé... Lo estaban diciendo todos. ¿Es que no has oído a tu hermano, o qué?

—¿Qué ha dicho mi hermano?

Sí estaba serio, sí. Mari Ángeles empieza a sentirse francamente intrigada, incluso agradablemente excitada, todo hay que decirlo.

—Se ha pasado la noche anunciando que ésta era la última de nuestras vidas, que iba a haber una orgía de sangre, ¡yo qué sé...! No me explico cómo no le has oído.

—Ya se ha ocupado él de que yo no le oyera... ¡Navajeros! ¡Lo que me faltaba por oír...!

—¿Por qué?

—¿Ha habido un incendio? Pues un rayo. Así, nadie tiene la culpa.

No es que esté serio, está furioso. Y un poco asustado también. ¿Qué pasa, qué está pasando? ¿Es que ella ha estado tan absorta en su propio problema que no ha prestado atención a lo que, por lo visto, se cocía a su alrededor? Lo que hay en la mirada de Juan no tiene nada que ver con los chistes negros que Mari Ángeles le ha estado oyendo a Rafa. Rafa bromeaba, pero los ojos de su hermano no bromean. Algo pasa, algo pasa. Algo relacionado con la actitud huidiza de Laura cuando alguien rozaba el tema, o con los manotazos de la inaguantable de Cris, apartando el asunto como si espantara moscas —«¿Os queréis dejar de idioteces? No tiene gracia»—, o con la sonrisa incómoda de Jose, y de Quique *el Largo*, y de los tres hermanos Ferrán, algo pasa, algo pasa, algo que Mari Ángeles capta sólo ahora, dándose cuenta de que lleva mucho rato olfateándolo y confundiéndolo con sus propios fantasmas de imprevisto y de muerte, pero que es otra cosa.

—¿Un rayo? No te entiendo.

—Claro que sí. ¿Qué significa un delincuente para la gente como nosotros? Nada...

Está indignado, asqueado, pero, ¿por qué?

—¿Qué sabemos de su mundo, de sus problemas? Ni palabra. Para la sociedad no cuentan, no existen, no son personas. Son cataclismos, catástrofes. Cualquier cosa que pase, con delincuentes por medio, se convierte en un accidente. Como si te atropellara un camión, igual que a tu padre.

—No te entiendo.

—¿No te das cuenta? «Hubo un encuentro con unos navajeros... Qué horror, antes estas cosas no pasaban... Uno ha muerto, dicen que había otro, a lo mejor varios, pero no se ha vuelto a saber nada... Qué barbaridad, ¿no?» Y punto. Se lamenta el hecho, y carpetazo.

—Bueno, ¿y tú por qué te pones así?

—Porque ésta no es una historia de maleantes, enanita. No ha habido maleantes en este ajo. Ésta es una historia mucho más conocida y mucho más irritante. Una historia de señoritos chulos que cuando van en manada se sienten en el machito, y deciden quién les gusta y quién no les gusta...

—Y al que no les gusta...

—Al que no les gusta, lo revientan a golpes. Y a veces se les va la mano.

—¿Eso es lo que ha pasado?

—Sí. Y tú no vas a volver a hablar de ello, ¿me oyes? Ni un comentario, nada.

—Entonces... Bueno, no es que yo me lo hubiera creído, como comprenderás, pero... ¿Eso de que iba a venir una banda de quinquis...?

—Él chico que murió en el hospital no tenía antecedentes penales ni otra cosa por el estilo. Era un pobre chico. Inofensivo. Y desde luego no pertenecía a ninguna banda.

—¿Y el otro?

Juan se encoge de hombros.

—Yo qué sé, tres cuartas de lo mismo... Se esfumó, como comprenderás. Se esfumó, muerto de miedo. Y ni ha presentado denuncia en ninguna parte, ni se ha vuelto a saber de él.

—¡Pero estuvo aquí! ¡El otro andaba por el pueblo! Laura le ha visto, y en la Guardia Civil han dicho...

Juan la interrumpe, cogiéndola por un brazo, impaciente.

—¡Todo el mundo le ha mentido a la Guardia Civil, enana! ¡Para empezar, el padre de Jose!

—¿Cómo...?

—La gente defiende a sus hijos, por mucho que le disgusten... Es humano.

—¿O sea que Jose...?

—O sea que nada. Ni una palabra más, ¿está claro?

—Se va contigo a ese viaje... ¿Por eso?

—¡Sí, maldita sea su alma!

Mari Ángeles le mira con sus ojos serenos, ojos de niña inteligente y triste.

—Y tú no te lo vas a perdonar en la vida, ¿verdad?

—Él tampoco me lo va a perdonar, no te preocupes.

—Pero, entonces...

—Vamos dentro, anda. Vamos dentro y no vuelvas a tocar el tema.

Y por eso entran silenciosos a reunirse con los demás, con los pocos que quedan. Y en vez de seguir juntos, se separan en cuanto cruzan la puerta. Tras un momento de vacilación, Juan va a sentarse con Jose, para llevárselo de allí de una vez, seguramente. Y Mari Ángeles vuelve a su lugar junto al tocadiscos, como el soldado que regresa a su puesto.

Durante un rato, sentada allí a lo moro, con la mirada un poco ausente, va notando cómo el miedo se apodera de ella en lentas oleadas. El mismo día en que ha descubierto la muerte, su miedo cósmico se canaliza por unas circunstancias..., ¿tribales...? En un miedo concreto a su propia muerte, o a posibles agresiones inauditas en las que nunca hubiera creído verse envuelta, y que tienen que ver con la muerte... No entiende muy bien de qué manera, por qué vías, pero sí, tienen que ver con la muerte... Sí, sí, ya entiende, ahora ya entiende... Lo que le pasa es que acaba de tomar conciencia de que ella es... vulnerable. No sentimentalmente, o psíquicamente vulnerable, no, qué tontería. Algo mucho más increíble y aterrador: físicamente. Ella es físicamente vulnerable, como su padre, y como aquel quinqui desconocido... Bueno, quinqui o lo que fuera, aquél que estaba muerto, que días atrás estaba vivo y ahora estaba muerto, muerto, muerto y que... ¿Qué clase de música están oyendo aquellos *taraos*? Ella necesita algo más reconfortante, algo que se parezca a un ponche bien caliente. Que la llamen plomo, si quieren, pero va a volver a poner el *Himno de la Alegría*... Cris está preparando el chocolate, Juan charla con Jose y con Rafa, allá, en una mesa, Laura y Chus bailan —¿bailan?— el *Himno a la Alegría* como si fuera un mando a distancia para zombis, hasta que de pronto Laura deja escapar un grito ronco y se aparta de Chus como si quemara.

Y Mari Ángeles no ve nada más, porque sus ojos se quedan clavados en la puerta del garaje, donde la banda de quinquis, con el del brazo roto a la cabeza... ¿La banda? ¿Qué banda...?

En la puerta no hay nadie más que el del brazo roto, que le echa un valor a la vida de tres pares de narices, porque está allí solo, solo, y apenas se digna dedicarle una ojeada al conato de embestida de Jose, antes de decir...

—Feliz Año Nuevo a todos.

Y entonces Mari Ángeles se da cuenta de que, automáticamente, como un robot, hace unos segundos que acaba de parar el brazo del tocadiscos de mala manera.

Ya no hay música.

13

—... Feliz Año Nuevo a todos.

Durante mucho tiempo, que seguramente apenas son fracciones de segundo, Chus tiene la sensación de que en el garaje hay eco, y de que aquella frase se repite y se aleja... Año nuevo a todos... Nuevo a todos... A todos... Cuando comprende que el eco se encuentra dentro de su cabeza —que es una reacción más ante aquel entorno nuevo que durante toda la noche le ha obligado a funcionar a más revoluciones que los demás, luchando al mismo tiempo, para que no sé notara, para parecer natural, cómodo, habituado; una reacción más violenta que las anteriores, porque también el estímulo lo es—, cuando lo comprende, Jose ya ha volcado la mesa-barril, mientras Juan Alvar le sujeta, con las facciones lívidas y una mirada de incredulidad en los ojos. Y algo más, algo más que incredulidad. Algo que Chus capta, pero no puede definir, porque no sabe de qué se trata. Los demás lo sabrán, seguramente, los demás están en tantos secretos a los que él es ajeno, los demás saben tantas cosas que él no sabe... Los demás son de la pandilla de Los Pelargones, una institución, y él es el chico de la tienda. «Con más dinero que *tos* ellos juntos», como muy bien le recordaba su padre durante la cena, no fuera a estar cohibido, o creyéndose menos, «tú, a lo que se tercie, el primero. Un día es un día. Y tranquilo, que no tienes nada que envidiar, te lo digo yo. Entre esa gente, hay mucho quiero y no puedo, ¡pues no tenemos ahí cuentas sin cobrar...!».

La relación había empezado cuando todos eran niños, desde que Chus, Jesús Mari por aquel entonces, despachaba con su familia tras el mostrador de la tienda de ultramarinos que, de una auténtica casuca mal que bien habilitada al efecto, había ido evolucionando a medida que proliferaban las nuevas urbanizaciones, hasta convertirse en un autoservicio de campanillas, un supermercado con todos los adelantos, y un surtido que ya lo quisieran en Madrid. El súper, «La Casuca», su negocio.

Porque él se había dedicado al negocio en cuerpo y alma, como el resto de su familia. Había estudiado lo justo, lo moralmente imprescindible para saber llevar las cuentas y no hacer mal papel en su trato con los clientes, ya que, eso sí, a su padre le parecía importante lo de hacer buen papel. Afortunadamente, los chicos del súper tenían buena facha. Concretamente Chus, que era espigadito, y rubiasco, y tenía los ojos verdes. Un poco saltones pero, al fin y al cabo, eso hacía cara de bueno.

Más de uno de aquéllos que esa noche eran ya sus amigos, sus iguales, le había dado propina, tiempo atrás, cuando él aparecía con su motocarro, a llevar el pedido. «¡Mamáaaa, el chico de la tiendaaa!» Tiempo atrás, a él le chiflaban las propinas, pero su padre le había hecho comprender, sobre todo a partir de las nuevas instalaciones y la ampliación de local, que esa no era la imagen adecuada, conveniente para el negocio. Y Chus había sabido ir virando sutilmente hacia la que sí era la imagen adecuada: seguía conduciendo su motocarro y entregando pedidos, mejor vestido que nadie, más a la última que nadie, con ese descuido aparente que cuesta mucho dinero y mucho esfuerzo. Y llegaba a las casas con su amplia sonrisa de buen muchacho, diciéndole a la gente joven «Hola, ¿cómo estás?», y a los mayores «Qué, ¿cómo va todo? Parece que vamos a tener calor en serio. Mejor, así apetece más la piscina. Por cierto, en la de casa estamos probando este cloro, va fenomenal...», mientras ayudaba gentilmente a descargar los víveres. Jamás tuvo que rechazar una propina porque, insensiblemente, dejaron de dárselas. Ni siquiera llegó a meter la pata alguna despistada chica de servicio, a las que él trataba con una deferencia distante cuando iba a las casas, y con benévola familiaridad cuando acudían al supermercado. Sus principios estaban muy bien definidos, sus cuarteles perfectamente asentados, pero eso no era aún la fusión. De hecho, nadie se había planteado aquella fusión para nada, hasta que pasó lo de la chica de los chalés gemelos, la pelirroja, Cris.

Chus volvía de entregar un pedido de última hora...

«Unas latas, unos embutidos, algunas bebidas, ¿no te importa? Es que es un imprevisto, y...».

A él no le importaba, él era encantador, no le suponía ninguna molestia coger la moto, la suya, no el motocarro, y acercarles aquellas fruslerías en un momento, antes de irse a Madrid, al cine, claro que no.

Y fue al volver de llevar a cabo esa gentileza cuando, al coger la curva que separa la colonia antigua de la nueva, le pareció ver que un grupo indefinible y amorfo se agitaba tras unos matojos, y huía, campo a través. Unas piernas, blancas pese a todo el sol del verano, adivinadas más que vistas por entre la maleza, le hicieron pensar primeramente en un cadáver. Su primer impulso fue huir, que otro descubriese el pastel. Pero una asociación de ideas relacionó aquellas piernas con la pelirroja de los chalés gemelos. Y Chus aceleró efectivamente, pero para frenar en seco junto al lecho de mala hierba donde la chica yacía despatarrada e inmóvil, con la blusa desgarrada y los vaqueros, a varios metros de allí, grotescamente rígidos, como un espantapájaros abatido. Tenía los ojos abiertos, pero no estaba desmayada, ni muerta. Permanecía así, como si nada, en aquella postura innoble, quieta y con los brazos en cruz, mirando a las estrellas igual que si estuviera tomando tranquilamente el sol, o meditando.

Lo primero que hizo Chus, fue quitarse la camisa y envolverla en ella. Instintivamente, no pronunció ni una palabra, sólo ejerció una presión fuerte y cariñosa en la muñeca de ella, y corrió a buscar ayuda.

Aquella noche no fue a Madrid, al cine, con sus amigos. Se quedó en el pueblo y se fumó el primer pitillo con Rafael Alvar, sentados en el porche de la casa de la chica, mientras llegaba el médico y acudían sus amigos y vecinos en procesión. Jose Manuel, el primo de ella, el de la «Kawasaki», había salido, endemoniado, a dar una batida por los alrededores, lo que a Chus le había parecido un tanto ridículo. ¿Qué batida, qué alrededores? ¿Qué se creería que iba a encontrar? Y además, ¿quién era él para salir a dar batidas? ¡Batidas! No encontró nada, por supuesto. Igual que no encontró nada la Guardia Civil que anduvo patrullando la zona. Se había acudido tarde a presentar la denuncia, y si al final lo habían hecho era porque se había empeñado su tío, porque, lo que es los padres, estaban muy reacios. Su tío, precisamente el padre del de la batida... ¡Batida! Aquel grupo de cafres se habría largado en el primer tren, eso si no tenían su propio medio de locomoción, así que ¡a echarles un galgo!

Rafael Alvar se había tomado aquel asunto con filosofía, como parecía tomárselos casi todos.

—No sé por qué les ha dado ahora por las violaciones —comentó, como si acabara de leer aquello en un periódico, de pasada, como si no estuviera allí sentado en los escalones del porche esperando a ver qué decía el médico, a ver cómo reaccionaba la chica—, cuando había represión sexual era antes, ¿no? ¡Qué *pesaos*...!

Chus no supo muy bien qué contestar. Si se ponía al mismo tono, seguramente erraría. Al fin y al cabo, Cris era una amiga de toda la vida para el otro. Hablaría así porque era su aire, pero...

—Ella parecía... Parecía haber sufrido un shock —comentó cautamente.

Y se quedó para siempre muy contento de aquella perfección de frase: «Parecía haber sufrido un shock».

—Normal.

—Claro.

Durante un rato guardaron silencio, mientras la gente entraba y salía, y ellos fumaban en el porche. Algunos, los más allegados a la chica, se acercaban a agradecer a Chus su actuación, y él decía que por Dios, que qué más natural, que lo que sentía era no haber cogido por banda a alguno de aquellos hijos de puta, que por supuesto no eran del pueblo, no era gente del pueblo, qué iban a ser, esos eran de los que acudían a las fiestas de agosto como las moscas a la mierda, y aunque uno estaba al tanto, y tenía cuidado por las noches, después de que terminara el baile a las tantas, en la plaza, tras todo el día de jarana, ¿cómo iba nadie a pensar que en pleno día...?, aunque la verdad era que, si se quedaban por allí, lo mismo daba, porque después de varios días borrachos, borrachos o cosa peor, y de dormir al raso o donde fuera, ¿qué se iba a esperar? ¿Qué se iba a esperar de gente que no era del pueblo? Y todos asentían, agradecidos, y se callaban que no hacía tantos años que era precisamente entre los mozos del pueblo y los señoritos de la colonia que se organizaban las broncas, las provocaciones y alguna que otra vez hasta los navajazos. Claro que no violaban a las chicas, eso no. Rafa, que era de los de siempre, se lo había oído a su padre, y Chus, al suyo, pero los dos lo pasaron por alto, porque ni era el momento, ni se trataba de eso. Y Chus se sintió realmente halagado cuando, de la casa, les trajeron unas cervezas al otro y a él, unas cervezas que destapó el mismo Chus.

—¿Con o sin espuma, Rafael?

—Llámame Rafa —dijo el otro, también como al desgaire, mientras encendía un nuevo cigarrillo.

—De acuerdo. Y tú a mí, Chus —intercambió como si intercambiaran tarjetas, sin darle la menor importancia.

Pero la tenía. La tenía, porque Chus no era tonto y sabía que Rafael Alvar gruñía para que sus amigos le llamasen precisamente así, Rafael. Y ellos, dale con Rafa. En el caso de ellos, él no quería que le llamaran Rafa, pero en el caso de él, era diferente, era como decirle «Pasa, no te quedes en la puerta, entra, ponte cómodo».

Y habían hablado. Durante aquella charla, en el porche de casa de Cris, que ya no sería nunca más «los chalés gemelos», «sino casa de Cris», o «casa de Jose», según habían pasado revista a diez años de vidas paralelas, como si se tratara de vidas en común, fundiéndolas por medio de aquel rito iniciático sin que mediaran más explicaciones ni más nada. «¿Te acuerdas cuando se quemó Correos?» «¿Te acuerdas cuando no había autocares y había que bajar a Madrid en tren?» «¿Te acuerdas aquel año, en las fiestas del pueblo, cuando la vaquilla cogió al Eusebio...?».

Se marcharon juntos cuando salió el médico y se habló de que le había dado un sedante a Cris, y de que Cris se había dormido. Chus llevó a Rafa en la moto hasta la finca de Alvar, y, al bajarse, Rafa le despidió con una palmada en el hombro y un «Hasta mañana», mientras se alejaba sin mirar atrás.

Por eso, a Chus no le había extrañado que, al día siguiente, Laura, la del fontanero, se dejase caer por «La Casuca» a comprar tres idioteces, y a decir, mientras él le cobraba:

—Te estás aquí hasta las tantas, ¿no?

—Ni se sabe... Entre que cerramos, y se recoge, y yo hago caja...

—¿Cómo cuánto?

—Pues no sé... Sobre las nueve y media lo menos.

—Pues pásate luego por el club, si quieres. Vamos a cenar allí. Una chuletada, ¿te apetece?

—Hombre...

—Lleva vino. De vino estamos fatal.

Él asintió dándole mucho a la caja registradora, y sin mirar a Laura que, por otra parte, tampoco le miraba a él.

—Hasta luego —dijo ella, llevándose su ticket y su bolsa.

—Hasta luego —dijo él.

«Lleva vino». Eso había estado bien. Era algo así como lo de «Llámame Rafa». No vienes de invitado, como una merced, no. Tú, lleva vino. Tú, contribuye como los demás.

Y llevó vino y se le trató sin miramiento, como a uno más, que tenía problemas de horario con lo de la tienda. Pero igual que los tenía Jose, el de la «Kawa», con sus clases para preparar lo que le había quedado para setiembre. O Quique *el Largo*, que tres cuartas de lo mismo.

Lo malo fue que la fusión se produjo muy tarde en el verano, cuando las vacaciones estaban tocando a su fin, y a Chus no le dio tiempo de afianzarse un poco y de intimar. Le empezó a gustar Laura, desde el primer día, pero como una ley no escrita mandaba que Los Pelargones no se codeasen en Madrid —donde cada uno tenía su mundo, y no era el mismo—, todo, su entronización en el grupo, y su aquél por Laura, se quedaron en suspenso hasta Navidades.

Pasó aquellos primeros meses de invierno en un extraño estado de felicidad latente, metido en el pueblo y sin querer ir a ningún sitio, esperando. No sólo por Laura, también por los demás y, esencialmente, por LO demás.

Chus no era un esnob. Efectivamente, se sentía halagado por el hecho de haber dado lo que podía llamarse un paso en el escalón social. Pero si el susodicho escalón hubiera estado habitado por otros Pelargones que no fueran precisamente aquéllos, es probable que hubiera usado del privilegio con mucho menos entusiasmo y asiduidad. Aquéllos detentaban algo, una peculiaridad, un don, al que Chus no había concedido hasta la fecha el menor valor. Un don que no eran las buenas maneras —no todos las tenían, precisamente—, ni la buena pinta —porque había que ver a los Ferrán, que parecían chimpancés vestidos de domingo—, ni siquiera la inteligencia, porque él se sabía inteligente y, por ejemplo Paco, el de «Los Enebros», era un cebollo. No, era un don del que gozaban en conjunto, como si se tratase de un cierto haz de luz. No cabía duda de que la fuente nacía en la finca de Alvar y desde allí los bañaba a todos, a unos más y a otros menos, según el poso que cada cual trajera ya de casa. Y era, simplemente, la cultura. Chus había oído hablar de la cultura, como cada hijo de vecino y, dada la boyante economía de su familia, hubiera podido comprarse la que hubiera querido. Sólo que no quiso, y sus padres tampoco le alentaron a ello.

«¿Para qué quieren mis chicos estudios? Mis chicos, gracias a Dios, y a que su padre se ha *eslomao*, van a tener la vida resuelta, y muy bien resuelta. Aquí, aquí es donde tienen que dar el callo, a defender lo suyo».

Lo que en gran parte era verdad. Considerando eso de la Cultura como una llave económica, la cosa estaba clara, él no la necesitaba para nada, pero... no era sólo una llave económica, ni siquiera el trampolín social que proporciona un hábil barniz conseguido en cursillos a la americana. La Cultura, y eso pudo captarlo Chus en cuanto se interesó por ella, era un poso de finísimas capas de casi imperceptible polvo, que se van sedimentando generación tras generación, en determinadas tribus, y que los herederos se encuentran de entrañas a piel, como una herencia que no han hecho nada para merecer. Le pareció muy injusto. Porque comprendió en seguida la enorme defensa interior que proporcionaba, el infinito placer, y la fuerza, la auténtica fuerza conferida por ella. Era una llave para la inteligencia. *Mal comparao*, que hubiera dicho su padre, la cultura era a la inteligencia, lo que un gimnasio para el físico, el instrumento con el cual hacerla florecer, abrirse, cuajarse, ser cada vez más útil y más placentera. También entendió en seguida que no era sólo un bello y delicado instrumento de perfección interior, sino un arma, un terrible instrumento de poder, y que por eso se intentaba privar de ella a las clases más humildes, a los *perjudicaos*, como los llamaba Rafa.

—Ahora ya no se trata de amargarles la vida a los *perjudicaos* —le oyó decir un día—. Qué va, eso no les interesa. Lo que quieren es tenerlos contentos, que tengan muchos juguetes, y la panza bien llena, pero que sean cada vez más zurullos, para que paguen letras, y trabajen, y no gruñan. O gruñan lo justo, para quedarse tranquilos, en plan terapia. Y eso es como la clásica mancha de aceite; van a más. Empezaron hace mucho con los *perjudicaos*, pero ahora quieren aborregar también a los maravillosos. A ti, merluzo, que no sabes hacer la o con un canuto, y por eso se quedan contigo a la primera.

No se lo había dicho a él, a Chus, sino a su gran amigo Jose, el de la «Kawasaki», el primo de Cris, que andaba rabioso porque le hacían estudiar para presentarse en setiembre a un examen de Arte que le quedaba pendiente.

Arte.

Esa sola palabra, a los de su casa, la casa de Chus, les habría parecido una mariconada. Un poco lo que le parecía a Jose, por otra parte, que protestaba preguntándose de qué le iba a servir a él saber qué coño pintó el Tintoretto de los cojones, si lo que quería ser era ingeniero industrial.

—Pues en eso radica el truco —se encogió de hombros Rafa, que se cansaba de repetir las mismas cosas—, en especializar. Y, a ser posible, en especializar en cosas técnicas, que hacen a la gente útil, y poco proclive a especular con filosofías tontas como aquello de «¿Quién somos, adonde vamos, de dónde venimos?».

—¿Qué?

—Que te estudies la asignatura, o no apruebas el COU, cabrón —resumió Rafa.

Y eso, Jose lo entendió, apreciando, en lo que valían, sus ventajas pragmáticas.

Pero Chus entendió más, y apeteció entender aún mucho más, porque Chus, el de «La Casuca», era más inteligente que Jose, el de la «Kawa». Y quiso la Cultura para sí. Con mucho más ahínco del que puso en conseguir a Laura, la del fontanero. Laura le gustaba y, de alguna manera, era una compañera de ruta. También ella callaba mucho, y abría las orejas como soplillos. También ella —porque también era inteligente e inculta— resbalaba a veces, y volvía a levantarse, y a sacudirse el polvo de la ropa, para seguir avanzando. Sin decirse nada, a veces cambiaban fugaces miradas de complicidad, se ayudaban, tácita e imperceptiblemente, y seguramente era eso, más que la indudable atracción física que sentían el uno por el otro —o que, por lo menos, él sentía por ella—, lo que los había ido uniendo en aquel corto final de verano, y lo que había vuelto a reunirlos, sin mediar palabra explicativa, algún que otro fin de semana en que Laura subía a la sierra con los padres —que, ellos, sí, ellos no faltaban nunca a la cita con el hotelito, así cayeran chuzos de punta, y entraba por el súper a comprar pan, o cualquier idiotez, y le esperaba para subir juntos hasta la finca de Alvar, donde indefectiblemente verían un rato a Rafa, porque Rafa estaba siempre, los fines de semana.

Aunque Chus sabía, por los guardeses de la finca, por los pedidos a la tienda, que Rafa estaba siempre, en realidad. Los fines de semana, y la semana entera. Pero por alguna razón, que seguramente formaba parte de ese universo especial en el que se movía aquella gente, eso era algo que él no admitía oficialmente. Ni se dejaba ver por el pueblo, ni se le había ocurrido jamás llamar a Chus, o pedirle que subiera un rato a hacerle compañía, como sí que hacía, por cierto, algún domingo solitario y frío, en que ellos dos eran los únicos miembros de la pandilla en deambular por allí.

Domingos en los que Chus había descubierto los libros.

Descubierto en un sentido literal y corpóreo, los libros de los Alvar, la librería del salón, atestada de volúmenes.

—Pues en casa, en Madrid, quiero decir, hay muchos más que aquí. Mi padre tiene una buena biblioteca.

Cientos de libros y él decía «una buena biblioteca». Y lo decía sin afectación, no como aquéllos quiero y no puedo que entraban de nuevos al súper contando que se estaban haciendo «una chabolita» por allí, cuando lo que se estaban mandando construir era alguna monstruosidad carísima que a ellos les parecía un palacio.

Una buena biblioteca.

En casa de Chus no había libros. Ni muchos ni pocos, no había libros. Cuando los chicos eran pequeños e iban al colegio, arrastraban los suyos por allí, un poco por todas partes, pero como ni fueron mucho tiempo, ni les tenían aprecio, cuando dejaron de ser necesarios, se tiraron a la basura, se quitaron de en medio. En casa de Chus había tres televisores, dos en color y uno en blanco y negro para la chacha. Había vídeo, el último, el mejor, y cada chico tenía su radio, y un buen tocadiscos, como había buenos muebles y buena ropa, y lo mejor de lo mejor, «porque para algo lo hemos sudado, y lo estamos sudando». Pero no había libros, como no había orquídeas africanas.

El primer día, en aquel salón de los Alvar, atraído por el contenido de todos aquellos estantes, porque sí, quizá sólo porque resultaban agradables de mirar, Chus descubrió de pronto un título que conocía, y se alegró de poder hacer algún comentario de iniciado.

—Anda, eso lo he visto yo hace poco. Lo tengo en el vídeo. Está bien... Si quieres verla, un día te bajas y...

Y una noche, un sábado, después de cenar, mientras la familia veía la película programada en televisión, ellos compartieron a solas *La chica del tambor*. Luego, mientras Chus subía a acompañarle hasta su casa, en la noche helada, Rafa empezó con el mismo comentario que había hecho él, respecto a aquella historia.

—Está bien... No es el libro, claro —añadió.

Sin preguntarle si quería o no, le prestó el libro.

A Chus le costó leerlo, pero era cuestión de honrilla, y aguantó. Además, una vez hubo conseguido digerir las primeras cincuenta páginas, se olvidó de la película, y entró en otro interés, en otro afán. Tampoco se extrañó cuando, al comentarle a Rafa que tenía razón, que aquél era un libro muy bueno, Rafa le dijo que no, que no mucho, que era entretenido nada más, porque los dos sabían que se trataba sólo de una iniciación. Había libros muy buenos, eso sí, libros que además de ser entretenidos... y si a Chus le gustaba leer... A Chus le gustaba leer, y, sobre todo, quería que le gustara. Por eso, a partir de entonces, los fines de semana, Rafa le prestaba libros, le sugería los que debía comprarse, y los comentaban juntos, merendando frente a la chimenea del salón de la finca de Alvar, servidos por la guardesa, y a veces acompañados por Laura.

—Te gusta la jirafita, ¿verdad? —le preguntó Rafa un día, en que Chus andaba un poco mustio, porque esperaba que ella subiera, y ella no había subido.

—Es igual... A ella le gustas tú.

Durante unos segundos, y debía de ser una idiotez porque no había nada, absolutamente nada en lo que basarse, Chus tuvo la sensación de que Rafa lo iba a echar de su casa, de su amistad y de su vida, de un plumazo y para siempre. Pero en vez de eso comentó:

—Vaya chorrada... Ella no sabe ni siquiera lo que le gusta todavía... Y sería buena idea.

—¿El qué?

—Ella y tú.

Y como si el tema no mereciese ni más atención, ni más palabras, se untó de miel otra tostada, y pasó a hablar del frío pelón que estaba haciendo, de las últimas películas que habían estrenado en Madrid, de la exposición de Juan Gris —que era un pintor muy bueno, por lo visto—, y de un recital de Miguel Ríos que no quería perderse ni loco. De demasiadas cosas, en realidad. Demasiadas.

Sin embargo, agotado el último trimestre del año, durante aquello que, eufemísticamente, Chus llamaba como sus amigos «las vacaciones de Navidad» —aunque lo que es él, trabajaba más que nunca, casi más que en verano incluso—, Rafa desaparecía cuando Chus y Laura estaban juntos, o le buscaba a él cuando estaba con ella, o la buscaba a ella cuando estaba con él, y como ellos dos estaban a gusto juntos, la cosa había ido rodando, rodando, de la manera más natural.

Que aquella Nochevieja Laura iba a engalanarse para él, y que durante la fiesta él tendría que explicitar al fin de algún modo sus sentimientos, concretando en actitudes más osadas su silencioso galanteo, estaba claro. Que le apetecía tela, estaba claro. Cómo iba a reaccionar Laura, estaba menos claro, porque Laura era más rara que un perro verde, y no dejaba entrever lo que le andaba por dentro. Se dejaba acompañar por él, bueno. Y entre los dos existía aquella corriente de remeros en el mismo banco, pero Chus no estaba muy seguro de que existiera algo más. Aquello era el pueblo, la pandilla del pueblo, las costumbres de pandilla en el pueblo, pero a lo mejor, Laura tenía sus apaños en Madrid, los que fueran, y no les guardaba ausencias porque eso ya no se veía por el mundo. A lo mejor, lo de él estaba bien para un rato, pero de ahí a pasar a mayores...

Y efectivamente a mayores, lo que Chus entiende por mayores, no han pasado. Para sentar un cierto precedente de posesión exclusiva, de cara a muchos de los celebrantes, que no habían tenido ocasión de verlos juntos anteriormente, Chus no quedó con Laura en el club, como otras veces, sino que fue a buscarla a casa, y entró a felicitar el año, y esperó como un novio, a que ella bajara la escalera, después de atusarse, ofreciéndole un cigarrillo al padre, que sonreía satisfecho, y dándole conversación a la madre, que tenía ese aire entre sonriente y temblón del que va a vender un cordero. Cuando el cordero apareció en lo alto de la escalera de su casa, a Chus se le cayó el pitillo de la boca. Laura, la morena, Laura, la gitana, se había vestido de blanco, de un blanco de gala con espiguitas doradas. Y lo que llevaba no era ni un vestido ni un pantalón, sino una extraña mezcla de las dos cosas, con un cinturón dorado separando lo de arriba de lo de abajo. Y se había subido, la tía, a unos zapatos —que no son zapatos, animal, son sandalias— con un tacón que milagro sería si no estaba tan alta como él, tanto que presumía él de alto. Y se había peinado como la Bo Derek, en aquella película del vídeo, que su padre, él y sus hermanos volvían a traer de vez en cuando porque estaba la tía que diez era poco, y además, él era muy gracioso, que decía su madre. Así se había peinado Laura, con la cabeza llena de trencitas tintineantes, rematadas por abalorios. Y llevaba más ajorcas y más anillos que nunca, y una sonrisa atravesada y segura de sí, que Chus no le había visto antes.

Mientras caminaban juntos por la carretera camino de la finca de Alvar, ella envuelta en una trenca, porque una cosa era presumir y otra coger una pulmonía, Chus había intentando el primer avance serio. Los tragos, pasarlos pronto.

—Cuando entremos ahí —informó con voz neutra y mirando al tendido—, quiero que todos esos se den cuenta de que eres cosa mía.

Ella, que mascaba chicle como de costumbre, se paró en mitad de la carretera, con las manos en los bolsillos de la trenca, y se le quedó mirando, despacio, de arriba abajo, como si estuviera dudando en hacerse suya o partirle el alma. Por fin asintió, y dijo:

—Vale.

Luego siguió andando a su lado, sin más. Bueno, sí. Hizo algo. Se cambió de muñeca una de las múltiples pulserillas de oro. Durante un buen rato, Chus se preguntó con angustia si aquello no sería como hacerle una muesca al revólver, pero luego comprobó que se trataba de las multas aquellas que había inventado Rafa. Cuando estaba lejos del recipiente recaudatorio, Laura se cambiaba una pulsera por infracción, luego las pagaba todas, y volvía las pulseras a su sitio. Las muñecas le servían de ábaco. Hacía muchas cosas raras de ese tipo. Por ejemplo, cerraba los ojos al pasar delante de según qué sitios porque, según ella, «no se podían mirar», esbozaba extraños signos de su invención si pasaba un coche amarillo, o se encontraba con según qué cifra, o cosas así. Y lo hacía con la misma naturalidad con la que Cris se santiguaba al pasar por delante de la iglesia. Por supuesto, Laura TAMBIÉN se santiguaba al pasar por delante de la iglesia, pero Chus comprendía que no significaba lo mismo para cada una de las dos. Sin ir más lejos, aquel rato en que se le había quedado mirando en medio de la carretera, antes de contestar, lo que había hecho era contarle los botones de la chaqueta. Si eran pares, nada, porque habría sido fatal. Si eran impares, te decía que bueno... Y eran impares. Siete. Genial.

Eso se lo había comentado mucho más tarde, avanzada ya la noche, cuando, como el que no quiere la cosa, se habían ido desmarcando hasta salir al jardín. Como hacía un frío digno de diciembre y de la sierra de Guadarrama, y Laura no tenía su trenca protectora, Chus quiso, caballerosamente, cederle su chaqueta, pero ella se negó, proponiendo una solución mejor. Irían a refugiarse al coche de Juan, cuya invitadora carrocería roja brillaba a la tenue luz de los faroles, en la clarita de cerca de la piscina.

—Me da un poco de corte —argumentó el advenedizo mientras su compañera le conducía de la mano.

Pero ella se encogió de hombros, como si el tema no mereciese ni siquiera comentarios. Chus había visto las suficientes películas americanas como para saber lo que daban de sí los coches, en materia erótico festiva, y supuso que eso era lo que se esperaba de él, pero se llevó un chasco a la primera intentona. Laura le fulminó con una mirada de sus ojos largos y estrechos, que podría haber matado a cualquiera de naturaleza más endeble.

—No, si no quieres...

—¿A ti qué te parece?

—Yo pensaba...

—Las cosas, a su tiempo.

Que, por lo visto, no era ese, Chus se replegó a su parcela, y salió airoso de aquel *impasse*. Pero no se le ocurría nada, y el silencio se hacía cada vez más pegajoso y más irrespirable.

—Primero, hay que conocerse bien —dijo ella, por fin—. Luego, ya...

Chus respiró. Esencialmente porque su precipitación no había provocado una ruptura, sino un establecimiento de bases, y luego

porque, realmente, en las películas americanas se trataba generalmente de coches grandes, y por lo común, descapotables, con más
radio de acción que un «R-5». Abundando en aquello de conocerse
mejor, se disponía a plantearle a Laura la posibilidad de verse con re-
gularidad también en Madrid, porque su caso, a partir de ahora, iba
a ser distinto. Ellos no sólo estaban en la misma pandilla, ellos eran
novios, y los novios...

Pero tuvo que guardarse su exposición para más tarde, porque
la morena y enjoyada novia se le abalanzó al cuello, tapándole la
boca, y obligándole a esconderse tras el respaldo del asiento delante-
ro, en súbito arrebato. Que no era un arrebato de pasión, como pudo
haber creído en un principio, un arrebato de pasión que desdijera
o desbordara sus anteriores palabras de mesura, no. Era una simple
acción de camuflaje de emergencia. Por entre las sombras del pinar,
acababan de surgir Juan y Cris, camino del balancín. Y, efectivamente, en el balancín se acomodaron, a dos pasos, como aquél que dice.
Y así fue, abrazados hasta fundirse, puede incluso que mucho más
estrechamente que los otros, estremecidos al principio entre la risa
y el miedo a ser descubiertos, embargados paulatinamente por una
especie de reverencia sacra, como fueron testigos anónimos y mudos
de aquellas bodas, maravillosas, porque eran la culminación de un
largo sueño, y tristes, porque no iban a tener futuro. Laura buscó
su mano entre aquel amasijo que formaban los dos, y entrelazó sus
dedos con los suyos, y le clavó los anillos hasta herirle, mientras trataban de contener la respiración, y el corazón les golpeaba el pecho
furiosamente. Mientras transcurrían lo que parecieron siglos, Laura
y Chus, igual que celosos oficiantes, investidos de un honor supremo, respetaron, con su inmovilidad y su silencio, los susurros de él,
y las palabras apasionadas de ella, el chirrido extraño de los muelles
del balancín, como una antiquísima música primitiva, disonante y

atávica. Cuando el contenido grito de Cris se convirtió en sollozos, Laura, en rápido reflejo, abrió de golpe la portezuela del coche y se arrojó, rodando por la ladera, hasta la pista de tenis. Chus la imitó. Abrazados de nuevo abajo, magullados y trémulos, esperaron, de nuevo inmóviles, a saber si habían sido descubiertos. Pero cuando los sollozos de Cris, ahora lejanos, desaparecieron del todo, hubo un silencio, y por fin la oyeron decir:

—¡Y yo que pensaba empezar el año, triste, y sin ganas de nada...! ¿Sabes una cosa? Cuando me has traído aquí, tenía miedo. No me imaginaba que podía ser así.

Lo último que oyeron, antes de que, obedeciendo a un enérgico movimiento de cabeza de Laura, Chus la cogiera de la mano, la ayudara a levantarse, y saliese corriendo con ella hacia el garaje, fue una frase de Juan:

—El amor es siempre así, Cris.

Antes de entrar a reunirse con los demás, Laura se detuvo junto al abeto azul, el que tenía cerca una fuente antigua y cursi, con amorcillos, una fuente espantosa que, por alguna razón, resultaba bellísima. Se arrodilló frente al pálido círculo de luz que proporcionaba el farol cercano, y arrojó sobre la tierra todas sus pulseras de oro, con el mismo gesto amplio de la segadora que esparce la semilla. Lentamente, Chus se acuclilló a su lado, observando. Laura fue recogiendo las pulseras, según un trazado misterioso, y en seguida empezó a negar, hierática y ausente, hasta que las recuperó todas.

—¿No? —preguntó él, sin saber muy bien qué demonios preguntaba.

Ella volvió a negar, sin abrir la boca.

—Pero..., ¿ellos o nosotros? —se inquietó Chus.

Laura se puso en pie, sacudiéndose las diversas máculas de su atavío de gala.

—Ellos —contestó al fin, mirándole.

—... Nadie lo diría —se atrevió a objetar Chus, tímidamente.

Pero la sibila, segura de sí, se limitó a negar de nuevo, antes de cogerle la mano y de entrar con él, provocona y triunfal, en el recinto del club.

Y bailaron.

Primero desenfrenadas danzas, con las que apaciguar su alegría. Luego, cuando la enana, que estaba pasando una noche fina, la pobre, dejó los discos para salir un rato al jardín, Chus eligió un montón de baladas, lentas, lentas, con las que abrazarse en paz, y las dejó que fueran cayendo, unas detrás de otras, con el automático. Un automático tan viejo, que a veces dejaba sonar el mismo disco varias veces, pero ¿qué más daba?, el caso era abrazarse y bailar. Así sería, en el futuro, dormir juntos tras una jornada de trabajo, felices, cansados, serenos, sin una sola grieta en el presente, ni una nube en el horizonte, una existencia envidiable en un mundo que iba a seguir siendo indefinidamente el mismo, un mundo en el que Laura y Chus habían conseguido buenas localidades. Medio adormecido, comprobó que Cris volvía sola del jardín, y se acordó de las ajorcas agoreras de su amiga. ¿Tan pronto? Los había que quemaban etapas a un gas... Cuando, un buen rato después, fue Juan quien volvió, y no solo, sino acompañado por la pequeña, por Mari Ángeles, Chus ya no entendió nada. Pero su beatitud ocupaba demasiado sitio aquella noche, para que le cupiera dentro ningún sentimiento de condolencia..., suponiendo que hubiera motivo para condolencias, claro. Y por eso, por la beatitud, fue por lo que le pilló tan indefenso aquel grito de Laura, que le apartaba de un empujón y clavaba en la puerta sus ojos espantados.

—... Feliz Año Nuevo a todos.

Sí, Chus tiene la sensación de que la frase se repite, como en un eco. Y cuando ese imaginario eco desaparece, es como volver en sí después del mareo producido por un golpe. Así que todo era verdad: los rumores que habían circulado por el pueblo de que en aquel linchamiento —porque, ¿cómo le llamarían a eso, si no?— habían participado los chicos de la colonia antigua, chicos de allí, chicos de casa bien. Él había hecho tan poco caso a esos rumores, como a las bravatas de Jose, o las bromas de Rafa hablando de la venganza de los navajeros. Y cuando Laura le había revelado, misteriosa, su fugaz encuentro con el del brazo roto frente a la finca de Alvar, la había escuchado con el respeto que ella esperaba, pero había pensado que su cortejada tenía mucha imaginación, y afán de protagonismo.

Y ahora resulta que todo era verdad. Y seguramente aquel tipo del poncho, aquel tipo capaz de dejarlo a uno seco con una mirada, no viene solo. Sus amigos estarán en el jardín, esperando.

—¿No te gusta que te feliciten el año? —le pregunta suavemente a Jose, que se debate y forcejea con Juan—. Y yo que tenía interés en felicitártelo precisamente a ti...

A la desesperada, Cris corre a colgarse del brazo de su primo, para mantenerlo quieto. No con su fuerza, pobre, sino con su influencia. Y lo consigue, como siempre. Juan, entonces, se desentiende de él, y da un paso absurdo hacia el desconocido, mirándole con aquella mirada de incredulidad, y de algo más, algo más...

—... ¿Tú eras uno de aquéllos que la otra noche...?

El recién llegado sostiene la mirada de Juan. Pero si tenía intención de decir algo, se quedan sin saberlo, porque Rafa interviene. Rafa, que no participa en absoluto del estupor y del miedo de los demás; Rafa, que sonríe, que está encantado.

—¿Quieres dejar en paz a mis invitados? —pregunta.

Su hermano se vuelve hacia él, escandalizado.

—¿Tus qué?

—Invitados —informa Rafa, precisando mucho—. Del latín *invitare*, da *invitar*, que significa proponer a alguien que asista a una comida, espectáculo, o fiesta. Y da también *envidar*. Supongo que todos sabéis lo que significa envidar, la apuesta total.

—Rafa... —interrumpe Juan, que parece a punto de desmayarse.

Pero su hermano no le deja hablar, su hermano tiene la palabra y no va a cedérsela a nadie. Es su momento, y piensa sacarle jugo.

—... ¡Y todavía tiene un significado absolutamente maravilloso! —sigue, alzando el tono, para no ser interrumpido—. En esgrima quiere decir...

Finge buscar en su memoria, aunque está claro que lo sabe perfectamente, que lo traía cuidadosamente aprendido.

—... «Posición que se toma con el arma, por la que se ofrece un blanco al adversario, con el fin de inducirle al ataque». Podéis escoger la que más os guste. O todas.

Mientras Rafa habla, Laura, rápida, ha recogido su trenca del montón común, e inicia un movimiento hacia la salida, sin atreverse a llegar hasta la puerta, como temerosa de acercarse demasiado al del poncho oscuro. Le hace una seña a Chus para que la alcance allí, y la siga, y trata de decir en el tono más natural posible:

—Venga, Chus, es tardísimo. Acompáñame.

Pero es Rafa quien corre a taparle la salida.

—De aquí no se va a ir nadie —asegura, firme.

Juan respira hondo, como para rehacerse de una impresión fuerte, e intenta seguir el juego de Laura, dirigiéndose a Chus, en el mismo tono de Aquí No Ha Pasado Nada.

—Tiene razón, es muy tarde. Llévala a su casa. Y tú, acompaña a tu prima y luego vuelve —añade volviéndose hacia Jose—. O te recojo yo dentro de media hora —termina, consultando su reloj.

Pero Jose no se mueve. Es el más confundido de todos, no sabe qué hacer. No sabe QUÉ HAY que hacer.

—He dicho que no —repite Rafa, tajante—. Que no se va nadie... ¿Cómo le vais a hacer un feo semejante a mi invitado?

—Rafa, ya está bien.

El invitado sigue quieto, junto a la puerta, amenazador, no por su actitud, sino por su mera presencia.

—Íbamos a hacer chocolate —le informa Rafa, cortésmente—, pero me parece que se estropeó el invento. ¿Tiene arreglo, Cris? ¿Podemos hacer más?

Juan intenta, por última vez, que aquella escena se desarrolle con un mínimo de coherencia.

—Rafa, ¿quieres hacer el favor...?

—¿Y tú quieres hacer el favor de no aguarnos la fiesta...? Nadie quiere irse, ¿verdad que no, Laura?

Laura está incómoda, asustada. Un poco enfadada, incluso. Se encoge de hombros, mirándose las sandalias con gesto hosco. Chus recuerda que se trata de su dama, y actúa en consecuencia.

—Oye, si ella se quiere marchar...

—¡Pero no quiere! —insiste Rafa, como un charlatán de feria—. Nadie quiere. Cris, ¿puedes hacer más chocolate, sí o no?

Sorpresivamente, la pelirroja, tras una mínima vacilación, se pasa al bando de Rafa... ¿Acaso estuvo alguna vez en otro...? Amansada ya la pantera, y más que amansada, como cegada por unos faros potentes, ella se suelta de su brazo, y acude junto a Rafa. Al hacerlo, se ha acercado también peligrosamente al intruso, pero no le mira, aún no. Es a los demás, al resto del estupefacto grupo a quien mira con un punto de desafío, mientras comenta con toda naturalidad.

—Si me dais otro cacharro... Chocolate, hay.

—Cris, escucha...

Es el último intento que hace Juan por intervenir. Cris da una palmada como para ponerse, y poner a todo el mundo en acción, y su caballero de aquella noche se deja caer sobre las ruedas de automóvil que suelen servir de asiento, renunciando.

—Venga, Laura —anima Cris—, busca cualquier cosa que se pueda calentar... Esa jarra segoviana puede servir... Laura, ¿me estás oyendo?

Aún sin moverse, Laura alza hasta ella los ojos, como preguntando: «¿De veras toca jugar así, de veras quieres que lo haga, de veras me necesitas?».

—Ayúdame —es la respuesta que le llega en el tono más coloquial del mundo—. Vete enchufando el infiernillo.

Y, sin más vacilaciones, Laura arroja su recién rescatada trenca de nuevo al montón común, y se desliza detrás de la barra a secundar a Cris, que...

...Valiente, Cris, valiente...

...va derecha hacia el inquietante recién llegado, y le tiende la mano como si tal cosa.

—Hola. Me llamo Cristina... ¿No te quitas eso?

El la mira sin apearse lo más mínimo de la situación de ventaja que le ha conferido su gloriosa entrada, y desde luego sin estrechar la mano que ella le tiende, pero un poco impresionado. Eso no puede disimularlo.

—¡Claro que sí! —aprueba Rafa, cada vez más entusiasta—. ¡Ponte cómodo, estás en tu casa...! Mis amigos están un poco sorprendidos —le explica en un falso tono confidencial—, y es que ellos esperaban ver a un macarra, a un cheli... ¿Verdad, chicos? ¡Pues no! ¡Sorpresa...! Aquí, un señorito —presenta—; aquí, unas amistades; allí, un hermano mayor. Se llama Juan, la criatura. Ésta, ya te lo ha dicho, y la otra es Laura. Y éste, Jesús, Chus, si quieres... ¡Ah! Aquel ovillo de allí es Mari Ángeles. Yo soy Rafael, y éste...

—Ya nos conocemos —interrumpe el intruso, en tono seco.

—Sí, ya sé que os conocéis. Pero como fue en circunstancias... desagradables, no tienes por qué saber cómo se llama.

—No. No tengo el placer.

Rafa sonríe, feliz de que el recién llegado sepa jugar tan bien a su juego.

—Se llama Jose Manuel. Jose Manuel Martín Velasco. Pero llámale Jose, siempre le llamamos así... Bueno, tú no te has presentado.

Y ahora es a él, a Rafa, a quien le toca quedarse absolutamente de una pieza, porque su hermano Juan levanta la cabeza, e informa como si todo aquello fuera una inmensa broma cruel:

—Él se llama Miguel Quirós.

14

Amigo mío:

    Te extrañará recibir esta carta... Qué manera tan idiota de empezarla, por cierto. «Te extrañará recibir esta carta». ¿Y qué? ¿Por qué no podemos extrañarnos?, o mejor, ¿por qué tenemos que pasarnos la vida extrañándonos? ¿Qué es, qué puede ser, lo que nos sea fundamentalmente extraño? Debemos extrañarnos del que bebe vino tinto con el pescado, ¡oh, por favor, qué inconveniencia, qué falta de gusto, de tono, de...! Debemos extrañarnos del que duerme de día, y de noche lee, o pinta, o escribe, o charla, trasnochadores, mala gente, gente sospechosa..., pero no debemos extrañarnos de que duerma de día un sereno, porque no lo hace porque quiere, porque eso es un trabajo, porque eso es normal. NORMAL. Maravillosa palabra para vestirla como un hábito, respetarla hasta la demencia y alejar asilos quebraderos de cabeza. Mi hermano Rafa... (me gustaría que le conocieras, es todo un personaje), se dedica últimamente a transgredir pequeñas normas idiotas. Usa un lenguaje pulido y casi arcaico, se viste como un político en acto oficial, en casa, le habla al servicio en tercera persona, pide el postre antes del primer plato, y hasta ha dormido una noche en la caseta del perro, embutido en un saco de montaña, mientras Prince, *su maravilloso y estúpido dogo arlequín, gruñía ante la frívola invasión de su territorio. Se le permiten, con indulgente y superior sonrisa, estas pequeñas extravagancias que no conducen realmente a nada, igual que se le han permitido todos los caprichos desde que era un niño (aún lo es realmente), porque, desde siempre, se ha tenido la convicción de que Rafa no va a vivir demasiado. ¿Y los demás? Cualquiera diría que vamos a vivir eternamente. ¿Por qué tenemos que encajar por fuerza en unas premisas ya dadas, para tener contento al entorno que nos toque en suerte?*

Después de haberte extrañado convenientemente por recibir esta carta, te extrañarás, sin solución de continuidad, por su contenido. ¿Qué le pasa al bueno de Juan? ¿Qué mosca le ha picado a mi amigo?

Mi amigo. Amigo, amigo mío.

Olvidaba comentar que lo primero que te habrá extrañado de esta carta extemporánea (podríamos decir que se trata de un christmas, para caer en las malditas costumbres) habrá sido su encabezamiento: Amigo mío. No es usual, no es usual. Y sin embargo, eres amigo mío, ¿no?

Pero te habrá extrañado.

No podía poner «querido Miguel», ¿comprendes? Imposible. «Querido Miguel» se ha convertido en una fórmula que no quiere decir absolutamente nada, algo así como «los abajo firmantes», «beso a usted la mano», no, imposible. Para escribir tu nombre, tendría que haber puesto «Miguel querido», y eso hubiera significado romper de entrada todos los espejos, y caer en el más grotesco, en el más vergonzante, en el más patético de los ridículos. ¿Verdad que sí, Miguel querido, amigo mío?

Dios mío, estoy temblando de que no sigas leyendo, de que la indignación, o la risa, te hagan arrugar estas cuartillas y pensar «Cuando escribió esto, el Alvar tenía que estar completamente tajada, palabra»,y... ¿ves?,ya está, ya he caído en la más absoluta mofa de mí mismo.

Si os dignáis por estas letras,
pasar vuestros lindos ojos,
no los tornéis con enojos, sin concluir,
acabad.

Un cachondeo para mí solo, con piano y orquesta.

Pero acabad, por favor, acabad, Miguel querido, amigo mío. Acabad esta carta, que es lo único que tengo en esta noche monstruosa, el único respiradero dentro de este calabozo en el que de pronto me he encontrado encerrado de por vida, mucho más monstruoso para mí de lo que lo sería para ti, porque yo no soy rebelde como tú, Miguel querido, yo no soy rebelde, como tú crees serlo... Perdón, perdón: como tú eres. Lo eres, lo eres. Lo eres porque, después de haberte colgado, sucesivamente y por su orden, todos los uniformes de la rebeldía, ahora te rebelas contra esos uniformes, y quieres hacer «simplemente, lo que tú creas que está bien». ¡Simplemente! ¡Te he visto, con tanto amor, buscar desesperadamente en cada ocasión «lo que tú crees que está bien...»!

Ya escribí la palabra: amor. Tanto divagar, dándole vueltas, sin atreverme a coger el toro por los cuernos, como tú harías, amigo mío...

Te amo, Miguel; Dios me perdone.

Es curioso que yo escriba esto así, no creyendo en Dios. Pero te amo, Miguel. Y seguramente, al escribir «Dios me perdone», mi única esperanza es que me perdones tú.

No sé por qué escribo esta carta, por qué tengo la necesidad absoluta de escribirla, cuando lo más sensato sería, como siempre, como para casi todo, callar, fingir, seguir viéndote, sin que tú adivinaras nada, jamás. Porque no lo adivinarías jamás, ¿verdad que no, Miguel querido, maldita sea tu alma, verdad que no? Seguirías admitiendo mi amistad ciega, como lo más natural del mundo, igual que has admitido la rendición sin condiciones de esa pobre María, que nos hemos pasado como una pelota, o igual que admites la veneración mansa del Barbas, *cuya única vida es seguir tu sombra a cambio de unas migajas..., iba a decir de afecto, fíjate qué idiotez..., unas migajas, ¿de qué? ¿Compasión...? No. A cambio del derecho, que seguramente tú mismo consideras excelso, de vagabundear en tu brillante compañía... Me estoy poniendo agresivo, pero es que tengo celos. Celos del Barbas, sí, fíjate qué risa. Como los tengo de María. Como antes los tuve, sin saberlo, de Susana, o de Paloma. ¿Te acuerdas de ellas? Puede que ya no, y yo, en cambio, no las voy a olvidar en la vida, fíjate qué incongruencia. Porque tuve celos de ellas. Como los tengo de esas hermanas tuyas, y de todos tus amigos, aunque..., realmente no lo son mucho, ¿verdad? Tú mismo me has dicho a veces que yo soy el único, el verdadero amigo que tienes. Amigo mío.*

Te amo, Miguel. Te amo, te amo, te amo. Dios me perdone. No hay criatura en el mundo, ni la habrá jamás, que pueda inspirarme tanta devoción, tanta ternura, tanto estupor, tanta admiración, tanto odio, tanta paz, tanta lealtad, tanto desasosiego, tanta dependencia absoluta. ¡Te amo, Miguel, te amo, y tengo que decírtelo, aunque sea lo último que haga en este mundo.

No será lo último que haga en este mundo, son cosas que se dicen. Y sobre todo en cartas como ésta, en las que hay que refugiarse en la cursilería y en la rimbombancia, para poder expresar lo que se siente, como detrás de un escudo protector.

Te amo, Miguel. ¿Qué va a ser de mí?

¿Qué haré mañana, y pasado, y todos los días, minuto a minuto, con este amor que es como una losa? ¿Cómo voy a decir «buenos días», «buenas tardes», «un poco más de sopa, gracias», «sí, la civilización occidental alcanzó uno de sus más brillantes momentos en...»? ¿Cómo voy a respirar, y a sonreír, y a dormir, y a charlar, si yo...? Yo te amo, Miguel.

Ahora mismo tengo la sensación de que voy a seguir aquí, escribiéndote, sin un respiro, cada vez con más incoherencias, hasta caer des-

mayado, o muerto. Me siento como un astronauta, perdido en el espacio fuera de su órbita, condenado, y con un magnetofón cuya cinta, tal vez, tal vez, le llegue algún día al destinatario. (Qué bonita imagen, ¿verdad? ¿Crees que se le habrá ocurrido ya a algún otro?).

La mesa sobre la que te escribo está cerca de la ventana de mi cuarto. Está oscureciendo, y del jardín entra todavía un estrecho haz de luz, gris, irreal, que me envuelve. Y tengo la sensación de que, mientras siga dentro de su espacio mágico, escribiéndote sin parar, seguiré protegido, anestesiado, pero si me levanto, si salgo de aquí, si dejo de comunicarme desesperadamente contigo, tal como lo estoy haciendo, el dolor se me echará encima y será tan espantoso que me volveré loco... Y sin embargo, no tengo nada más que decirte. Tendré que terminar, aunque ni siquiera sé si te mandaré esta carta.

Mentira. Sé que voy a mandártela. Hoy mismo. Cuando deje de escribirte, será para meterla en un sobre y bajar directamente al pueblo, a enviártela por correo urgente. ¿Para qué? Ya te he dicho que ni yo mismo lo entiendo. Necesitaba que tú supieras, eso es todo.

¿Qué sientes ahora que la has leído? ¿Qué sientes hacia mí? ¿Desprecio? ¿Lástima? Me parece que soy incapaz de soportar ninguna de las dos cosas, y sin embargo...

Si mi presencia no te resulta odiosa a partir de hoy, no digas nada. Nunca. Adóptame, como adoptaste al Barbas aquella noche en que le encontramos, y en que, empapado de lluvia y oliendo a rayos, le arrimaste al calor de la estufa del pub. Y hagamos el viaje, tal como lo teníamos previsto, María, tú y yo. Afortunadamente, no puedes llamarme, y yo no te llamaré. Si estás de acuerdo en que lo hagamos así, en que la vida continúe como siempre, mándame sólo un telegrama que diga «Te esperamos». En la mañana del día 1, y o pasaré a buscarla a ella para que, juntos, vayamos a buscarte a ti. Si no recibo ese telegrama, entenderé que no quieres verme. Y efectivamente lo entenderé. En ese caso, cuéntale a

María lo que quieras respecto al viaje. Incluso la verdad. No será violento para mí, habida cuenta de que no volveré a la facultad.

Te amo, Miguel querido. Dios me perdone.

JUAN

Dieciocho de diciembre de 1985.

15

Miguel dobló las cuartillas muy despacio, y se las guardó en el bolsillo del pantalón, tratando de que, al moverse a cámara lenta, la demoledora impresión recibida quedase disimulada. Se sentía mal, físicamente mal, pero no podía levantarse precisamente entonces de aquella mesa, y desaparecer sin más. Eso sí le traicionaría.

—¿Qué te cuenta el Alvar? —preguntó María, interrumpiendo la conversación general—. ¿Para qué escribe?

Miguel se encogió de hombros, consiguiendo una dolorosa sonrisa, y ofreció una incongruencia a modo de respuesta dogmática.

—Ya sabéis como es.

Y todo el grupo de estudiantes asintió con la misma sonrisa de iniciados, dispuestos a seguir con su conversación, sin más preguntas. Pero María, no. ¡Ah, no! Ella había conseguido tener su historia personal y quería sacarle partido. La joven María había sido la novia de Juan, ahora «estaba con» Miguel —en justicia, ni siquiera ella se hubiera atrevido a afirmar que fuese «la novia de» Miguel—, y eso había que airearlo, conferirle el suficiente grado de dramatismo como para darle a ella importancia.

—¿Cómo está? —preguntó de nuevo, esta vez con un tono entre preocupado y maternal.

Por unos segundos, Miguel acarició la sádica idea de dejarle leer la carta, pero desistió. No por María, sino por Juan.

—Está perfectamente —cortó, muy seco.

Y con el pretexto de pagar las consumiciones de todos —estaban en fiestas, ¿no?, ¿por qué no un detalle ?—, se puso en pie para ir en busca del camarero.

Después de pagar la cuenta, se refugió en el servicio, y vomitó como si lo vaciaran hasta los talones. Poco después, entró tras él un compañero de los de la mesa, y le atendió, mientras se reponía y se enjuagaba la boca.

—Eso es que te ha caído mal el cubata. En estos sitios, lo hacen con veneno.

Miguel asintió, aún sin poder hablar.

—¿Te pido una manzanilla? Es una mariconada, pero en estos casos va como Dios.

Miguel volvió a asentir, y le rogó a su amigo que le dejara solo un rato. Cuando el otro se fue, estuvo lavándose las manos, como esos locos que no las encuentran nunca limpias. Inesperadamente, mientras lo hacía, se echó a llorar. Hacía años que no lloraba. Años, desde que era un niño. Y ahora tenía ya diecinueve.

Menos mal que, para cuando volviera con el grupo, su compañero habría contado lo de la vomitona. Nadie se extrañaría de verle con los ojos enrojecidos, las facciones desencajadas...

Y tenía que volver, claro.

Pues cuanto antes, mejor.

Le confortaron, le revolvieron el azúcar de la manzanilla, le dieron consejos, entre medicinales y estúpidos, y dejaron que María le refrescara la frente con unas servilletas impregnadas de olor a manzana, que hubieran vuelto a levantarle el estómago a cualquiera que no estuviera ejerciendo una férrea voluntad de Esto No Tiene Importancia. Y se olvidaron del tema. Continuaron con su conversación sobre la situación internacional, y dieron por sentado que el indispuesto se sumaba a la misma. Mientras, el indispuesto levantaba su silla sobre las dos patas traseras para apoyar el respaldo en la pared, respiraba despacio, se bebía a pequeños sorbos la manzanilla, y los observaba.

En particular, a María. La observaba sin afecto y sin hostilidad. Con cierto estupor, tal vez. La miraba como si viera por primera vez un insecto raro. Una bonita universitaria envuelta en vestidos caros, amoldables al cuerpo, de fibras sintéticas, llenas de eles y de erres supersónicas. Fibras inflamables y brillantes. Una chica al día. Tan moderna y tan sana. Tan intelectual. Tan María. Estaba sentada junto a él, con un cigarrillo en la mano. Deslizaba un brazo sobre el respaldo de la silla de al lado, había cruzado las piernas. Hablaba y hablaba, campanuda, solemne, segura de sí misma y del peso de sus opiniones, animalito presuntuoso, que gesticulaba de una manera chocante, y se preocupaba de que el humo que expelía de vez en cuando por la nariz y la boca, fuera expelido con elegancia. Miguel experimentó una sensación de ridículo al verla encajada allí, entre aquellos utensilios que otros animalitos habían fabricado y vendido. Sus palabras le sonaban en los oídos como una broma monumental: durante millones de años, la vida se había ido transformando, nadie sabía muy bien cómo, y la única conclusión sería que se había podido sacar en todo aquel tiempo, era que había que seguir luchando, no se sabía muy bien por qué, ni para qué, a ciegas, tratando de no perder las fuerzas ni la confianza, pero la señorita vulgar y satisfecha que tenía enfrente, se consideraba el centro acabado del Universo, y, desde su perfección, enseñaba a intervalos regulares la dentadura, y se permitía el lujo de destilar máximas sobre la situación mundial. Situación. Mundial. Tócate las narices.

Miguel cerró los ojos. Era más llevadero oírlos así, como un run-run adormecedor.

... ¿Somos la generación final, o la primera del mundo nuevo... Un salto cuántico hacia delante, hacia delante, no os quepa duda... Mutantes. Mutantes en la onda. Hermosos mutantes del rollo... Conmoción social... ¿Con?... Moción. Conmoción... Los sistemas se resquebrajan, los valores mueren, las instituciones bailan minués... Obsoleta, obsoleta, cualquier política tradicional está completamente obsoleta... Statu quo... Subélites, claro, subélites... No, no, nada de sobreestimarse, las superélites son otras...

—¿No te parece, Miguel?

—¿Qué...? Ah, claro. Seguramente.

La sensación de mazazo que le había producido la carta de Juan se iba diluyendo poco a poco. Empezaba a vislumbrar que el elemento sorpresa era el que había influido en gran manera en su reacción. Y el elemento sorpresa era algo a lo que empezaba a estar acostumbrado.

Últimamente, le sucedía ver las cosas, y a las gentes de su entorno, bajo prismas sorprendentes. Le asaltaban curiosas impresiones, como la de sentir la tierra bajo sus pies, a través del asfalto, de los edificios, como el punto de referencia amigo que podía relacionarle con todo lo que le rodeaba y que le costaba tanto trabajo entender. Tenía la sensación de que los demás jugaban a un juego misterioso que él no había conseguido aprender. Claro que eso era un tópico, y él lo sabía: Juego Misterioso. Un tópico. Un topicazo. Un asco.

Eso era, exactamente, lo que le estaba pasando con sus compañeros, en aquel momento. Cualquier cosa que dijeran le sonaba a frase muerta, desaparecida en el tiempo, como si lo que tuviera enfrente, fueran muñecos con un magnetofón en la barriga.

Los sentimientos pesimistas parecían irle cercando, como pájaros negros, hasta que, de pronto, se dio cuenta de una manera particularmente consciente y precisa de que estaba desesperado. Pero, ¿por qué?, ¿por qué? Trató de analizarse a marchas forzadas, mientras tiritaba, encogido en su silla, de soledad y de miedo. Sobre todo de miedo.

... ¿De verdad no quería irse a casa? No, no quería irse a casa, ni quería otra manzanilla, no, no.

Si el Universo era algo armónico, cada infinitesimal soplo de vida tenía que tener un sentido, tenía que tenerlo necesariamente. La vida no podía ser inútil ni absurda... ¿La vida de Juan era inútil y absurda? ¿O todo aquel dolor del que hablaba tenía un fin, una explicación coherente? ¿Y su vida, su propia vida era absurda, puesto que los pedazos del puzzle no encajaban? E inevitablemente, el tópico, la eterna pregunta. ¿Para qué habían nacido, con qué objeto? Las palabras del catecismo aprendido de niño se le vinieron a la memoria de pronto: «Para servir a Dios en esta vida, y gozarle eternamente en la otra».

... *Pinto, pinto, gorgorito, saca la vaca de veinticinco...*

A lo mejor, aquello quería decir algo para alguien, para algún iniciado... Servir a Dios en esta vida... ¿Qué era Dios? ¿Qué era Dios para los que creían en Dios...? Era muy difícil que existiera Dios, fuera lo que fuera. Bien pensado, era muy difícil. Él estaba allí, solo. Solo entre aquellos otros animalitos solos. Aplastado por el peso de generaciones y generaciones muertas, confusas y asustadas como él, y no quería trampas que le engañaran. Ni siquiera trampas piadosas. Estaba solo, como Juan, como María, como cualquiera, solo en medio de la inmensidad pasmosa del Universo y no había nadie, absolutamente nadie, que le protegiese de su miedo.

¿Se sentía peor? ¿Quería otra manzanilla? ¿Quería irse a casa?

No. Quería seguir allí, refugiado contra la pared, y buscar angustiosamente algún sentimiento, alguna idea a la que aferrarse para no dejarse vencer por aquella opresión en la garganta, aquella congoja nerviosa, sorda, sin alivio. Porque, al fin y al cabo, ¿qué le había pasado exactamente? No era tan grave, ¿verdad? Un amigo..., bueno, no UN amigo, sino SU amigo, el mejor, el... Juan, Juan, ¿cómo era posible?, ¿cómo podía hacerle semejante cosa...? ¿Cómo podía hacerle semejante cosa a él? ¿A él, que le había reverenciado desde lejos desde que tenía diez años? ¿Cómo se permitía el hijo de puta...? Bueno, ¿y qué se permitía, en resumidas cuentas? ¿Confesarle que estaba enamorado de él? ¿Y qué? ¿Dónde estaban su amplitud de miras, su carencia de prejuicios, su tolerancia, su...? ¿Porque no le halagaba la noticia, simplemente? «Eres muy amable, me haces un gran honor, pero no puedo responder a tus requerimientos porque soy un individuo limitado, al que sólo atrae el sexo opuesto. Acepta mi agradecimiento y mis disculpas. Amén». Sencillo, ¿no? Entonces, ¿qué? Entonces, por alguna razón, se sentía tan espantosamente desgraciado, tan infeliz de sentirse asqueado, que le hubiera resultado preferible dejarse morir en un rincón como un perro... «Dejarse morir en un rincón como un perro» no quería decir nada, bien mirado. Para empezar, no todos los perros se iban dejando morir en los rincones y además, los seres humanos no eran perros... ¿Qué eran los seres humanos? ¿Qué eran, por Dios, qué eran? Tenía que averiguarlo en seguida para poder soportar toda la insensatez que significaba estar vivo en aquel momento. La Historia, las palabras, el dolor, el tiempo, todo eso..., ¿tenía sentido?

Dejó caer bruscamente las patas delanteras de la silla, al mismo tiempo que entreabría los labios, como si le faltara el aire.

—... ¿Tú qué crees, Miguel?

—... ¿Sobre qué?

—Sobre la Tercera Guerra Mundial.

—Nunca antes de cenar, gracias.

Desde sus magnetófonos internos surgió un coro de risas celebrando, como siempre, sus ocurrencias, fueran buenas o no.

—No, en serio. ¿Tú también crees que va a estallar en cualquier momento, como dice éste?

Miguel apartó la silla, dispuesto a irse de allí, aunque aún no supiese muy bien adonde.

—No, no va a estallar.

—¿Lo ves? ¿Lo ves, catastrofista, lo ves?

—... Hace mucho tiempo que la estamos viviendo.

Y se fue, dejándolos secos, pero por la brillantez de su mutis, no por el sentido de la frase en sí, en el que él, sin embargo, creía a pies juntillas.

María le alcanzó en la puerta.

—¿Voy contigo?

—No; ¿para qué? Me voy a casa.

—¿Estás bien?

—Claro.

—¿Seguro?

Él le sonrió con simpatía, por primera vez desde que se conocían: pobre, pobre ser humano, indefenso, vulnerable y solo.

—No. La verdad es que estoy hecho una mierda. Por eso me quiero ir a casa. Solo.

—Solo con el *Barbas* —objetó María, torciendo el gesto y echando una ojeada al amasijo de pelos que esperaba pacientemente junto al «Seiscientos» de Miguel.

—Claro. Y con mis padres, y con mis hermanas, y con la chacha, y con las fotos de cuando era pequeño... Solo, María, solo.

—Bueno, bueno, si yo no digo nada... ¿Me llamas?

—Yo te llamo, sí.

—¿Y por fin?

—¿Por fin, qué?

—Lo del viaje. ¿Cómo hemos quedado? Nos vamos el día 1, pero ¿cómo hemos quedado?

—Ah, pues... Yo creo que al final no vamos a ir a ningún sitio.

Expresión de inmenso desencanto.

—¿Por...?

—Porque Juan pasa del tema.

—Se habrá olvidado. Le podemos llamar y...

—No le podemos llamar; en la sierra no tiene teléfono. Y no se ha olvidado; simplemente, pasa.

María se iba impacientando por momentos.

—Pero, ¿qué te dice en la carta?

—Que Felices Pascuas.

—Ah, pues muy bien. Lo tenemos claro, ¿eh? Lo tenemos muy claro tú y yo. Cuando estás con el muermo puesto, te vas con el *Barbas*, y sin Juan, no hay viaje. ¡Pues sí que...!

Miguel abrió el «Seiscientos», metió dentro al *Barbas* de un empujón, cogió a María por la nuca, la besó en la boca para impedir que dijera una palabra más, y se deslizó en el asiento del conductor, harto, mientras ella reanudaba sus quejas.

Y ella siguió en la puerta de la cafetería, hasta que el coche giró, en la esquina, y cuando volvió a entrar, a reunirse con el resto de sus amigos, se sentó en un rincón a leer la carta que había robado.

Miguel, después de atravesar Madrid pisando el acelerador como si el «Seiscientos» fuera un «Ferrari», «*ten cuidao, tío, que están en Fiestas, van pedo la mitá*», aparcó en seco frente al portal de su casa, donde el *Barbas* ocupaba el cuarto de huéspedes hasta que pasara Reyes. Como seguía sin decir palabra, aferrado al volante igual que si aún estuviera conduciendo, el *Barbas* acabó por preguntar:

—¿Qué pasa, colega, no subimos?

No. No podía subir. No podía irse a casa, así. Adonde tenía que ir, sin esperar más, era a aquel maldito pueblo de la sierra, a ver a Juan, a hablar con Juan, a estrechar a Juan con toda su alma, y a decirle «lo siento, lo siento, lo siento...».

Y arrancó de nuevo el coche, y llegó hasta la carretera de La Coruña a la misma marcha de antes, y llegó al pueblo, y se bajó del coche buscando la finca de Alvar, pero antes de encontrarla, antes de encontrar a Juan, encontró a un grupo de matones que decidieron tomarla con la miseria del *Barbas*, con la ridícula, patética, provocona, miseria del *Barbas*. Decidieron hacer lo mismo que él, desde la otra cara del espejo.

16

—Él se llama Miguel Quirós.

Por fortuna, Laura tiene muy poco trabajado lo de ser expresiva y, después de aquel estúpido grito que soltó —tarada, más que tarada— cuando se encontró de golpe con aquellos ojos que, por supuesto, no había olvidado, está consiguiendo vivir la situación con elegancia y dignidad... Lo está consiguiendo, ¿no?

¿Que Cris se pone en plan frivolón a ofrecer la casa, y a preparar más chocolate? Pues se prepara el chocolate; ¿será por dinero? ¿Qué hay que seguirle el rollo...? No, el rollo, no: pulsera. Que hay que seguirle el... juego a Rafa, y hacer como que se recibe a aquél... ¿qué?, ¿vengador, justiciero, qué...? Bueno, lo que sea, ¿cómo si de veras fuese un invitado de última hora al que hay que atender con mucho miramiento? Pues se le atiende, ¿no te fastidia? Más miramiento que ella no va a poner nadie, ni más cara de póquer, ni más media sonrisa cansada, vivida, de vuelta de todo. ¿Quieres chocolate, forastero? Aquí no se impresiona ni Dios, forastero. Con los *shows*

que se gastan los fanfarrones, se hacen las de este pueblo tirabuzo-
nes... Sobre todo si, como parece, vienes solo. Porque vienes solo,
¿verdad? Fuera, más allá de la verja, no hay un coche desvencijado,
comprado de cuarta o quinta mano, o quién sabe si robado, lleno de
amigotes tuyos dispuestos a hacer un escarmiento, una..., ¿cómo es
eso que ha estado diciendo Rafa...?, vendetta. Bueno, ¿y por qué un
coche desvencijado, a fin de cuentas? Por las señas, lo mismo podía
haber traído a sus gorilas en un «BMW», último modelo. Motos, no,
porque las habrían oído... Y además, son ganas de buscarle tres pies
al gato; está claro que viene solo. En plan chulo, solo, y con el brazo
roto, tal como no creía Jose, aquella mañana, que pudiese venir. Y
desde luego no es un «quinqui», ni un maleante, ni un navajero, tiene
razón Rafa: «Aquí, un señorito...» ¿Cómo ha podido equivocarse de
aquel modo, ella, la única que le había visto...?

Pues porque le habían comido el coco con lo de... — ¡Ay, que
no! ¡Lo del coco, no! Pulsera—, la habían..., la habían... condicionado. Eso es, la habían condicionado para que viese a un navajero
con el brazo roto, y ella había visto unos vaqueros de navajero, y una
cazadora de navajero, y un jersey de navajero, y unos ojos —que para
sí los quisiera en un día de fiesta— de navajero, y un pelo revuelto
de navajero, y... ¡eso había sido lo principal, claro: un pendiente...! El
otro día, apoyado en la tapia cercana a la finca de Alvar, con aquel aire
de odiar a la humanidad, silenciosa y pasivamente, el desconocido,
el forastero, el que, por lo visto, no era un quinqui, ni un navajero,
ni un maleante, llevaba, en la oreja izquierda, un pendiente, un pendiente de oro, que a Laura le había hecho decidir, automáticamente
—porque le habían comi..., porque la habían condicionado—, que
era un pendiente de navajero. «Aquí, un señorito. Aquí, unas amistades». Del pendiente no queda más rastro que un lóbulo de oreja
arrancado, con un poco de sangre seca en la herida. ¡Si serán anima-

les...! Bueno, de qué se extraña, a estas alturas... Un brazo roto, una oreja herida, ¿qué era eso, al lado de lo del otro, que estaba muerto?

Y han sido unos cuantos de ellos, de su grupo, de su gente, de sus amigos, ya no le cabe la menor duda. ¿Pero, cuáles? Rafa, no, desde luego. Rafa imposible... Los Ferrán, sí, como si lo viera. Y Jose. ¿No acaba de decir la propia víctima: «Tenía interés en felicitarte precisamente a ti»? Jose, claro, ¿cómo no? El otro, quien fuera, había terminado por morirse, de resultas de los golpes, y a éste...

Por alguna razón, lo del pendiente arrancado le parece a Laura más salvajada que ninguna otra, mira tú lo que son las cosas. ¡Si serán animales...!

Pero, ahora que cae, lo del pendiente arrancado no se lo pueden apuntar sus amigos. El otro día, cuando ella le vio por primera vez, él llevaba el pendiente. Y la pelea en que le habían partido el brazo y habían puesto al otro en trance de muerte, había sido ANTES... ¿Entonces?

—Él se llama Miguel Quirós.

Mira tú por donde, resulta que el Alvar está en el ajo desde el principio. Tanto preocuparse ella, aquella mañana; de que no se le dieran pistas, de que no fuera Juan a poner en aviso a las familias, y Juan estaba al tanto de todo. Hasta había averiguado cómo se llamaba el... —que no, que quinqui, no—, el otro, el que quedaba, éste que, una vez conseguida la aparición triunfal, no sabe ya muy bien cómo estar, cómo irse... Seguro que ha venido en plan *kamikaze*, a que le partan la cara. A que se la partan más. Y como no le parten la cara, sino que le invitan a chocolate, no sabe cómo seguir el *show*.

Si el Alvar sabía como se llamaba éste, es porque se sabe, en general. O sea, la Guardia Civil, los padres..., la sociedad, vaya.

La sociedad no estaba tan *in albis* como algunos habían creído, en su ingenuidad. Igual es que van a detener a todos. Bueno, no a todos, sino a los que hayan sido... Y éste ha venido al pueblo a declarar, o a identificar a los culpables, o a..., pero ¿de madrugada? A una cosa oficial no se viene de madrugada... No, no. Es lo que ella ha pensado en un principio: viene solo. Solo, y en plan chulo, encima. Y Rafa le esperaba. Porque ha dicho «mi invitado». ¿Su invitado, por qué? Quizá porque lo mismo que Juan ha averiguado su nombre, Rafa puede haber... Y el caso es que por la radio no lo han dicho. Por la radio, han dado el nombre del otro, del muerto, su filiación completa, pero de éste sólo han dicho: «Se rumorea que iba acompañado de otro individuo, que desapareció del lugar de los hechos sin dejar rastro...». Nada, ni nombre, ni nada. Y además, según la radio, los «hechos» eran que habían encontrado al otro «individuo» muy mal herido, y con una conmoción cerebral, pero tampoco había rastro de sus atacantes, suponiendo que se tratara de una agresión, y no del atropello de un automóvil, por ejemplo, que se hubiese dado a la fuga... Entonces, ¿por qué su «invitado»? ¿Y por qué sabe Juan Gabriel Alvar...?

—¿Le conoces? —se extraña Rafa, cristalizando sus dudas, y seguramente las de todos los demás.

El desconocido, que ya no lo es puesto que tiene nombre, se digna moverse por fin. Se digna despegarse del marco de la puerta y, parsimoniosamente, no se sabe si por conservar la solemnidad, o porque le molesta la escayola de su brazo roto, se sienta, desplazando los pliegues de su poncho, sobre el borde de uno de los barriles.

—La noche de autos... —va informando mientras—. Se dice así, ¿no? La noche de autos...

Ni Rafa le gana a éste, a tono filoso, a mala leche almibarada... Pulsera, pulsera.

—... bueno, pues la noche de autos, yo venía a este hospitalario pueblo a visitar a Juan. Él no me esperaba. Como tampoco me esperaba esta noche. Apuesto a que es la primera noticia que tiene de mi relación con el asunto..., el asunto de autos. En cualquier caso, no formaba parte del comité de recepción del otro día.

Juan niega varias veces, con los ojos cerrados, antes de decidirse a hablar, o de poder hacerlo, simplemente.

—... No sabía.

—¿Tú, en cambio, sí sabías que ibas a encontrarle a él aquí? —pregunta Rafa, sin poder ocultar su decepción.

—... Sí.

Ahora habla para Juan, sólo para él, mirándolo a él, que sigue en su pila de ruedas de automóvil, con la frente apoyada en una mano, y los ojos cerrados.

¿Qué extraña virtud tiene el Juan Gabriel Alvar de las narices para estar hecho un nudo y resultar estético? ¿De ponerse cabeza abajo y resultar estético? Si no es más que un saco de huesos y unas gafas,... Y sin embargo, ni su hermano Rafa, que parece un príncipe, ni Jose, que a su manera es un rato atractivo, ni su Chus, que es bien majo, ni aquella bestia, sombría y magnífica, que les está hablando y que, hay que reconocerlo, es guapo de morir, le llegan a la suela de los zapatos. ¡Tiene un tirón el Juan Gabriel de las narices, un tirón...! Va a tener razón Cris, que dice que tiene magia.

—... Sabía que estaba en este pueblo, que tenía casa aquí, y un hermano pequeño. Un adorable hermano pequeño. Esta mañana, cuando me invitaste a venir a tu fiesta, ya sabía que íbamos a estar en familia, ¿qué cosas, no? ¡Cómo es la vida!

¿No querías caldo? Pues dos tazas. A ver quién le echa aquí más frase cortante, y más cinismo al tema. Laura empieza a pasarlo bien.

—¿Cuándo tú hiciste qué? —salta Juan, clavando en su hermano unos ojos indignados.

Pero a Rafa no hay quien lo baje de un burro al que a él le haya gustado subirse.

—Invitarle, ¿no os lo acabo de decir?

—¿Sabías quién era? —sigue interrogando Juan, indignándose más, por momentos.

—No, por Dios. Simplemente, esta mañana le vi, desde la ventana de mi cuarto. Le vi merodeando por la misma carretera en que... En fin, por la carretera. Y decidí bajar a invitarle. Supe que era un señorito, un señorito fino, ¿entendéis?, un auténtico señorito de buena familia, en cuanto le pude contemplar a la luz, de cerca... La otra noche, perdóname —añade dirigiéndose al intruso, en tono confidencial—, a oscuras, y con todo aquel barullo, te confundí con un *perjudicao*. Pero no te preocupes que, al verte de día y, sobre todo, al saber que tenías un coche... Porque es a eso a lo que has venido esta mañana, ¿verdad? A recuperar tu coche...

—¿Y la otra tarde? —se le escapa a Laura, sin poderlo evitar.

—Seguro que vino a lo mismo; pero por alguna razón, no pudo llevárselo —se adelanta Rafa—. Por el brazo no fue, porque igual de roto lo tenías hoy, y te lo has llevado...

Miguel... Se llama Miguel, Miguel Quirós; Miguel escucha a Rafa con mucha atención, como sin podérselo creer. Y sin embargo, lo está pasando como un enano, está más claro que el agua. Lo está pasando igual de bien que Rafa, diga él lo que quiera. Y no dice nada, por cierto.

—... Permíteme que te diga, ya que estamos, que ha sido una temeridad. Dejar varios días un «Seiscientos» pintado de rojo, aparcado en la plaza de un pueblo pequeño, y venir luego a buscarlo con un brazo escayolado, es como para levantar sospechas en la autoridad más miope... Ha habido comentarios, ¿sabes? ¿No te han pedido la documentación, no te han preguntado nada?

Miguel le sonríe, siempre sin contestar, con una sonrisa como para helarle los huesos a cualquier brillante orador de película inglesa.

—¿Por qué no me avisaste? —le pregunta entonces Juan, con voz opaca, con una mirada humilde de perro avergonzado—. ¿Por qué no intentaste buscarme a mí como..., como por lo visto querías hacer el primer día?

El recién llegado, Miguel, Miguel Quirós, no se digna aclararle la duda. Le sostiene la mirada un momento, para que no parezca que no se ha enterado de la pregunta, y luego, sin más, informa a la comunidad, en el mismo tono intrascendente que por lo visto Rafa, Cris, y él mismo, quieren que prive:

—¿Se ha tomado alguien la molestia de deciros que el *Barbas* ha muerto?

—¿Quién? —finge extrañarse Rafa—. ¿Algún amigo?

En los ojos de Juan no cabe ya más estupor.

—¿Era el *Barbas*? —pregunta estúpidamente, con un hilo de voz.

Miguel vuelve a mirarle, sin palabras, como si todo fuera tan evidente que resultara imbécil colocar las contestaciones en su sitio.

—Lo oí esta mañana por la radio. Pero daban su nombre. Su nombre de verdad, y yo..., yo nunca supe su nombre —confiesa por fin Juan, volviendo a dejarse caer sobre su refugio de ruedas de automóvil—. Miguel, estoy seguro de que fue un accidente. Nadie quería matar a nadie.

Igual de tranquilo, o de aparentemente tranquilo al menos, Miguel gira sobre su improvisado asiento para preguntarle a Jose, en un tono muy, muy educado:

—¿No querías matarle?

Jose también le aguanta la mirada, pero no contesta. Desde el principio, está tenso y en guardia, pero tan confuso, que igual podría salir corriendo, o echarse a llorar.

—No, no puede decirse que el *Barbas* fuera un amigo —explica Miguel, dirigiéndose ahora a Rafa—. ¿Verdad que no, Juan? Un amigo es otra cosa. Un amigo es alguien a quien se respeta, en quien se confía..., sin condiciones. El *Barbas* no era un amigo, era... Bueno, la historia de siempre: como uno de esos perros enfermos, raquíticos, que te encuentras por la calle, y que se empeñan en seguirte, aunque les tires piedras. De esos que te acaban creando mala conciencia, y que quieres dejar de ver, para no acordarte de que existen cosas así..., hasta que un día caes en la tentación de llevártelos a casa, para darles un poco de comer y...

Se interrumpe, para mirar de nuevo a Jose, y preguntarle, fingiendo curiosidad:

—Si no le querías matar..., ¿qué querías?

—¿Por qué le hablas sólo a él? —le interrumpe Rafa—. Yo también estaba.

—Sí. Y otros cinco. Que, por cierto, no veo por aquí.

—¡Es que has venido muy tarde! —se lamenta el príncipe—. Pero estaban. Bueno, han venido cuatro. Hay uno que está malo.

—¿Remordimientos ?

—Gripe.

La pelirroja, que ha estado callada durante el prólogo, decide que ella también tiene papel y que quiere representarlo... Además, es que es buena, eso hay que reconocerlo, es buena, y está claro que aquello que ha pasado le subleva. Le subleva que haya un muchacho muerto a golpes en el depósito de un gran hospital, le sublevan aquel brazo roto, y aquella señal en la mejilla del intruso, que es, clarísimamente, el recuerdo de un anillo, le subleva que todo eso haya sucedido por la intolerancia, indocumentada y estúpida para más inri, de un grupo de niñatos con el que se codea todos los días, con el que baila, con el que ríe... Un grupo de niñatos que hervía de indignación cuando la violaron a ella, ¡como si esto del otro día no fuera igualmente una violación! Así, así, con esas mismas palabras, se lo había estado diciendo a Laura aquella mañana mientras se marchaban juntas de la finca de Alvar.

—... No le dan importancia. Estos memos se lo toman a título de inventario. Al cafre de mi primo le parece hasta bien. Que hay que limpiar el panorama, dice, ¡no te...!, ¡no te fastidia! Hasta tienen envidia, te apuesto lo que quieras. Hasta querrían haber sido ellos.

—Rafa no —puntualizó Laura.

—No; Rafa, no, claro.

Y resulta que Rafa estaba allí, como el primero.

—¡Me dijiste que no tenías nada que ver! —reprocha Cris, con una mirada dolida, decepcionada, fija en su primo Jose, que desvía la suya— ¿Y tú...? —añade volviéndose hacia Rafa, y moviendo la cabeza como si no se lo acabara de creer.

Pero Rafa no desvía la mirada, sino que le sonríe, como aceptándola, con un pequeño guiño de complicidad, en un club privado y picante. Querida Cris, querida...

—Miguel... —vuelve a insistir Juan, siempre como si hablara para sus zapatos—, te repito que nadie quería matar al..., a... Fue un accidente, estoy seguro.

—Claro. Yo también estoy seguro. Las consecuencias de matar a alguien, aunque sea un drogadicto de mierda como el *Barbas*, pueden ser incómodas, ¿verdad?

Y por fin, Jose Manuel Martín Velasco ve la luz.

—¡Ah! —exclama como despertándose— ¡A eso ha venido! ¡Ya empezamos con las amenazas! —anuncia volviéndose hacia los otros—. Te apetecía jugar un ratito, ¿no? Tenernos aquí muertos de miedo y suplicándote. Pues vas listo. ¡Lo que es yo...! Se te acabó el tiempo, concursante. Me gustaría saber cómo vas a probar ahora...

El otro le observa, le mira pronunciar palabras, con un ostensible interés de científico, que acaba de dejar a Jose sin habla.

—He venido porque no podía dormir —le aclara por fin, muy despacito, como si Jose fuera imbécil—. Y no tengo nada que probar, puesto que no he denunciado nada.

—¿Que no has denunciado nada? —se indigna Chus, que interviene por primera vez después del pasmo.

Laura se da cuenta sólo entonces de que, ni por un momento, ni antes ni ahora, se ha preguntado si Chus estaría envuelto en aquella sucia historia. Y no es porque Chus le haya parecido fuera de toda sospecha, dada su alta calidad humana, como hubiera debido ser, sino porque todavía, incluso después de haberle dado la palabra, como diría su madre... —mira tú que la tontería: la palabra—, no le considera del rollo... Que no, que el rollo, no: pulsera..., no le considera uno más, uno de la pandilla, sino el-chico-de-la-tienda-que-ahora-sale-con-nosotros, y que a ella le gusta, sí, y que, de momento val..., de momento de acuerdo, y a ver qué pasa, y si congenian, tal día hizo un año, y si no, puerta, que ancha es Castilla. Y esto porque Rafa nunca le ha hecho ni puñetero caso..., pulsera, pulsera..., ni caso, y eso que ella, por Rafa, hubiera dado la vida, lo que se dice la vida, pero, claro, él, que anda cada quince días con una tía distinta..., pulsera..., con una chica distinta, a ella, ni flores. Es que nunca en la vida, vamos, mira que es cruz... Y es que en eso de la vida hay una organización fatal. ¿Por qué no estará uno por el que está por uno, y no este padecimiento gil..., este padecimiento idiota, que si te quiero, que si no te quiero, que si voy contigo, que si voy con el otro, con la de cosas en las que hay que pensar, como por ejemplo aquello de darse de hos..., de atacar al primero que no piensa como uno, suponiendo que uno piense, que es mucho decir. O sea, atacar al primero que parezca..., no, tampoco es eso..., al primero que vaya por la vida de otra manera que uno..., lo cual, en resumidas cuentas, no es más que puto mie..., pulsera..., miedo cochino, ¿no?, porque si uno está muy seguro, muy seguro de cómo va por la vida, ¿qué co..., qué demonios le importa cómo vaya el de al lado...? Eso.

—Pero, entonces, ¿qué has dicho? —quiere saber Juan—. En tu casa, por ejemplo. Cuando apareciste con el brazo roto...

Miguel se encoge de hombros, como si tuviera que recordar una historia muy antigua.

—La versión oficial es que fue un coche.

De nuevo, vuelve a mirar a Rafa.

—... Esta mañana no tuvieron que pedirme ninguna documentación, porque fui directamente a la Guardia Civil, antes de recoger mi «Seiscientos». Les dije que el otro día me asusté mucho, y que por eso me escapé sin presentar ninguna denuncia... Lo cual, en parte, es verdad.

—¡Ah! —vuelve a retomar Jose—. ¡Luego sí has presentado una denuncia!

—Contra un coche. ¿No lo estoy diciendo? Un coche del que no pude ver la matrícula.

—Pero... —sigue sin entender Juan.

—Un coche —le interrumpe Miguel, como si quisiera impedir que nadie levantase una manta debajo de la cual hubiera un cadáver espantoso— se llevó al Barbas por delante cuando cruzábamos la carretera. Paramos en este pueblo por casualidad, a tomar algo, dimos una vuelta, y cuando volvíamos... Un coche se lo llevó por delante, y no quiso parar. Ya sabéis cómo es la gente. Ya sabéis cómo es la gente de criminal, de bestia, de asesina, de hija de puta...

—¡Oye...!

—... El coche levantó al *Barbas* por el aire, y él cayó con tan mala suerte que se abrió la cabeza. A mí, en cambio, sólo me dio de refilón. Por eso...

Sin terminar la frase, levanta ligeramente su brazo escayolado.

—No debiste mentir —protesta Chus, enérgico, avanzando hacia Miguel, como formando a su lado—. Debiste denunciar.

Laura empieza a sentir un gran respeto por su caballero. Su caballero vende garbanzos, y latas de atún, y el detergente que lava más blanco, más blanco, más blanco, pero no se vende a sí mismo para que le dejen jugar en el corro. Bien, Chus. Bien-bien-bien-bien-bieeeen...

Juan recorre a Miguel con la mirada, y le sonríe por primera vez.

—No habrás convencido a nadie —objeta, como pidiendo perdón, como temiendo lastimarle—. Ese brazo pudo habértelo roto un coche, pero esto, y esto... —añade señalando su propio lóbulo, su propia mejilla.

—Es que eso no fue cosa de tus amigos —aclara Miguel.

—¿Cómo?

—Estoy teniendo unas fiestas muy movidas.

—¡Pidiendo guerra! —interviene Jose, a tumba abierta, y dirigiéndose a Cris—. ¿No te lo decía yo esta mañana? Van por ahí pidiendo guerra.

—Hace días, recibí una carta —sigue dando el parte el otro, como si no le oyera—, una carta que no le gustó nada a una chica muy maja con la que yo andaba. Me la robó para leerla, y no le gustó nada. Le gustó tan poco, que pensó que lo mejor que podía hacer con ella, era dejársela leer a mi padre... Y a mi padre tampoco le gustó, ya ves.

Los ojos de Juan se abren con verdadero espanto.

—¿Que tu padre...?

—Es un progre muy raro —ironiza el otro—. Mucha teoría, y cero en trabajos prácticos. Pero esa es otra historia. —Aparta el tema de un ademán y vuelve a lo que le interesa—. Aquí, de lo que se trata, es de comunicaros que durmáis tranquilos... Si podéis, claro. De fuera no os van a venir complicaciones, y las que tengáis por dentro, si las tenéis, que lo dudo, allá cada uno.

—Pero, ¿tú no le explicaste...? —se asombra Juan, hablando, por supuesto, de la carta misteriosa, y no del asunto del quin..., del delin..., del *Barbas*—. ¿No le dijiste que el hecho de que yo te escribiera no...?

—A mí no me da la gana dar según qué explicaciones —zanja Miguel sin dejarle terminar—, y menos cuando me las piden así... De todas formas, tranquilo, que no llegó la sangre al río. Ni ellos me han echado de casa, ni yo me he ido. Todos hemos llegado a la conclusión de que el ser humano es débil, y hay que comprender... En el caso vuestro, cuesta mucho trabajo, pero...

En los labios de Jose empieza a formarse una sonrisilla rara, una sonrisilla mala.

—¿Así que os escribís cartitas, vosotros dos? —pregunta en tono inocente.

Cris se pone blanca como la pared. El recién llegado sigue sin hacerle el menor caso a Jose, pero Juan salta, como un muelle, y sabe Dios lo que habría pasado si Rafa no se mete por medio y para a su hermano, y le calma, hablándole en un tono neutro, entre nodriza y psiquiatra.

—Tranquilo, Juan, tranquilo. Está con la copa... Ni caso... ¿Te vas a tomar a éste en serio, a estas alturas...? Tranquilo...

Pero Jose ha cogido un filón y no está dispuesto a desaprovecharlo.

—El señorito es muy generoso —comenta, ensanchando la sonrisa—. El señorito no presenta denuncias, y viene aquí a marcarse el folio...

... Pulsera, pulsera...

—... y en realidad, lo que le preocupa es que no salgan a relucir sus trapos sucios. Resulta que el otro era un drogadicto, él mismo lo ha dicho, hace un momento. El otro era un drogadicto, y éste es un...

Pero se queda sin decirlo porque Rafa se vuelve hacia él, y le cruza la cara con una bofetada de tal calibre, que le hace tambalearse.

—A partir de ahora, te vas a callar —le dice, completamente en serio—. Te vas a callar hasta que te mueras.

Y Jose se calla, porque, aunque podría partir a Rafa en dos de un soplido, Rafa... Bueno, Rafa es Rafa, y el principio de autoridad es el principio de autoridad.

—¿Os pasa algo? —pregunta deferentemente el intruso, con ese tono de jugarse la vida que emplea desde que ha llegado.

Nadie le contesta, por supuesto.

Cris, demudada, corre a echarse en brazos de Juan, pidiendo protección, ni sabe de qué, ni contra qué, pero Juan la acoge como con miedo, como con asco, como sin atreverse a tocarla delante de los demás. Después de lo del balancín, mira tú que los escrúpulos ahora...

—¡Tenías que haberles denunciado! —vuelve a predicar Chus—. Y aún estás a tiempo. Aquí, desde el otro día, la gente está revuelta, hay comentarios...

Miguel niega, cansadamente, mientras le escucha.

—Él no habría querido.

—¿Él..., quién?

—El *Barbas*. No habría consentido que se denunciase a nadie por su causa.

—¿Cómo lo sabes? El matrimonio que lo recogió...

—El coche que sí paró —puntualiza Cris, separándose de Juan, despacio, disimulando, como si se hubiera confundido y hubiera abrazado a una columna.

—... Esa pareja dijo que el chico estaba inconsciente, que ingresó en coma, ¿cómo sabes tú que él no hubiera querido...?

—Conocí al *Barbas* una noche en que también él vino a ofrecerme chocolate —lo interrumpe Miguel—. Sólo que el suyo era de otra clase... Muy malo, por cierto.

Bueno, y ahora va de batalla, ahora va de «Érase una vez...», jorobando la intervención de Chus, que estaba, el hombre, muy bien, poniendo las cosas en su punto.

—...Por alguna razón, decidió ser amigo mío —sigue Miguel, sin mirar a nadie, como recordando—, y no había manera de quitármelo de encima. A mí me daba vergüenza ir con él. Era impresentable. Hasta en Malasaña se volvían a mirarle, pobre mierda de tío... Pero también resultaba cómodo: le mandaba por tabaco, le tenía de recadero con las chicas, le tenía de lo que fuera y él, feliz... Bueno, «feliz» es una palabra que yo creo que ni conocía. Era una de esas gentes que uno no entiende para qué han nacido: feo, con mala salud, sin familia, y sin la menor probabilidad de hacerse un sitio en esta sociedad..., suponiendo que esta sociedad todavía exista, claro. Hacía mucho tiempo que le pegaba a todo: alcohol, *chocolate, caballo*..., lo que fuera. Y de la clase que fuera... Y para conseguirlo, también lo que fuera. En la calle Almirante, por nada, por quinientas pesetas, se le podía alquilar sin condiciones. Lo que fuera..., menos la violencia. En eso, encerraba él toda su capacidad ética: «Yo soy incapaz de matar una mosca, tío. Yo no le hago daño a nadie, por nada. Eso sí que no». Se imaginaba que con eso quedaba limpio delante de..., yo que sé..., de Dios sería. Pues ojalá, ojalá tuviera razón. En cualquier caso, yo...

Jose le interrumpe al fin, indignado de ver cómo todos sus amigos escuchan al advenedizo aquel, con la baba caída.

—¡Un momento...! ¿Qué estamos haciendo? ¿Escuchar, llenos de admiración, el panegírico de un delincuente? ¿Los vamos a santificar ahora...?

—No sería un panegírico —corrige suavemente Miguel—; en cualquier caso, un responso. Y lo único que pretendo con él, es aclararos por qué le debéis al *Barbas*, y no a mí, el no estar ahora mismo en un calabozo.

—Pobre tío... —murmura Chus, compasivo, olvidándose de las multas y de todo.

—¿Pobre tío? —se le encara Jose, furioso—. ¡La mayoría de esos «pobres tíos» roban y matan para conseguir la droga...!

Miguel le interrumpe, con la misma suavidad:

—La mayoría, sí; pero éste, no. Fuiste a dar en hueso. Cuando se va por ahí, salvando el alma del prójimo a guantazos, hay que hilar muy fino.

Jose mira en torno, desesperándose de ver cómo va perdiendo votos por segundos.

—¡Y cuando se va por ahí de Hans Solo, no se tiene a un pobre *desgraciao* de alcahuete ni de bufón...! ¿No era de eso de lo que le tenías? ¿O sólo de *camello*?

Miguel pestañea, simplemente pestañea, pero está claro que Jose se acaba de quedar con él con esa única frase, que le acaba de dar de lleno en..., en donde duele...

—¿Por qué estaba contigo el día ese, eh? —se va creciendo Jose—. ¿Para qué le traías? ¿Para que te encendiera los cigarrillos? ¿Para que te limpiara el parabrisas? ¿Para qué?

Pero Miguel es muy orgulloso para admitirlo, y, aunque desvía la mirada por primera vez, se limita a echar balones fuera:

—Las fiestas —dice, en plan oráculo—. Estaba pasando las fiestas en mi casa. Le daba vergüenza no tener adonde ir: «Todo el mundo se junta, tío. Aunque no se quieran, hacen como que sí, y se juntan. Y el que no tiene a nadie, va por ahí, montándoselo de que no le importa, pero jodido, muy jodido. Son unos días horrorosos, los deberían prohibir...».

—¿En tu casa? —se extraña Juan—. ¿Con tu familia?

—Claro —asiente Miguel—, y en la mesa con todos, no vayas a creer. ¿No me has oído que tengo una familia muy progre? Sólo nos faltó regalarle un collar con su placa.

Laura sonríe para sí, mientras sigue con lo del chocolate que le han mandado hacer, al comprobar cuan hábilmente, cuan sutilmente, el nuevo le ha dado la vuelta al ataque de Jose, y lo ha capitalizado en su favor.

—Aunque las comparaciones son odiosas —le dice a Rafa—, lo que hacían era algo así como lo que tú creías estar haciendo esta mañana, al invitarme: «Siente a un pobre a su mesa.» O «Siente al enemigo a su mesa». ¿No? ¿No era eso?

—No —contesta tranquilamente Rafa.

—Pero, ¿es que es verdad eso de la invitación? —quiere saber Cris—. No me lo puedo creer.

—¡Claro que es verdad! —se queja Rafa—. ¿Por qué no me creéis cuando hablo?

—Porque hablas mucho —le explica Laura, preparando los cazos.

—Bajé a decirle quiénes éramos, dónde íbamos a estar esta noche, y que... Bueno, que toda partida debe tener su revancha... Lo que no me podía imaginar, es que se iba a presentar solo.

—¡Anda, que tienes un cuajo! —se asombra Laura, haciéndose portavoz de la cara de asombro de todos los demás. —Y él, mucho valor —comenta una voz, al fondo. Se vuelven a mirar a Mari Ángeles, que es la primera vez que abre la boca, o se mueve, desde que ha entrado Miguel. Al principio, se encogió sobre sí misma, junto al tocadiscos, y allí se quedó, allí se ha quedado desde entonces, lejos, como aparte.

—¿Valor? —ríe Jose—. Éste lo que está es ¡*colocao* perdido!

—Si lo estuviera, no tendrías nada que envidiarle —apostrofa Chus, muy seco—, tú estás borracho.

—Y el otro día también lo estabas —añade Miguel, siempre muy tranquilo—. Cuando golpeabas la cabeza del *Barbas* contra aquella piedra, también lo estabas... ¿O no?

—Ahora toca hablar de los estragos del alcohol —se defiende Jose, queriendo mantener la fachada de reírse del mundo y de perdonar vidas—, y de la maravilla de la droga, ¡lo veo venir!

—A ti, sólo te parece malo lo que está prohibido —insiste Chus, definitivamente lanzado por el camino de la denuncia social—, pero, en realidad...

—No son más que muletas —vuelve a intervenir Mari Ángeles desde su retiro—, el que las necesita es que...

—¡Tú te callas, enana! —la interrumpe Jose, no dispuesto a tolerar que hasta la pequeña se le vuelva en contra—. ¡Nadie te está pidiendo tu opinión!

—¿No? —Aprovecha Miguel, que no deja pasar una—. Pues a mí me interesa.

—¿Ah, sí?

—Sí.

Y Laura se acuerda entonces de un día... ¿Fue aquel mismo verano, o el anterior...? No, fue aquél, fue aquél... Le parece recordar que fue poco después de lo de Cris, porque ya andaba Chus por allí, con todos. Y la enana, y... Sí, sí, fue aquel verano, un día de esos, horribles, en que nadie sabía qué hacer, en que el aburrimiento era pegajoso y plomo, y hacía calor, y hacía dolor de cabeza, un desastre, y todo el mundo decía, ¿qué hacemos? ¿Pues qué hacemos? Pues di tú; no, di tú, y nadie decía nada porque todo el mundo estaba de un borde que tiraba de espaldas, y se iba pasando la tarde sin sacar nada en limpio, todos descuajaringándose por las hamacas, con cara de asco. —Podríamos merendar algo —sugirió en algún momento Cris que, en las situaciones límite, siempre pensaba en comer—. Merendar algo exótico... ¿A ti qué te apetecería, Rafa?

Y fue cuando Rafa tuvo una de aquellas salidas suyas de pata de banco:

—¿A mí? Un torneo.

—Anda, éste...

—¿Un torneo de qué? —se interesó alguien de la panda, absolutamente empapado de siglo XX.

—¿Cómo un torneo de qué, imbécil? —protestó airadamente Rafa—. ¡Un torneo de nada! ¡Un torneo! De los de armaduras y gualdrapas y lanzas y caballeros majestuosos... Un torneo, joder.

Porque, por aquel entonces, Rafa no había aún estatuido las multas ni la recuperación del lenguaje olvidado.

—¡Bueno, tú...! Que nos estamos consumiendo... Se trata de pensar en algo en serio.

Pero Rafa lo estaba pensando completamente en serio, y Laura lo entendió así muy bien. A él, en aquel momento, lo que le apetecía era un torneo, y la contingencia absurda de que fuera imposible de llevar a cabo, le parecía completamente deleznable. ¿Qué culpa tenía él de que aquello fuera..., bueno, imposible no. Rafa no admitía que hubiera nada imposible, pero sí difícil, francamente difícil de conseguir?

Ése era el único mundo en que Laura y Rafa se encontraban. Los demás estaban enfermos de racionalismo, por lo menos de un racionalismo exterior, y ellos, no. Ellos habían admitido, ya sin reservas, que la realidad aparente era una pura filfa, y que... Sí, eso: que «hay otros mundos, pero están en éste». Ellos creían en la magia. Laura directamente, a pies juntillas, y Rafa como sublimación extrema del pensamiento humano. Laura, a nivel telúrico, instintivo, atávico, mezclando todas las supersticiones que le caían en las manos, con algunas de invención personal. Y Rafa, a modo de especulación máxima, en el sentido de que la energía..., ¿del espíritu, del pensamiento, de la mente...?, tenía, convenientemente conocida y empleada, el poder de influir sobre cualquier cosa, así fuera el curso de los acontecimientos, o el sentir de los demás. Y es que Laura era bruja, y Rafa, optimista.

Por eso, él no tenía ninguna barrera para desear sin ambages, en un momento dado, un torneo, ni ella para aceptarlo perfectamente, lamentando que se viera privado de ese capricho, pero sin decir estúpidamente «¡Bueno, tú...!», con cara de madurez ultrajada.

Y, mira tú por donde, Rafa, que se había quedado en aquellos días con la pepla del torneo insatisfecho, lo que había hecho ahora era organizarse uno, simplemente. Con de todo: con caballero blanco y caballero negro, con desafío, con apuestas, y con estandarte, ensangrentado de antemano por aquel pobre..., por aquel chico..., por aquél..., por el *Barbas*.

Por un momento, tiene ganas de acercarse a él, colgarse de su brazo y decírselo al oído:

—Macho, qué pasón, un torneo pa ti solo, titi. Demasiao...

Pero comprende que va a salir a multa por palabra, y busca otra fórmula. Mientras, para poner su granito de arena en aquella celebración, para que no se la joroben, precipitándola, lo que hace es interrumpir justo a tiempo, justo a tiempo de que el caballero negro y el caballero blanco la emprendan a hos... Arremetan uno contra otro en feroz y singular combate.

—¿No? Pues a mí me interesa.

—¿Ah, sí?

—¡Sí.

—¡Ya está el chocolate! —grita Laura, un poco desentonada, un poco más alto de la cuenta...

... y consigue que se detenga el tiempo. Luego ya, con su voz grave, modulada, perfecta para el pequeño toque de humor que piensa permitirse, añade:

—... El que se bebe.

... comprobando, satisfecha, que ha conseguido alguna sonrisa.

Durante unos minutos, un poco tensos, claro, ¿cómo no? ella y Cris van sirviendo chocolate en los cazos, que suenan muchísimo en el silencio.

Y mientras tanto, Juan se acerca a Miguel y examina, con el mismo temor, con el mismo infinito cuidado de un coleccionista de mariposas, con su lupa y sus pinzas, la herida de la oreja, la señal de la mejilla, hasta que termina por mover la cabeza, suspirando, asumiendo con paciencia toda la incomprensión humana. Curiosamente, Miguel, que se deja observar igual que una estatua, manifiesta que ha comprendido el significado de aquel suspiro, con un rápido apretón de su mano sana sobre el brazo del amigo. Curiosamente, porque es el mismo gesto, o casi el mismo, que Rafa tiene con Jose, al pasar, como distraído, como el que dice: «Buen perrito. A veces ladra cuando no debe, pero el amo ya no se acuerda, hala, hala...». Curiosamente, porque es curioso, ¿no?, que el mismo gesto pueda significar cosas tan distintas.

—¿Cómo lo prefieres? —le pregunta Cris a Miguel, de nuevo muy desenfadada, para romper el silencio—. ¿A la española, o a la francesa?

Él la mira, un poco sorprendido.

—¿Por qué no te relajas, y dejas de decir chorradas? —inquiere, con un punto de reproche.

Cris, sin una protesta, baja los ojos, y le sirve un chocolate como le da a ella la gana. Cuando se acerca a ofrecérselo, él, que la sigue mirando, lo rechaza, negando lentamente.

Y entonces, cuando nadie podía esperarse una cosa así, Jose, dejándose caer sobre el asiento más cercano, desplomándose, esconde la frente entre las manos y se disculpa, sin venir a cuento, y con una voz que no parece la suya:

—Fue un accidente.

El caballero blanco —o el caballero negro, sabe Dios cuál es cuál, ni si cada uno no tendrá un poco de las dos cosas— se impresiona lo mínimo.

—¿Es una letanía? —le pregunta—. Porque me parece que ya lo he oído varias veces.

—¡El me provocó! —afirma Jose, alzando los ojos hasta él... ¿O no es verdad?

Miguel esboza una sonrisa y mueve la cabeza con incredulidad.

—¡Lo que hay que oír!

Jose se vuelve a Rafa, en demanda de apoyo.

—¿Es verdad o no?

Pero Rafa le sonríe y, por supuesto, no contesta.

—No, no es verdad —zanja Miguel—. Íbamos tranquilamente por la carretera, fumando un pitillo, y buscando...

—Sí, ya, un pitillo... —corta Jose, que no puede remediar agarrarse a lo que sea, cuando se ve acorralado.

—Y aunque fuera veneno, ¿a ti, qué...? Pero ERA un pitillo... El pobre *Barbas* iba tiritando, y no precisamente de frío.

—¡No me digas! Síndrome de abstinencia, ¿no? —se burla Jose, definitivamente herido porque su honrosa rendición no ha sido aceptada.

—¡Sí! —afirma el otro, enérgico—. Porque a un imbécil se le había metido en la cabeza rehabilitarle, «sacarle del rollo», como él decía. El imbécil le había prometido ayudarle, y él aceptaba la ayuda. El imbécil le decía que su padre tenía influencias, y le conseguiría tratamientos médicos, desintoxicaciones, empleos, ¡lo que hiciera falta! Y el pobre *Barbas* se hacía ilusiones y se creía que, con una varita mágica y buena conducta, conseguiría en seguida la misma estatura, la misma pinta, la misma salud, la misma seguridad, la misma inteligencia, y las mismas oportunidades del imbécil bien comido que le invitaba a su casa a pasar las fiestas. Y se vistió de mamarracho con lo mejor que tenía, para causar buena impresión a las gentes de bien, pero todo lo que consiguió fue que, una noche, un grupo de tíos de su edad, se echara a reír al cruzarse con él por una carretera y...

Desesperado, Jose se vuelve a los demás, interrumpiendo el largo relato:

—Y él me gritó: «¿Qué miras, hijo de puta...?».

Gira en torno, como buscando aliados, y repite, cargado de razón:

—Me gritó «¿Qué miras, hijo de puta...?».

Miguel, fuera de sí por primera vez, como si al fin dejara estallar una energía largo tiempo contenida, se pone bruscamente en pie, arrasando con el volar del poncho todo lo que había sobre el barril en que estaba sentado, y grita, también desesperadamente:

—¿Y QUÉ mirabas, hijo de puta...?

Chus, erigido por libre voluntad en escudero del paladín que llega de lejos, se interpone entre él y el espacio restante, mientras Juan, a quien el destino empuja a actuar como escudero del otro, sujeta por segunda vez las riendas de su piafante caballo enardecido, y consigue frenarlo también ahora.

El príncipe no se atreve a sonreír, pero su clara mirada azul sí sonríe, y, mientras los otros forcejean, y murmuran cosas como «Vamos, vamos...» y demás vulgaridades, él comenta, descubriendo de pronto algo muy regocijante:

—¿Os habéis dado cuenta de cómo se llaman estos dos?

De momento nadie le hace caso, ocupados como están en que se aquiete el cocear de las bestias, en que vuelvan atrás, cada una tras su barrera, en que los caballeros bajen lentamente las lanzas, pero él insiste, por supuesto:

—¿De verdad no os hacen gracia sus apellidos?

Laura, impaciente, un poco harta de su descaro, le da la réplica que espera:

—¿De qué? A ver, ¿de qué hay que darse cuenta? ¿Qué hay que decir? ¿Cuál es el chiste?

Él chasca la lengua, descontento ante tal lentitud de reflejos y, sobre todo, ante tal incultura.

Mientras tanto, Juan, que ha vuelto a ir a hundirse en su pila de ruedas de automóvil, recita convenientemente, la cabeza apoyada en la pared y los ojos cerrados, con infinito hastío, pero queriendo, sin embargo, complacer al cachorro de su misma camada, al cachorro defectuoso, que nació el último y no puede correr igual que los otros:

—«Antes que Dios fuera Dios, y los peñascos, peñascos, los Quirós eran Quirós, y los Velascos, Velascos...».

Laura y Chus, anonadados, cambian su habitual mirada de cómplices neófitos.

17

No.

Rafa sonríe a lo que Laura le susurra al oído, satisfecho de que se recuerden y se aplaudan sus genialidades, pero, no.

Él sabe perfectamente que la pugna no está entre Jose y ese recién llegado que parece una caja de sorpresas. «Antes que Dios fuera Dios», y en todo tiempo y lugar, las justas debían celebrarse con un mínimo de ecuanimidad, ¿y qué ecuanimidad podía haber, enfrentando al pobre Jose con un rival de la talla de ese Quirós, brillante y rápido como una chispa? No, no, claro que no.

Juan sí hubiera sido un buen adversario. Y tampoco. A Juan, que le sobra cualquier cualidad, le falta ese componente retorcido, ese componente de agresividad, de provocación..., de chulería —¿para qué andarse buscando definiciones halagadoras?—, que el Quirós indudablemente tiene, y que él, Rafa, ha tenido siempre también. Y hay que reconocer que en el Quirós tiene más mérito, porque al fin y al cabo, él, Rafa, está aquí de paso, pero el otro, seguro que quiere vivir cien años.

El cómo y el cuándo se creó alrededor de Rafa esa idea, tácitamente aceptada por todos, de que él no sólo era una flor de invernadero, sino de vida corta, era muy difícil de precisar. Indudablemente, debió de apuntarse, ya con fuerte impronta, a raíz de su nacimiento prematuro. No a los nueve meses, ni a los siete, no, sino a los ocho, lo peor.

Él suele bromear a ese respecto, empezando comentarios con la frase: «Cuando yo estaba en la incubadora, recuerdo que...». Debió de ser entonces, durante aquellos primeros meses, y, sobre todo, durante aquel primer mes, en que el convencimiento general, médicos incluidos, era de que «el niño no saldría adelante», cuando la idea se grabó para siempre en la mente de todos los suyos. Y nunca se tomaron la molestia de desplazarla de allí.

Efectivamente, aquel niño que iba «saliendo adelante» a trancas y barrancas, no tenía salud. Tenía una hermosa fachada, pero un asco de instalaciones. Cuando no era una gotera, era otra. Y la de menor cuantía era aquella del pulmón, a la que se había dado, y se daba, mucha publicidad, para tapar el resto, como se podría decir que es muy travieso, de un niño esquizofrénico que muerde y da patadas.

Rafa padece ataques de asma durante los que llega a perder el sentido y, en cuanto a su circulación —otro de sus chistes favoritos—, es tan mala como la de Madrid. Ciudad, por cierto, en la que no vive desde los doce años.

Rafa vive en el pueblo, en la sierra.

No es un hecho oficial, porque sigue teniendo su habitación en el piso de la ciudad, y la ocupa alguna noche, de cuando en cuando, si baja al cine, o de compras, o simplemente de visita. En la familia —¡son tantos!—, siempre hay alguno que remolonea, tras el veraneo, o tras cualquiera de las otras vacaciones, o que sube a la sierra «a desintoxicarse unos días», y el núcleo familiar pasa allí todos los fines de semana. Con lo cual consiguen un ten con ten en el que el exilio queda elegantemente disimulado. Pero Rafa es, de hecho, el exiliado señor de la finca de Alvar, y los guardeses, sus fieles y eficientes servidores.

Su mundo exterior es, pues, muy reducido, lo que le ha obligado, desde muy pronto, a explorar y a abrir horizontes de cara a su mundo interior.

Durante una época, relativamente corta, pasó la necesaria crisis de desesperación, de rebeldía ante su cruel destino, tanto más cruel cuanto que nadie se lo confirmaba, ni le hablaba de ello, ni le daba pruebas contundentes, ni lo hubiera admitido de plantearlo él, cosa que, desde luego, no hacía. Era algo que flotaba en el aire. Algo que *SE* sabía, y nada más. Igual que todo el mundo sabe que se tiene que morir «algún día», a Rafa se le exigía aceptar que tendría que morir «pronto», sin permitirse hacer a ello alusiones de mal gusto.

Y él ha conseguido aceptarlo, una vez vencida la crisis en cuestión, transmutando la palabra «pronto», que era insoportable, en la expresión «en cualquier momento» que, naturalmente, significa lo mismo que «nunca».

Dicho en otras palabras, Rafa vive en un eterno presente.

Por eso, no desea ni admite ninguna clase de lazos que le comprometan para más adelante, ni respeta ningún tabú impuesto por el miedo a consecuencias ulteriores. Es joven. De un modo absoluto.

Eso sí, no participa del juego colectivo. Es un entusiasta observador de la vida, tal como la entienden los demás, con sus ciclos, sus etapas, sus transiciones, pero él vive la suya en otra dimensión. Esa vida, la de los demás, es para él el material de laboratorio, objeto de meditación, o…, sí, quizá no algo tan serio, quizá, simplemente, espectáculo.

Su situación, una vez aceptada, tiene infinitas ventajas. Y, desde luego, no es la menor de ellas que se le concedan todos los caprichos.

Él no los califica de tales, claro, pero aquel entorno suyo, prisionero de otras coordenadas que hablan de trabajo, méritos, derechos, obligaciones, progreso y escalafones, los considera de ese modo. Eso sí, para los suyos, son ley. De hecho, Rafa es consciente de que, desde el principio, lo han sacralizado.

Le hablan de otra manera que a los demás, piensan en él de otra manera, se acercan, reptando, al cesto sagrado donde debe permanecer, enroscado y hierático, respirando incienso, y le susurran, casi a modo de súplica: «¿Estás bien? ¿Necesitas algo?». O practican la otra vertiente del mismo culto, rodeándole en grupo solemne, decidido y tajante, investido de la toga venerable de los padres conscriptos, y enarbolando recetas, horarios, y «planes a seguir», como quien tiene en la mano la salvación o la perdición de todo un pueblo. Él hace ascos a todo aquello, desde el dorado trono de los Césares, sumiéndolos en la agonía del deber incumplido: «Tienes que hacer esto, no tienes que hacer lo otro, es por tu bien...», repiten, hablando del bien con una desfachatez que sólo disculpa su ignorancia, mientras sus amigos le apoyan a él, y le coronan de flores como al joven elegido en quien, durante un año, ha de encarnarse el dios, esperando el momento delicioso en que sea sacrificado con un hermoso cuchillo de obsidiana, que arrancará su corazón palpitante, vivo, ensangrentado, sobre el altar de Tlaloc. Una existencia envidiable, ¿a quién le cabe la menor duda?

Sólo una vez le fue negado tajantemente algo por parte de sus mayores, es decir, por parte del mundo.

Un par de años atrás, hacia mediados de junio.

Rafa tenía decidido viajar a Pamplona para asistir a los sanfermines, y correr delante de los toros. No dudando de que aquello le sería concedido y facilitado como tantas otras cosas, había convencido a su hermano Juan, que era el que le seguía en línea ascendente, y que no había contraído aún esas obligaciones que impiden al ser humano hacer cualquier cosa que resulte divertida, para que le acompañase. A Juan le gustaba viajar, pero en cambio no le atraían lo más mínimo los sanfermines en cuestión. En general, le molestaban las aglomeraciones, el ruido, el polvo, el vino y los toros. Ni siquiera allí, en el pueblo, subía nunca a las vaquillas cuando llegaban las fiestas, y eso que, en la familia había sido tradición, ¡pero tradición...! Así que le costó trabajo convencerle, pero al fin, tan apasionado interés mostraba el pequeño, que el mayor se resignó a servir de acólito y, probablemente, de cuidador y vigilante.

La cosa venía de atrás, de un sueño que Rafa había tenido una vez, un sueño muy vivido que se le ocurrió contarle a Laura el día de su Primera Comunión. No la de él, sino la de ella, que había sido todo un acontecimiento, celebrado por sus orgullosos padres allí, en la sierra, «en el hotel». Los padres de Laura eran de aquellos que no le llamaban chalé, sino hotel, a su propiedad. El hotel de la sierra, el hotelito. Y en el hotelito se organizó un banquete digno del rey Baltasar, o más bien de las bodas de Camacho, porque degeneró en seguida en una amable borrachera popular, en damas que se estiraban la faja y se desabrochaban la falda, en caballeros que se quitaban la chaqueta y se aflojaban la corbata, cantando piezas de zarzuela, todos a coro y haciendo barco, como los alemanes de las películas.

Laura tenía nueve años, y ya era preciosa, por mucho que sus compañeros de correrías le quemasen la sangre llamándola «jirafa», «watusi», «gitana», y cosas así. Aquel día, la habían vestido, más que de comulgante, de novia, y de novia hortera, con tantos encajes, flores, lazos y perlas, que daba pena verla.

Los Alvar, y otros vecinos de la colonia, fueron invitados a participar de la inmensa tarta y a jugar con la homenajeada y con sus amiguitos de Madrid, «con tal de que no te destroces ni te manches». Pero la homenajeada se manchó y se destrozó a placer, empezando, como primera medida, por quitarse todo, menos el blanco vestido, para jugar a policías y ladrones por entre las matas. Y entonces sí que estaba guapa. O, al menos, fue la primera vez en que Rafa, que tenía once años, la encontró guapa y se erigió en su pareja, llevándola de la mano. Se escondieron juntos en un hoyo de los muchos que había por el monte, y que, por lo visto, habían sido nidos de ametralladora durante la guerra civil, y allí esperaron a ser encontrados, riéndose por lo bajo, mirándose con aire de partisanos sabiamente camuflados, y por fin charlando tranquilamente en vista de que los que buscaban ni siquiera merodeaban por aquella zona.

Hablaron de muchas cosas, de sus colegios —porque Rafa aún iba al colegio—, de lo tontos que eran éste o aquél de sus amigos comunes, de quién le gustaba a ella, de quién le gustaba a él, poniéndose los dos muy misteriosos a este respecto, llenos de claves y de parábolas, para no dar nombres. Y por fin, de los sueños. Ella decía que soñar con niños pequeños traía mala suerte, que soñar con sangre, era dinero, que soñar con cuchillos, era peleas, que soñar que alguien que va a morir, era alargarle la vida, que...

—¿Y soñar con un toro? —quiso saber Rafa, interrumpiéndola.

—¿Con un toro?

—Yo he soñado muchas veces con un toro —explicó él—, Siempre el mismo.

En realidad, había sido sólo una vez, pero había que adornar un poco los relatos.

Laura se enderezó para mirarle de lleno a los ojos. Estaba seria y pálida.

—¿Y cómo es el sueño?

—Pues... nada, sólo eso. Es de noche, y él está ahí, y me espera.

—¿Te espera a ti?

—Sí... Me mira, y me espera... ¿Por qué, qué significa?

Laura se inclinó hacia él y le preguntó en un susurro:

—¿Es un toro negro?

Rafa asintió, lleno de unción. Porque lo era, era un toro negro.

Laura rodeó su cuello y le susurró al oído, como si tuviera que disimular su mensaje ante desconocidas y extrañas fuerzas:

—No sueñes más con él... Es la muerte.

Desde aquel día, Rafa guardó este secreto en su corazón, y a partir del momento en que superó su crisis de rebeldía y renuncia, dormido y despierto soñó con el toro.

—Si está quieto, no importa—le había aclarado Laura entonces—, pero no lo sueñes más, porque si un día se arranca...

Durante varios veranos, Rafa había corrido delante de las vaquillas en las fiestas del pueblo, a escondidas de su familia. Durante varios inviernos, había dibujado al toro por todas partes, hasta en la tierra, con las ramas secas que encontraba en sus paseos. Lo sabía todo sobre él, por lo menos todo lo que sabían los demás mortales: Creta y el Minotauro, los siete mancebos y las siete doncellas, la segunda constelación, entre Aries y Géminis, patria de Aldebarán y de Alcione, los trabajos de Hércules, el culto de Mitra, las cabezas de oro y lapislázuli de las arpas reales en las tumbas de Ur, el guardián de la entrada de los palacios asirios, la extraña figura de Balazote, el inconsciente colectivo, el culto solar, los Templarios, y hasta san Juan, el Evangelista, el que nunca escribió la cuarta Buena Nueva, el que nunca fue águila en Patmos.

Era asiduo espectador de las corridas de San Isidro, la Beneficencia, la Prensa, escandalizando a su discretísima familia, al desdeñar las retransmisiones por televisión, con el comentario asqueado de que eso era como hacerle el amor a una muerta.

Y aquel año se le había metido en la cabeza correr en los sanfermines.

No había nada trágico en su obsesión ni en su deseo, sólo el afán de jugar. ¿El toro le esperaba? Bien, él no le haría desplantes, le respetaba demasiado para eso, pero le citaría de cerca siempre que pudiera, no fuese a parecer que le tenía miedo.

Aquella vez, sin embargo, se quedó con las ganas. Sus padres, su clan en pleno dijo no, y era un no sin lugar a apelaciones. Un mocoso de quince años no pintaba nada en las fiestas de Pamplona. Un mocoso de quince años no se permitía recreos de turista americano. Un mocoso de quince años no se jugaba la vida por...

Y ahí se callaban, ante la mirada lúcida e intolerable de sus ojos. Pero de todos modos, la respuesta fue no.

Inesperadamente, llegado el momento, y sin decir una palabra a nadie, Juan Gabriel se fue a los sanfermines, solo.

La familia comentó, sorprendida, su actitud. Juan Gabriel era un muchacho apacible, que en ningún momento había dado muestras de querer afirmar su personalidad con semejantes gestos de rebeldía. Su personalidad era lo suficientemente poderosa sin necesidad de alharacas, y, además, siempre le habían horrorizado aquel tipo de fiestas. En fin... Los jóvenes eran imprevisibles. Si él quería estrenar su mayoría de edad con aquella falta de tono, que no se le diera importancia, que nadie le preguntara nada sobre su excursión, que hicieran como si tal cosa.

Rafa, tan sorprendido en principio como los demás, empezó a sonreír para sus adentros en cuanto entendió el sacrificio de su hermano, pues no era otra cosa. Su hermano había ido a Pamplona a ser sus ojos y sus oídos, a traerle un manojo de flores del campo cubiertas de rocío, o un copo de nieve ya casi deshecho entre los dedos, al pobre enfermito que sólo puede mirar el paisaje por la ventana. ¡Si sería imbécil...!

Y, efectivamente, una semana después, derrengado, más flaco que de costumbre si cabía, y con un desagrado que no conseguía borrar de sus facciones, Juan le describía minuciosamente, esmerándose en fingir entusiasmo, la salida de los toros, la difícil carrera por la cuesta, la aglomeración de la calle de la Estafeta... Le notificaba que había puesto, en su nombre, flores ante el busto de Hemingway, y le regalaba como souvenirs la boina roja, la faja, que había tenido la santa paciencia de procurarse, y hasta de ponerse, y el periódico enrollado que había usado para el supuesto quite, durante los encierros. No le ahorró ni un tópico, casetas y barracas del Real de la Feria, orquestriones de los tiovivos, los churros, el «champán de toro», gallardetes, banderolas, gaitas y chistus, dulzainas y guitarras, gigantes y cabezudos, kilikis y zaldikomaldikos, las charangas de los mozos, y el riau-riau, ni un tópico. Solamente se permitió, para mantenerse, en algo, fiel a sí mismo, un pequeño y mudo rasgo de humor, el periódico era el *Financial Times*.

Estaban solos en la habitación que aún compartían en el chalé, Rafa se había metido ya en la cama, y Juan iba sacando sus regalos del saco, como un Papá Noel de aspecto tercermundista que se esforzase en ser jovial.

Rafa escuchó el *show* en un ominoso silencio, y, al final, soltó una carcajada. Desdeñó aquella faja y aquella boina de disfrazado, guardó amorosamente y para siempre el periódico, y su comentario, que sumió a Juan en un profundo desconsuelo, y una profunda sensación de ridículo, fue:

—¿Qué te ha hecho pensar que yo era un voyeur..?

Sin la menor respuesta, Juan se incorporó, dio media vuelta para marcharse de la habitación, y ya estando en la puerta, oyó que Rafa añadía:

—...Quería saber si es de verdad una fiesta al margen del mundo, vivirla. ¡Y tú me traes tarjetas postales!

Juan le dejó solo, dando un portazo, pero, por supuesto, le entendió perfectamente.

Exceptuando aquella frustración, de carácter especial, Rafa está acostumbrado a que sus deudos se apliquen a realizar sus más íntimos deseos. Lo de aquella noche, Nochevieja, última, y misteriosamente última, noche del año, que suele ser, por lo general, tan estúpida y vulgar como otra cualquiera, tampoco cuenta. No ha sido culpa de nadie que las cosas se hayan desarrollado de una manera tan sosa. Él había hecho lo que había podido. Había anhelado un verdadero enfrentamiento entre dos equipos, enfrentamiento del que, desde luego, saliera vencedor el equipo visitante, a ser posible tras una buena carnicería, no necesariamente luctuosa, como aquella desagradable y vergonzosa escena de noches atrás, pero sí, por lo menos, espectacular y digna del recuerdo de las generaciones. Y en vez de eso, en vez de la buena batalla salvaje que había planeado, se encuentra con lo que Laura acaba de susurrarle mientras le entrega su cazo de chocolate: un torneo. Va a tener que repentizar, adecuarse a la circunstancia si quiere que aquello conserve un mínimo interés. Suponiendo que valga la pena...

—Antes que Dios fuera Dios, y los peñascos, peñascos, los Quirós eran Quirós, y los Velascos, Velascos...

—Apúntate un ocho —le concede Jose, despectivo, al aleluya heráldica que Juan recita como si entrara medio muerto a largar su parte en unos juegos florales.

Y de nuevo, durante varios minutos, vuelven a sumirse en un espeso e incómodo silencio del que, aparentemente, no saben cómo salir.

Mientras paladea el hirviente chocolate que acaba de ofrecerle Laura, y que es el único en tomar —porque los demás, aunque van aceptando sus respectivos cazos sin protestar, como si se tratara del brebaje inmundo de alguna misa negra a la que no hubieran tenido más remedio que asistir, también los van dejando automáticamente a un lado, sin mirarlos—, Rafa se pregunta cómo hará el arrojado intruso para organizarse un mutis digno y medianamente coherente. Le gustaría ayudarle porque —no puede negarlo— está totalmente de su parte, máxime cuando ya lo estaba la otra noche viéndole debatirse furiosamente ante el desproporcionado ataque de aquellas mulas que tiene por amigos. Si no lo hace, es porque supone que será Juan quien venga en su ayuda y solucione el trance... y porque no está muy seguro de querer que se vaya.

Pero antes de que Juan abra de una vez los ojos y tome conciencia de esta obligación moral para con su desconocido amigo, Jose vuelve a descabalgar para pedir comprensión y disculpa a la asamblea.

—... Fue un accidente —repite de nuevo, con la voz humilde y los ojos bajos—. Palabra que fue un accidente.

—Que le mataras, puede. Que le pegaras, no. Y que se metieran los otros y a mí me partieran un brazo por intentar defenderle, tampoco.

—En modo alguno pienses que intento lavar mi reputación —interviene Rafa, desde el taburete de la barra, sentado en el cual se está bebiendo, lenta y delicadamente, el chocolate—, pero me gustaría recordarte que yo me abstuve.

Miguel, a quien Chus ha vuelto a hacer sentar, suavemente, sobre el borde del barril, gira hasta mirar a Rafa de frente.

—Me acuerdo muy bien. Te abstuviste absolutamente de todo. Hasta de pronunciar una palabra en favor de nadie. Cualquiera hubiera dicho que estabas viendo una película, mientras comías palomitas de maíz.

Buen observador, el paladín misterioso.

—Yo no como porquerías —le informa gentilmente Rafa, haciendo ademán de que las azafatas vuelvan a llenarle el cazo.

—A lo mejor, si no te hubieras abstenido tanto, el *Barbas* no estaría ahora muerto.

¿Por qué se empeñaban en darle tanta importancia al hecho de morirse un poco antes o un poco después? Lo que efectivamente se podían calificar de asquerosos habían sido los móviles y la tabernaria falta de limpieza de aquella pelea, pero la dichosa muerte de... —¿Cómo podía uno dejarse llamar el *Barbas*?— Bueno, aquello, había sido en verdad lo de menos.

—... Pero no te preocupes —sigue ironizando Miguel—, a lo mejor, le hiciste un favor. Él no sabía que la putada no tenía arreglo, que habían empezado a hacérsela muchas generaciones atrás, para que un grupo de privilegiados...

—¡Ah, no! —estalla Rafa, que, conociendo la sintonía, se teme el programa—. ¡No, qué coño...!

Durante un segundo, le hacen gracia los asombrados ojos de Laura, asombrados de que Rafa se salte así sus propias normas.

—... ¡Ya está bien de darse golpes de pecho, ya está bien! —continúa despotricando él, tras bajarse de una zancada del alto taburete—. ¡Estoy de penitentes, hasta aquí!

El de «La Casuca», buen muchacho realmente, aunque un poco inocentón, se cree en el deber de hacer su comentario demagógico:

—No vamos a negar ahora que existen los problemas sociales, ¿no?

—A ver si te crees que no lo sabe —maternaliza la gordita, que también quiere echar su cuarto a espadas—. Lo sabe mejor que nadie. Lo peor de este mundo nuestro —recita repipi— es la injusticia, precisamente. La injusticia social.

Miguel Quirós, que la observa con curiosidad mientras habla, le comenta, al terminar, tranquilamente irónico:

—Imagino que a ti, el tema te tiene sin sueño.

De nuevo anonadada por el chaparrón, Cris se defiende, humilde.

—Oye, yo lo único que digo es que es verdad que somos privilegiados.

Rafa está cansado. Convencido de que su aspecto exterior no lo delata, ¿porque, qué son unas ojeras, una palidez un poco más extremada, en un físico como el suyo? Un ornato más, simplemente, ha podido permitirse hasta entonces la sonrisa exquisita, la mirada cínica, y el perfecto ademán, pero la verdad es que si pretende recitar arengas apasionadas, va a tener que echar el resto. Y lo va a hacer, lo va a hacer, porque le están sacando de madre.

—¿Por qué? —se enardece, plantándole cara a Cris— ¿Porque coméis caliente, y os enseñan trucos para escalar puestos...?

Ni siquiera se da cuenta de que, automáticamente, se está excluyendo de la enumeración.

—... ¿Y si no os gustan los puestos por los que os hacen escalar? ¿Y si no os gusta escalar, simplemente? ¿Y si no os basta con comer caliente y comprar camisetas, para tener ilusión por la vida, para creer que esa mierda de vida merezca la pena? ¿Y si cada mañana os cuesta un trabajo espantoso levantaros, porque no sabéis adonde os llevan, ni por qué os llevan, ni si vale la pena ir? ¿Encima tenéis que confesaros privilegiados, alegraros mucho por ello, y, a la vez, sentiros muy culpables de cara a no sé quien? ¡No, qué coño, qué coño...!

Enérgica, Laura agita el cazo de las multas, en ese preciso momento, frente a su nariz. Y él, la espanta como a una mosca.

—... ¡Quita, tarada!

Se apoya de espaldas en la barra del bar, y trata de respirar lentamente. Está sudando frío, pero no va a dar ahora muestras de flaqueza, ¿no? De ESA flaqueza, sobre todo.

Juan ha abandonado su lánguida actitud de no poder con los elementos, y le está observando con preocupación. Pero su mirada no sorprende a Rafa, la conoce muy bien y además, si se toma la molestia de fijarse, la verá repetida, con más o menos intensidad, en los ojos de todos sus amigos. La que sí le importa, la que sí llama su atención es la chispa de interés que está viendo brillar en los ojos de su adversario. Y eso le da ánimos para volver a enderezarse y, tras una profunda y lenta aspiración, continuar con su discurso.

—...Todo eso no es más que hipocresía —resume—. Y no sé que es más repugnante, si el desprecio absoluto por los que son menos afortunados que uno, en el campo que sea, o esa complacencia beatona en mostrar las propias supuestas culpas como si fueran muñones. ¿Me queréis decir qué culpa tenéis nadie de que el..., el fulano ese, fuera un *desgraciao*? Aquí, la única culpa que se ventila, es la de haberlo dejado muerto a golpes, simple y sencillamente porque su pinta simbolizaba ni se sabe qué pecados, a los ojos de una mano de hijos de puta, que se sentían henchidos del derecho a codificar esos pecados, y a castigarlos heroicamente, siete contra dos. Y me incluyo, me incluyo —añade, dedicándoselo a Miguel—, me incluyo por no haber intervenido, acepto mi culpa. Pero de que el pobre tipo tuviera esa pinta efectivamente, tanto si se avergonzaba de ella, como si le enorgullecía tela, de eso, perdóname, pero yo personalmente, me niego a hacerme cargo. Como me niego a hacerme cargo de los crímenes o de las grandezas de mis antepasados. Yo no soy mis circunstancias. Yo soy yo.

—No, Rafa —intenta de nuevo meter baza Cris—. Si te paras a analizar...

—¿Si yo me paro a analizar? —ríe Rafa, interrumpiéndola—. De verdad me estás diciendo a mí, que si me paro a analizar, gordi? ¿Qué te crees que hago desde que me declararon no apto para este servicio? Si de lo que se trata es de analizar, os doy ciento y raya a cada uno, y a todos juntos. Dime una cosa, sólo una cosa, ¿alguno de vosotros se siente culpable de estar sano, y de que yo no lo esté?

—Bueno, no empieces ahora a presumir de tus enfermedades —desecha Cris, rápida, desviando el espinoso tema—. Estás igual de sano que los demás, lo que pasa...

—No es lo mismo —objeta Chus, haciendo caso omiso de las tonterías que está diciendo la otra, y mirando a Rafa sinceramente a los ojos.

Honrado Chus. Íntegro Chus. Se merece realmente que uno se deje de fuegos artificiales y trate de ofrecerle una respuesta, también honrada e íntegra.

—No, claro que no... —suspira Rafa—. Lo único que quiero decir, es que la vida es injusta, en general. No que haya que admitirla como es. Y que si os empeñáis en luchar por la igualdad esa que os trae tan a mal traer, igualéis hacia arriba, no hacia abajo. Me juego lo que queráis a que él..., ése, como se llamara...

—*El Barbas* —puntualiza Miguel, en el mismo tono sereno y firme de una reivindicación en campo enemigo.

—Bueno, eso..., *el Barbas*. Estoy seguro de que no hubiera querido que Quirós se le acabase pareciendo, sino parecerse a él, precisamente. Y disfrutar de los mismos privilegios que él..., si os empeñáis en que sigamos llamándolos privilegios... ¿O no tengo razón?

La pregunta va evidentemente dirigida a Miguel, pero éste no se da por aludido. Tras suspirar, y darse un golpe en un muslo, a modo de campanilla que clausura la sesión, vuelve a ponerse en pie.

—Os felicito por digerir tan bien —dice educadamente—. Pero yo sólo había venido hasta aquí para transmitiros lo que me parece que hubieran sido los deseos de *el Barbas*. Así que, cumplido el encargo, me vais a disculpar.

Apoyándose en aquel suelo de tierra apisonada por años y años de pasos juveniles, Juan se pone en pie de un salto.

—Espera... ¿Dónde vas?

Miguel se detiene a mirarlo, con cierta sorpresa.

—... Ha sido un disparate que vinieras hasta aquí, conduciendo tú solo, de esa manera. Te has podido matar.

La palabra flota un momento en el aire, pesadamente, y en vez de pasarla por alto, Juan la asume, chascando la lengua.

—¡Está bien, mierda! —se protesta a sí mismo—. Lo que digo es que comprendo que no te quieras quedar en casa de nadie, pero sí te vas a aguantar con que te acompañe... cualquiera de nosotros.

—¿Cualquiera de vosotros? —se extraña Miguel, apoyándose mucho en la frase—. ¿Por qué no tú...? Te advierto que eres el único que no tiene por qué darme miedo. ¿Por qué no tú, eh?

Rafa decide que aquella pregunta se quede sin respuesta, y avanza decididamente hacia Miguel, que ha vuelto a alcanzar la puerta.

—No te vayas —pide, casi ordena, presionando solidariamente el brazo del intruso.

En un arranque, Cris también se lanza hacia él, aunque no se atreve a tocarle.

—No. No te vayas —suplica, mirándole muy fijamente.

—Hombre, *dejarle* al chico —protesta Laura, incómoda—. Lo que es hoy, habrá pasado un día mono, y encima... Dejarle en paz.

—No te vayas —repite Cris.

—¿Qué tendrá eso que ver? —discute Rafa, agarrando al vuelo el argumento de Laura—. ¿Qué día te crees que ha podido pasar la enana?

Al ser aludida, Mari Ángeles vuelve la cabeza, sin acercarse al grupo, sin concederle mucha importancia realmente.

—Mi padre se mató anoche —informa, como si supiera que hay alguna oculta relación entre una cosa y otra, casi como si ofreciese un presente—. Chocó contra un camión... Era músico... Igual le conoces.

—¿Toni Aguirre? —pregunta Miguel, interesado.

Mari Ángeles asiente.

—Lo oí por televisión —comenta él—. Enhorabuena.

—¿Enhorabuena? —se escandaliza Laura.

—Me gustaba su música —explica Miguel, mirando a la pequeña.

—A mí también —afirma ella—. Iba a una gala, ¿sabes? Sin dormir, corriendo, como siempre... El camionero llevaba dieciocho horas al volante... Mi padre decía... Decía que ésta era una civilización de *chalaos*.

—No. No exactamente —sonríe Miguel, por primera vez sin recámara—. Por lo menos, lo que yo le he oído cantar, es que ya no existía esa civilización de *chalaos*, y que a ver qué hacíamos con la siguiente.

Mari Ángeles le devuelve la sonrisa, reconocida.

—¿Cómo te llamas? —le pregunta él.

—Ángeles —contesta ella, muy seria y, por alguna extraña razón, mira a Juan y le sonríe también.

—Siento lo de tu padre, Ángeles —dice el forastero.

—Yo también —vuelve a afirmar ella.

—Y, sin embargo, ahí la tienes —aprovecha Laura—, bailando toda la noche.

Rafa está a punto de darle un beso en la boca. ¡Qué lista es la gitana!

—¿Por qué? —pregunta Miguel, cayendo en la trampa—. ¿Sólo porque no es costumbre?

—No sé... —sigue ella, modosa como Mata-Hari—. Parece una falta de respeto.

—El respeto es un sentimiento, no un prospecto —la regaña Rafa, guiñándole un ojo—. ¡David bailaba delante del Tabernáculo!

—No era el Tabernáculo —corrige Miguel, despectivo.

—¿Que no...? —se sorprende Rafa, siguiendo el mismo juego de Laura.

—Según mis noticias, era el Arca de la Alianza.

—¡Qué corte, macho! —exclama encantado Jose, de quien todos parecen haberse olvidado—. ¡El primero que te marca a ti un gol!

La risa brota espontánea, contagiando a todos, menos al propio Jose, que parece sorprendidísimo de haberse dejado conquistar de aquel modo, y a Miguel, que no sabe muy bien de qué va.

—Miguel, no te vayas —insiste Cris, atreviéndose ya a colgarse de su brazo.

—Quédate —repite Rafa, dándole una palmada en el hombro—. Lo de venir ha sido majestuoso. Majestuoso, palabra. Pero si lo haces a medias, jorobas el invento. Si ahora te vuelves, muy digno, por donde has venido, sólo habrá sido un gesto, un *pasón* como otro cualquiera. En cambio, si te quedas...

—Quédate —se une Mari Ángeles.

—Al principio de la noche —empieza a contar Juan, sentándose junto a un barril y decidiéndose a tomar el chocolate que Laura le ofreciera hace un rato—, alguien me predicaba que no había que ser tan derrotistas, me decía que el camino debía de estar en dejarse un poco de estructuras, de siglas y de palabras con mayúscula. En volver a cuidar un poco el elemento humano, en rescatar las relaciones interpersonales de... Bueno, no me lo decía con estas palabras tan rebuscadas, claro. Creo que era algo así como... «mientras en el mundo haya personas, y dos personas... o un grupo de personas, es igual..., puedan sentir que..., aunque no sea para siempre, aunque no sea más que un momento...».

Mientras Juan rememora en broma aquellos titubeos, que deben ser de ella, los ojos de Cris se llenan de lágrimas, tan ostensiblemente, que tiene que apartarse para buscar un pañuelo en su bolso.

—Si te vas, *el Barbas* habrá muerto por nada —interrumpe Chus, tajante, y dando de lleno en el meollo de la cuestión.

—No os paséis... —advierte Laura.

Pero a Rafa le parece que Chus ha estado genial.

—¡Exacto! —aprueba—. Si te quedas...

—Quédate —vuelve a pedir Mari Ángeles.

Como desligándose del grupo que le rodea, Miguel gira para dirigirse a Jose, que está aparte, incómodo, y se dirige a él con un apelativo que resume toda su actitud:

—Velasco...

Por el ambiente parece correr una ráfaga de aire frío. Se hace el silencio absoluto. Jose alza los ojos y mira a Miguel, esperando.

—... ¿tú también crees que me debo quedar? —termina el otro, tan cortésmente como de costumbre.

Jose traga saliva, y asiente, despacio. Miguel avanza un paso e insiste, forzando la suerte.

—... ¿Has oído lo que han dicho? Me debo quedar, para que *el Barbas* no haya muerto en vano... ¿Es eso?

Cris, con las mejillas manchadas de rímel, corre a apuntalar de nuevo la fragilidad de su primo, y le abraza, como en una súplica muda. Tras una mínima pausa, Jose vuelve a asentir, y acaricia torpemente el brazo de Cris.

Pero el extranjero, el que regala indultos, el que desdeña las cuentas con la justicia temporal, no se conforma, quiere oírle hablar.

—Verás... —reemprende—, es que no sé si lo has entendido... No sería como si me quedara yo, ¿comprendes? Yo no existo, yo he venido sólo en representación de *el Barbas*... Es a él a quien le estás pidiendo que se quede, aquí, con vosotros, contigo... Al *Barbas*. Con sus pelos, y su collar de latón, y su camisa morada, y sus botas... ¿Te acuerdas de las botas, Velasco? Aquellas ridículas botas de vaquero que le hacían un poco más alto... Es él quien está delante tuyo... ¿Le vas a pedir que se quede?

Rafa se siente embargado de auténtica admiración. Ni a él se le habría ocurrido ceremonia semejante. Nunca habría *el Barbas* soñado en vida ser la máscara gloriosa de tan carismático sacerdote.

—Quédate —pide por fin Jose, con la voz velada.

Y al conjuro de esa sola palabra, estalla un movimiento general de exaltación. Cris besa a su primo, y él le sonríe, aún un poco incómodo. Laura y Chus se complementan para despojar a Miguel de su poncho, y arrojarlo al montón común. Rafa le tiende a Miguel el cazo de chocolate que antes desdeñara, y que ahora acepta, mientras Mari Ángeles se precipita a arrodillarse de nuevo junto al montón de discos, y los manipula, nerviosa. Cris, dejando a Jose, da una palmada, con el gesto que le es habitual, para que las huestes la sigan.

—¡Di que sí, enana! —aprueba entusiasta—. ¡Pon algo bonito...! ¡A bailar!

—¿A bailar? —pregunta Laura, un poco medrosa, y esta vez de verdad—. No os paséis...

Pero una música rítmica, embriagadora, llena ya el ambiente y Mari Ángeles se levanta de un brinco.

—¡Claro que sí! —grita por encima de la música—. ¡Como el rey David...! ¡Por mi padre! —explica, lanzándose ya a bailar sola, como en trance—. ¡Por mi padre y por *el Barbas*!

Sus palabras apenas producen una peligrosa impresión momentánea, que rompe Cris, corriendo a colocarse frente a Miguel, y dedicándole una ceremoniosa y rápida reverencia.

—¿Quieres bailar?

Miguel duda un segundo, mientras Juan se pone en pie y va a jugar el mismo juego frente a la enana, que abre los ojos al oír su voz.

—¿Quieres bailar conmigo, Ángeles?

Ella le incluye simplemente en su danza, sin detenerse un segundo.

Ya bailan los tres, Mari Ángeles, Juan y Cris. Y Miguel no tiene más remedio que seguirles.

Empiezan a dar palmas. Miguel, a causa de su brazo escayolado, se ríe por tener que palmearse el muslo, en sustitución.

Chus y Laura, contagiados, empiezan por unirse a las palmas, aún tímidos desde su puesto de observación.

—Faltan chicas, como siempre —comenta Chus, nervioso, por decir algo.

—¿Tú crees? —ríe ella, también excitada por un sentimiento nuevo—. Yo, en cambio, siempre tengo la sensación de que faltan chicos.

Chus ríe con ella y, sin transición, la toma de la mano, le hace dar un giro brusco y hermoso, y la incorpora al baile.

Rafa está entusiasmado, entusiasmado. No le cabe duda de que asiste al mejor espectáculo de su vida.

—¡Venga, Jose! —anima Cris a su primo, que lo observa desde su rincón, un poco confuso.

Jose se muere por unírseles, y se le nota, pero no sabe cómo hacerlo. Hasta que Rafa le empuja, y Cris le acoge, y sus palmas y las de Miguel Quirós se acoplan en un solo sonido, frente a la pelirroja que, desmelenada, baila con los dos, para los dos.

—¡Venga, Rafa! —le llaman—. ¡Rafa...!

Pero él sigue contemplándolos alucinado, extasiado.

Y al fin, le rodean, le tienden manos, le atraen, le anexionan.

Ya está en medio del torbellino, ya es, él también, el torbellino.

Insensiblemente, forman una rueda. Y una sonrisa de Juan, y las cadenciosas caderas de Laura, y una mirada alegre de Jose, y un grito de Chus, y la melena lacia, brillante de Mari Ángeles, y los torneados brazos de Cris, y los ojos dorados de Miguel, mientras la música golpea, maravillosa, y las palmas, y los pies sobre el suelo de tierra...

Como un cálido licor que le invadiera paulatinamente, Rafa va teniendo la impresión... ¿De qué? Sí, sí, de estar cambiando de naturaleza, de dimensión... Las esclusas han saltado por los aires, y el mismo río corre por el mismo cauce. Ellos son el río. Chus es Rafa, Jose es Laura, Laura es Miguel, Miguel es Mari Ángeles, Mari Ángeles es Juan, Juan es Chus, Chus es Jose, Jose es Cris, y todos, todos y cada uno, son *el Barbas*.

—¡¡Cris...!! —grita Rafa, de pronto, loco de entusiasmo—. ¡¡Esto!! ¡¡Esto sí que es una fiesta!!

18

—Ojalá hubiera terminado en ese preciso momento, ¿verdad? Que alguien hubiera dicho «¡Corten!», como en el cine. Eso es lo bueno del cine, que se pueden pegar los trozos, midiéndolos para guardar el equilibrio, y contar sólo los que te dé la gana, pero la vida…

…*la vida*…

…la vida no se para. Ni cuando te mueres se para… Claro que estuvo bien lo de después, si yo no digo que no, ¡y tan bien! Mientras duró aquella especie de…, bueno no sé como llamarlo, sólo se me ocurre una palabra, aunque a lo mejor te ríes… Comunión. ¿No te ríes? Porque era eso, ¿verdad?

Mientras duró, todo parecía tan fácil… Sí, ahí estaba la trampa, en creernos que era fácil, que ya estaba, como el traje de Supermán, estirabas el brazo ¡y hala, a volar…! Pues claro que sigo creyendo en ello, lo que pasa es que ahora me lo planteo con más…, te iba a decir «con más lógica», ya ves tú qué idiotez. ¿Te das cuenta de que no hay palabras para nada? ¡Lógica! Lo que quiero decir es que ahora me lo planteo con paciencia, ¿entiendes?, que sé que no es coser y cantar.

Todo está cambiando, estamos cambiando, pero no va a ser de un día para otro, y mientras tanto, nos va a tocar pasarlo bien, y pasarlo muy mal.

¡Si en la naturaleza lo tienes clarísimo!, morirse duele, y nacer igual... Pero seguir creyendo, claro que sigo creyendo en ello, ¿por qué crees que he venido? ¿Y por qué has venido tú? Pues por eso. Porque aunque no va a estallar un día, así, de golpe, como unos fuegos artificiales, un día hay que empezar, hay que echar a andar... ¿Te acuerdas de lo que se inventó Rafa de la nave...? Fíjate que fue, precisamente, lo que empezó a cabrear a Jose. ¿No te acuerdas que fue entonces cuando se levantó y se puso a buscar cosas que hacer? Ya no aguantaba quieto. No os disteis cuenta ninguno, pero fue entonces cuando se rompió el hilo mágico. Yo sí me di. Y Laura también. Laura captaba siempre las cosas antes que nadie. Y le miraba, le seguía con los ojos...

... como a un gato en celo que se paseara por un estante de porcelanas...

19

—¿Qué haces, Jose?

—Estoy buscando la cafetera. ¿No os apetece algo caliente?

—¿Te ayudo?

—No, no, déjalo... Está aquí atrás, ¿no?

Que hablen. Que sigan hablando, los siete majaras. Él les hará café. Por lo menos, es una cosa sensata. Se lo agradecerán. Y mientras tanto, que sigan largando paridas y creyéndose que son una conferencia en la cumbre, las grandes potencias arreglando por fin el mundo, encuentros en la tercera fase, cualquier cosa, ¡no te j... perturba!

Y lo que más le perturba, precisamente, es que Rafa está en medio, más contento que nadie, y llevando la batuta de aquel ro..., de aquel..., bueno, de aquella estupidez.

No. La verdad es que no es eso lo que más le perturba. Lo que, por momentos, le está calentando la sangre, lo que le está sacando de ese estado de histeria colectiva... —porque a él que no le vengan con gaitas, eso es histeria colectiva y nada más— es que se hayan *quedao* con él a la primera, sin el menor esfuerzo. Se lo han *llevao* al huerto con alegría, vamos.

Al principio estuvo bien, eso hay que reconocerlo. Cuando lo que se ventilaba allí, era echar tierra al asunto, hacer las paces, todo el ro..., todo el... problema. Sí, él era el primero en reconocer que no se podían hacer mejor las cosas. Tiene clase el Quirós. Es un tío con clase, y él no se lo niega. Si todo se hubiese quedado en eso, en darse un abrazo, como aquel que dice, y decidir que aquí no ha pasado nada, bien. Perfecto. ¿Que en vez de hacerlo de una manera normal, le habían echado un poco de teatro al asunto? Bueno, cosas de Rafa. Pero hasta ahí, bien. Perfecto. Incluso habían conseguido que se le saltaran las lágrimas cuando se habían lanzado a bailar de aquella manera, como si fuera la primera vez que alguien bailaba sobre la tierra. Eso era lo que le habían hecho sentir, exactamente. Y le había gustado, lo admitía. Se había... ¿emocionado...?, bueno, no exactamente, pero algo muy parecido. Más importante, incluso.

Pero eso, precisamente, era lo que ahora le estaba empezando a jorobar. Habían hecho de él lo que habían querido, lo habían hipnotizado, co... caramba.

Cerita, cerita fundida había sido, el muy imbécil. Se había dejado conquistar, se había dejado alucinar, se había dejado... reblandecer. Eso, reblandecer, no había que darle más vueltas. Porque lo que están todos aquéllos, aparte de majaras, es reblandecidos. Las chicas, pase. Son mujeres. Pero los tíos... ¿Se puede aguantar que cuatro tíos en serio estén ahí apiñados alrededor de un brasero, y contándose con los ojitos brillantes, que ellos pertenecen a otra civilización? ¡Otra civilización, no te...! Bueno. Lo que son es una panda de rojos de mierda. Sí, Rafa también. Y el Juan Gabriel de los cojo..., de las narices. *Camuflaos*, nieblas, pero rojos de mierda, como el primero. Igual que Chus. Muy formalito, y mucho padre de derechas de toda la vida, pero ahora salía con que hasta hoy había tenido un bloqueo, con que hasta hoy había vivido creyendo que el mundo que conocía duraría siempre, y que eso le había puesto orejeras. ¡Yo sí que te ponía a ti orejeras! Después de todo, ¿qué se podía esperar? ¿No era el chico de la tienda? Un rojo, diga él lo que quiera.

—Ponle un filtro nuevo, o va a saber a recuelo.

—¿Qué...? Ah, sí. ¿Dónde están los filtros...? No, no te muevas, ya los busco yo... Están aquí.

Hala, *seguir*. *Seguir* con la película que os estáis contando, *taraos*.

¡Anda que no se ha tenido que oír sandeces! Desde platillos volantes, hasta el Segundo Advenimiento, pasando por la Atlántida y por la tira de cosas que daban hasta vergüenza, palabra. Todo para llegar a conclusiones como que ya no quiere decir nada «izquierdas» ni «derechas», o que los reaccionarios son, simplemente, los que miran hacia atrás, y se empeñan en defender ideas muertas, del signo que sean. ¡Del signo que sean, ya! Como si no supiéramos de qué va la cosa. Como si no supiéramos que todo eso son mañas para quedarse con uno.

Rojos de mierda.

¿O sea, que los terroristas se crían como setas, que van poniendo bombas como el que planta geranios, que cogen rehenes sin que nadie les cuelgue por los pies, y los cape, como primera medida, que prenden fuego a las Embajadas, que...? Y no sólo eso. Los Bancos ya no saben si cerrar la tienda y dedicarse a otra cosa, lo de la inflación, en otras partes, ya es de risa... ¿Y estos siete... *flipaos* —porque lo que están es *flipaos*, y de aire, que es más ridículo— salen con que hay que sentirse muy optimistas porque está empezando una nueva era? ¡No te...! Bueno.

Orden.

En el mundo, lo que hace falta es imponer orden, al precio que sea. No se puede hablar como si la Historia acabase de empezar ahora mismo. ¡Estamos en 1986! ¡A finales del siglo XX! Porque, a él, que no le maree Rafa con el *speech* ese sobre las Eras que se ha *largao* antes.

—Es una convención como otra cualquiera, os lo he dicho esta mañana, creo. ¿Qué quiere decir que estamos en el año Tal? Nada. Son puntos de partida que se toman para entenderse, y que acaban por hacer que nadie se entienda, porque la gente se olvida... La era cristiana, por ejemplo, ¿tú te crees que la gente que vivió en el año Uno, sabía que estaba en el año Uno? ¡Pues claro que no! Para ellos, lo que estaban viviendo era el año 753... Sí, señora, el 753 de la era de Roma. Ésta de ahora, no se instituyó hasta el siglo VI, por un fulano que se llamaba Dionisio el *Exiguo*, no te pierdas de vista el nombre. Un monje. Y te advierto que le costó que la fueran adoptando. Los Papas, no la admitieron hasta el siglo X. ¡Y te digo los Papas, fíjate! Aquí, en la Península, por ejemplo, se empezó a usar a finales del siglo XII, y no se generalizó hasta el mismo siglo XV. ¿Qué? ¿Seguimos estando a finales del siglo XX...? Esto no es un tren, esto... Bueno, tampoco me voy a meter ahora en honduras astrofísicas. Lo que digo es que podemos perfectamente estar en el Año Uno... de otra cosa.

Y así se han tirado toda la noche, arracimaditos, los unos encima de los otros, alrededor del brasero: Cris, con la cabeza en el hombro de aquel tipo que, al fin y al cabo, acaba de conocer. Luego dicen que las violan... La gitana, y no le extrañaría que fuera gitana de verdad, hecha un nudo con el de la tienda. Mari Ángeles —una niña pequeña, si es que no hay derecho...—, medio dormida en las rodillas de Juan. Y eso que con Juan, seguro que corre poco peligro... ¡Anda que...! Rafa, con la cabeza en el regazo de Cris, ¡hala!, un revoltijo. Y, eso sí, hablando de cosas muy profundas, muy elevadas, porque se han leído tres libros y no los han digerido, ¡no te...!

Rojos.

—Nosotros, que esta noche estamos aquí reunidos, un poco por casualidad... —empezó a decir el manco en otro momento.

—Yo no creo en la casualidad —le interrumpió Laura.

—Ni yo —corroboró Rafa.

—Pues por alguna razón cósmica, ¿os gusta más? —sonrió el otro—. El caso es que estamos aquí, reunidos, hablando de estas cosas, y, de alguna manera, haciendo votos para que en lo sucesivo... Bueno, pues no somos más que una gota de agua, que...

—¡En este mismo momento, hay otros, en todas partes del mundo, solos o en grupo...! —le interrumpió Cris, llena de entusiasmo.

—Una *gestalt* —definió Rafa.

Y Juan Gabriel el maravilloso les describió minuciosamente lo que era una *gestalt*.

—Llegará el momento en que seamos mayoría —apoyó también el vendido del motocarro, para comprarse su acción en la empresa— y entonces...

Entonces, sería el paraíso, claro. Ellos no iban a hacer nada malo, no, qué va. ¿Acaso se da cuenta un niño de que se va haciendo hombre? No. Un día ve a un hombre en él espejo, simplemente.

Era así de sencillo.

Sí, ya. Como si uno no supiera de qué iba la cosa.

Rojos.

Y lo peor, era que se habían *quedao* con él, se habían *quedao* con él durante toda la noche. Bueno, la noche no, porque fuera, hacía ya un buen rato que era de día. Eso lo había descubierto el primero que había salido a hacer pis, y se había encontrado el jardín lleno de escarcha. Pero los señores habían decidido que no, que sería de día cuando ellos quisieran, que había que cerrar bien la puerta y seguir con el brasero, y la luz, y las chorradas, hasta que se cansaran.

—¡Esto es una nave! —había decretado Rafa entonces—. Nos lo podemos contar así. Vamos en una nave espacial que nos lleva a otro planeta. Un planeta que tiene muchas cosas del nuestro, del antiguo, para que el choque no nos resulte demasiado brusco... Cuando salgamos de aquí, de la nave, tenemos que tener muy presente que estamos de verdad en otro planeta, y que hemos venido a él a construir una nueva civilización.

Y acabar con el cuadro, ¿no?

Rojos.

—Me temo que habría que echarle mucho valor, demasiado —dijo en otro momento Juan—, para hacer saltar de golpe todos los mecanismos mentales con que te han estado programando desde que has nacido, y al mismo tiempo seguir en tu entorno, con la vida cotidiana. Te puedes volver loco.

—No, no —le animó Cris, que se las daba, como siempre, de más lista que nadie—, si no hace falta que tú hagas nada, no hace falta que te esfuerces. Sólo que estés... disponible. Eso: disponible. Y te pasa solo. Eres como un bebé, lo aprendes todo de nuevo. Y te das cuenta de muchas cosas. Mira, al salir hoy de aquí... Al salir de la nave, lo único que hay que hacer es...

¡La nave!

Ahí, Jose ya no había aguantado más, y se había levantado a hacer café, para no coger el portante y largarse, sin más. ¡La nave! Lo que le faltaba por oír... Un Arca de Noé para ellos solos, toma ya. Y él era el mono, seguro. A él le tocaba ir de mono, para escucharles muy contento y encima hacer gracias. O, ¿cómo se llamaba aquel juego...? ¿Cómo le habían dicho aquel día? ¿Cómo era aquello de Qué Sería Fulano, si no fuera Fulano...? Una pantera. Sí. A él le llevaban de pantera en el Arca. Tenían de todo: una gata, una pantera, una jirafa... ¿Y el manco? Al manco no le habían hecho nunca el juego aquel... «¿qué sería Quirós si no fuera Quirós?», se preguntó, divertido, mientras enroscaba la inmensa cafetera italiana.

Y casi se le cae, porque oyó decir a Laura:

—Un arcángel.

Y cuando abrió los ojos, se encontró con los de ella, mirándole, mientras los demás seguían haciendo proyectos idiotas, y hablando todos a la vez.

Por un momento, se asustó. ¿Sería telépata la hija de puta aquella, o qué...? Él estaba seguro de no haber dicho nada en voz alta. Todavía no hablaba solo, aunque, si seguía mucho rato con éstos, a lo mejor.

No, sus palabras tendrían que ver con la conversación general, y él no había prestado atención, eso era todo... ¡Si es que le contagiaban a uno!

Sólo una vez en su vida le había pasado algo parecido, sólo una vez le habían manejado así, como a una marioneta. No hacía mucho, a principios de curso. La cosa había empezado en una discoteca a la que solía ir todos los sábados. Se pasaba bien. Se encontraba uno con la gente. Se bailaba, y se solía ligar. ¿Qué haces, si no, un fin de semana?

Al entrar, saludó un poco sin saber quién era nadie. Las luces sicodélicas y el barullo reinante no le permitían distinguir bien a los conocidos que se cruzaban con él. Además, daba igual. Eran conocidos, saludaban, pues bueno. Luchando contra la corriente, se acercó a la barra y pidió el primer cuba-libre.

—¿Qué hay, Jose?

—Hola.

Todas las chicas tenían mala pinta, pero no había que fiarse. Eran bastante libres en sus costumbres, eran un poco idiotas en su mayoría, pero nada más. Con la copa recién servida en la mano, se volvió hacia la pista. Había una mezcla de seudoprogres, seudorricos, seudointelectuales, y ejecutivos, ejecutivos auténticos. Todos se contoneaban y daban saltos con más o menos encanto, los ejecutivos y los otros. Se prometió a sí mismo, una vez más, que, cuando él fuera también un brillante ejecutivo, dentro de no muchos años, no se pondría en ridículo de aquella manera.

Algunos sonreían, y parecían pasarlo muy bien. Otros, ponían cara de éxtasis, otros, de velocidad, era muy divertido.

Le apeteció bailar y buscó pareja. Podía perfectamente bajar a la pista y bailar solo, pero, por mor de antiguas costumbres, seguía considerando que el baile era cosa de dos. Daba un poco igual quien fuera la pareja, eso sí. Como daba un poco igual se ligara con quien se ligara. El caso era ligar, y pasar el fin de semana. Jose ligó. Con una rubia, hermana de alguien, que tenía la pretensión de pegar hebra mientras se bailaba, como si eso fuera posible. Allí había que hablar a gritos, pero, además, ¿quién quería hablar?, ¿de qué había que hablar? Precisamente, lo que se agradecía era el follón; soltabas adrenalina por un tubo.

—¿Todo esto no te produce una sensación deprimente de falsedad? —largó la rubia, entre baile y baile—. ¿Habrá alguien verdaderamente auténtico en este mare mágnum?

Jose le sonrió. Operación encanto. Tú, llévame luego al catre, verás si soy auténtico, chata.

Y el caso era que en cierto modo tenía razón. A los que iban allí de nuevas, sólo por curiosidad, se les notaba en seguida, en la expresión un poco avergonzada, como de complicidad, con que salían a la pista. *Yo no suelo hacer esto, por Dios, no vayan ustedes a creer, pero donde fueres...* La mayoría venía a jugar a cosas que no era. Algunos, hasta se cambiaban de ropa en un cuartito, junto a la puerta de entrada, y salían a la pista disfrazados de algo que ni siquiera acababan de entender bien, y que no se atrevían a ser, por lo visto, más que bajo aquellas luces.

—No son auténticos —le concedió Jose a la rubia, en una pausa para renovar el cuba-libre.

Y aquella parquedad de juicio, la conquistó definitivamente.

Al salir de la discoteca, ella se empeñó en que pasaran por casa de unos amigos «para animarse un poco más». Jose se temía en qué iba a consistir la animación aquella, pero no quiso discutir, para no quedarse sin rubia a última hora. Y, tate. Se fueron de allí en grupo, y en cuanto entraron al piso, que tenían alquilado entre varios, empezaron a liar canutos. Jose puso la consabida cara de guardia, y dijo que él pasaba. Él también se había fumado sus buenos porros, antes de enterarse de que eso era cosa de rojos. A la gente había que darle tiempo para que se orientara, tampoco había que ser fanático.

Pero debió de decir algo molesto, sin fijarse, puesto que pasó lo que pasó. El caso fue que él pidió un vaso de agua, y la rubia se lo trajo con mucho cachondeo.

—La bebida del señor... ¿Ya...? ¿No bebes más?

—Yo me bebo lo que tú digas.

—Pues entero. Bébetelo entero. Y de un trago.

Y como un imbécil, se lo bebió de un trago.

Al principio no pasó nada. Se sentó en el suelo, y apoyó la cabeza en la pared, para oír a Steeve Wonder, mientras esperaba. Al cabo de un rato, pidió un whisky, y se lo dieron, pese a que alguien le sermoneó en cuanto a mezclar y chorradas al uso. Le pareció que lo miraban con curiosidad, que cuchicheaban, pero no hizo caso. Se puso a tararear. Estaban charlando y a él charlar le aburría.

Y de pronto, empezó a notar como si un aroma extraño le envolviera. Era un perfume entre verbena y limón, pero tan poderoso, que daba la sensación de que se le estuviera mezclando con la sangre.

Abrió los ojos. No veía bien. Su visión era turbia, y tenía la sensación de que los objetos estaban rodeados de un halo. Parpadeó, pero era inútil. Le hormigueaban los brazos y las piernas... Bueno, no sería grave. La verdad era que le había pegado mucho a la uva aquella tarde, pero nunca había sentido una cosa así... En todo caso, la sensación general era agradable.

Seguramente, alguna de las chicas llevaba aquel perfume, pero, ¿por qué era tan fuerte de pronto...? Volvió a apoyar la espalda y la cabeza contra la pared, y sus ojos se encontraron con los de la rubia, que estaba frente a él. No la veía bien, pero reconocía los lunares de su falda, que ahora bailaban solos, como si tuvieran vida propia. Buscó su cara, y le pareció enorme y maligna... ¿Maligna? Sí, la rubia le decía, burlona:

—¿Te gustó el agüita, san José?

Y de pronto, comprendió. Claro, el vaso de agua. Hacía como una hora.

Se asustó, pero no quiso demostrarlo, y le sonrió a la hija de puta aquella para que se fuera. Y se fue. A la cocina, a preparar sandwiches. Entonces, ya muy poco lúcido, se decidió a buscar ayuda. En el sofá, bastante cerca, había una chica morena, con pinta de normal.

—Oye...

Ella volvió la cabeza. En medio del jaleo de la conversación, no sabía quién le llamaba. Una conversación que a Jose le aturdía, como si estuviera dentro de una jaula de papagayos enloquecidos. Repitió la llamada. La vio llegar hasta él como si caminara flotando, enormemente luminosa.

—¿Qué?

—Oye... que no se enteren los otros.

—¿De qué? ¿Qué pasa?

—Busca mi cazadora... Es marrón. De cuero marrón.

Le costaba trabajo hablar, y tenía la sensación de hacerlo muy lentamente.

—No sé dónde la habrán puesto... Di que vas a coger tabaco, o cualquier cosa.

—¿Para qué?

—En la chaqueta está mi agenda, y en la primera página, el número de mi casa. Llama a mi padre.

—¿Que llame a tu padre? ¿Qué te pasa, te encuentras mal?

Él le explicó, ella entendió, y movió la cabeza con desaprobación. ¡Las había salvajes, vamos...! Pero no pensaba llamar a nadie, no, no, menudo lío. Lo que iba a hacer era sacarle de allí. Iba a buscar sus cosas y las llaves del coche, y le acompañaría a su casa, eso sí.

Se alejó. Jose suspiró y decidió que había llegado el momento de dejarse llevar.

Se dedicó a escuchar perezosamente la música. Le parecía que tenía una calidad muy diferente a la que él solía percibir, como si de pronto fuera capaz de considerar separadamente el sonido de cada uno de los instrumentos, y de la voz humana. Como si él participase de la misma esencia de la música. Como si él FUERA la música. Era genial. Genial.

Luego descubrió algo enormemente luminoso, que oscilaba sobre su cabeza, algo contra lo cual se estrellaban, descomponiéndose, todos los colores del espectro. Comprendió que se trataba de la bombilla de una lámpara, pero le transmitía una sensación de belleza desconocida hasta entonces. Desconocida y grandiosa. Grandiosa.

Cuando parecía hacer años, siglos, que se deleitaba en aquella contemplación, cuando parecía haberse convertido en un ser magnífico y desconocido, un ser superior, las cosas empezaron a cambiar.

Empezó notando escalofríos y náuseas, las palmas de las manos se le humedecieron, y su respiración se hizo irregular.

Y de pronto, el infierno.

De pronto, lo entendió al fin todo: no había mundo, no había nada, y él estaba solo, rodeado por unos seres gelatinosos que le odiaban. Para siempre.

Y también pasaron años y años así.

Fue horrible.

Horrible.

Inhumano.

Alguien se agachó a su lado. Alguien con una mata de cabello negro que adquiría proporciones extrañas, como si fuera lo único importante de su naturaleza. Era una cabellera brillante, luminiscente, viva. Le produjo tal horror, que se acurrucó contra la pared para protegerse de ella, y el extraño ser empezó a decirle palabras inconexas:

—... ir de aquí..., mal rollo..., te asustes..., nada...

Otros le rodearon también. Se inclinaban hacia él y le observaban con una odiosa curiosidad.

Se sintió como un cobaya al que le quisieran hacer algo abominable.

Y empezó a gritar, despavorido, y a arrastrarse por el suelo, tratando de huir de ellos. Intentaron sujetarle, y hacerle callar, y su temor, su inmenso, espantoso terror, no hizo sino aumentar.

Gritaba, empapado en sudor.

Aquella monstruosa visión de caras, de miles de ojos hostiles, acabó por desaparecer, para dejar paso a una confusa impresión de horror y de muerte, mezclada con colores, formas geométricas, y millares de puntos luminosos que se movían. Hasta que él mismo se convirtió en sus ojos, que se cerraban sin conseguir librarse de aquella luz que los cegaba.

Muy confusamente, tenía la impresión de haberse intentado arrojar al vacío.

Luego, ya sólo recordaba una mano amistosa que poco a poco volvía a unirle al mundo exterior.

Su terror fue desapareciendo lentamente.

Abrió los ojos. Aún no podía distinguir los objetos con claridad. Trató de hablar, pero aquella misma mano le tapó la boca, sin rudeza. No supo cómo ni cuándo había ido, o le habían llevado, pero estaba en su casa, y ya en un susurro, seguía balbuceando «papá»... «papá»..., lo mismo que había estado gritando todo el tiempo bajo los efectos del ácido, desde que aquella sensación esplendorosa de haberse liberado de cualquier ligamento, atadura o mordaza, se convirtiera en el vértigo insoportable de no tener asidero alguno ante el abismo... Papá...

Conserva un recuerdo espantoso de aquella experiencia, en la que lo peor había sido la vergüenza de no ser responsable de sus actos, aquel desnudarse interiormente, desnudar sus más íntimos temores y sentimientos, como un pobre ser desvalido. Algo así como vomitar en público.

Lo mismo que aquella noche.

En menos espectacular, pero le han hecho lo mismo, obligarle a bailar al son que han querido.

A él y a Rafa.

Porque Rafa no es así, él le conoce mejor que nadie. Rafa es su amigo, y aquella noche se ha dejado engatusar por aquel..., por aquel *infiltrao*. Por eso le ha vuelto la espalda, por eso le ha tratado como a un perro.

Y Cris. ¿No va a conocer él a Cris, que es su prima hermana? También a ella le han comido el..., la han sugestionado.

¡Y a Chus, caramba, a Chus! Si había que ver lo correcto que era el chico siempre, las ganas que tenía de agradar, lo bien que sabía mantenerse en su sitio. Aquella noche, en cambio, hasta se le ha erigido en juez, ¡será posible...! No, ese no es el Chus de todos los días.

Ni la misma Laura.

Ni Mari Ángeles, pobrecita, que todos saben que bebe los vientos por él, y aquella noche no parecía sino que aquel..., aquel rojo de mierda —porque eso es lo que es «aunque ya no quieran decir nada las derechas y las izquierdas», y siempre querrán decir algo, querrán decir que también tú eres un rojo de mierda— la hubiera hipnotizado.

De Juan no hay ni que hablar, Juan es un maricón —¿no lo había dicho Jose siempre?—. ¡Hasta él mismo lo ha admitido aquella noche, sin el menor pudor, cuando les dio a todos por sincerarse y por sacar a relucir los trapos sucios de cada uno! Es un maricón, loco por el otro, y el otro le decía, como la cosa más natural del mundo que eso no cambiaría su amistad que, simplemente —¡simplemente!— a él sólo le gustaban las chicas, pero que Juan no debería darle tanta importancia a su condición de homosexual, como si fuera una lacra. ¡Como si fuera una lacra! ¿Qué es, entonces?

«... estos hombres, los más miserables entre los miserables, blasfeman contra el Cielo, y en su locura dicen que no hay que hacer lo que a Dios le place, sino lo que le es desagradable. Y no os dejéis engañar por su apariencia encantadora, ni por sus buenas palabras, ni por sus protestas de buena voluntad, que no son sino engaños, trampas, artimañas, para mejor os condenar, y temedlos más, cuanto más os atraigan, y más hermosas y justas os parezcan sus promesas, que así, así, es como se pierden las almas...».

Rojo. Rojo de mierda.

Ahí está, en medio de todos ellos, como si fuera uno más, de toda la vida, haciéndole a él de menos, haciéndole que sienta que es un mierda. Cuando no lo es. No lo es, no lo es... No lo es.

Ese hijo de puta se lo ha hecho sentir desde que se permitió presentarse allí, con aires de juez él también, y de juez que perdona, por si fuera poco, ¡no te...!

Menos mal que ya se está acabando aquella patochada. Ahora, a tomarse el cafelito, a darse muchos abrazos, feliz año y adiós. Como en definitiva, Juan no es de la pandilla, no hay tampoco por qué volver a ver al otro. Sin contar con que apenas quedan unos días de vacaciones y, de aquí al verano, no va a haber llovido ni nada... Mejor así, amistosamente, sin follones, ya ha habido demasiados follones.

Pero, no.

A Cris se le tenía que ocurrir aquella idiotez.

De separarse, nada. ¿Cómo iban a separarse precisamente entonces? ¿Quién tenía sueño, además? ¿Quién quería dormir? Lo que había que hacer era abrir solemnemente aquella puerta, que daba al jardín de un planeta nuevo, y pisar la nueva tierra todos juntos. ¿Qué mejor manera de empezar el día de Año Nuevo, el verdadero Año Nuevo? Luego, irían a darse una ducha bien caliente, a cambiarse para ponerse algo cómodo y, al cabo de una hora, se reunirían allí mismo, para enfrentarse juntos a esa vida cotidiana que le preocupaba a Juan. La vida cotidiana de los «hombres nuevos», en el «planeta nuevo». Ja.

Por supuesto, la idea es acogida con gran entusiasmo, y aprobada por unanimidad. Jose está a punto de protestar, pero, ¿de qué serviría? De que le excluyeran, simplemente. De que le excluyeran una vez más. Su silencio se interpreta como aprobación, y ¡hala!, a seguir haciendo el imbécil.

Deciden que la puerta tiene que abrirla la más joven que, además, se va a quedar allí de guardia, porque no quiere desvelar aún que está en el pueblo.

Y hasta se lo toman en serio. Expectantes, como si de verdad fueran a ver algo raro allá afuera.

Lo terrible es que cuando la puerta se abre al fin, tensas y como iluminadas las facciones de Mari Ángeles, sonriente el extraño, el de fuera, como un rey que está más acostumbrado a las grandes ceremonias, excitados y anhelantes los demás, Jose no puede evitar una feroz punzada de envidia, un sentimiento de espantosa soledad, y una nostalgia, que le subleva definitivamente, de aquellos momentos mágicos en que, de verdad, se sintió uno con todos.

Porque él no ve nada, pero los otros, sí.

Para él, lo que hay delante es el jardín de siempre, el pueblo de siempre, el mundo de siempre. Y en cambio, en los ojos maravillados de los otros, advierte cómo se refleja, efectivamente, un mundo nuevo.

20

Jose y Cris ya se alejan camino de los chalés gemelos. Laura salta la tapia para pasar a su casa, seguida por Chus, que luego cogerá la moto, y bajará hasta la suya, para eso que han dicho, darse una ducha rápida, cambiarse y volver. Juan y Rafa se van a llevar a Miguel, para que también pueda asearse un poco en la casona, o para que les acompañe, simplemente. Mari Ángeles comprende que le queda poco tiempo y se lanza:

—Miguel...

—¿Sí...?

—Tú no te puedes cambiar, ¿no?

—Ni casi duchar, no creas. Con este yeso...

—Pues entonces, ¿por qué no te quedas conmigo, y así no estoy sola todo este rato?

Juan la mira, un poco como preguntándose si lo que está sospechando será verdad. Y a saber si se contesta que sí o que no, el caso es que contribuye a llevarse en seguida a su hermano, y a dejarlos allí, en paz. Desde la carretera, a mitad de camino hacia su casa, Jose se vuelve un momento, y gira del todo sobre sí mismo, deteniéndose, extrañado de que la puerta del garaje empiece a cerrarse sobre esos dos, pero Cris se lo lleva, colgándosele de un brazo, camino abajo.

—¿No te importa, de verdad? —se disculpa Mari Ángeles, cuando cierran definitivamente la puerta tras de sí.

—No, mujer, al contrario... Me encantará charlar contigo.

—¿Sí?

—Sí.

—¿Por qué?

—Bueno..., ¡vaya una pregunta...!, pues porque sí. Porque... me intrigas un poco, me interesas, ¿te sirve eso?

Mari Ángeles sonríe, traviesa.

—Cualquiera hubiera dicho que te intrigaba Cris.

Y al oírse decirlo, se pone roja, y se queda muda un rato.

—Tu prima es un poco..., absorbente, ¿no? —comenta él para romper la pausa, sentándose sobre las ruedas de automóvil.

—No es mi prima, es prima de Jose.

—Ah. Oí que era prima de alguien...

—Será absorbente, pero tú has estado bailando con ella todo el rato.

Miguel sonríe, y le tira una bolita de papel, que ella esquiva.

—Es difícil dejarla con la palabra en la boca, ¿sabes?

—Claro, ¡no para! Siempre hace igual, le gusta acaparar a la gente... ¿A que te ha largado el número de la violación?

—Sí.

—¡Toma, no, menudo chollo!

—¡Hombre, no diría yo tanto! —se ríe él.

—¡Que sí! ¿Tú sabes el partido que le saca? En cuanto pilla a alguien nuevo, ¡zas! A los demás ya nos tiene podridos con lo de «yo quiero olvidarlo y no me dejan. ¡Por favor, no me habléis más de ello, por favor...!». ¡Madre mía, si le llegan a hablar!

Miguel vuelve a reír, mirando a la pequeña con interés.

—¿Vives aquí todo el año? —pregunta por fin.

—No. Sólo vengo en vacaciones.

—¿Por qué no me das tu teléfono, y te llamo en Madrid, y nos vemos y eso?

Mari Ángeles se siente gratamente, muy gratamente sorprendida. Es la primera vez que un chico mayor le sugiere, como la cosa más natural, algo semejante.

—Pues me gustaría, pero...

—¿Qué pasa, no te dejan?

—Es que estoy interna.

—Bueno, saldrás los fines de semana.

—Sí, pero en Irlanda.

—Vaya —vuelve a reír él—, me pilla un poco a trasmano.

—Miguel...

—¿Qué?

—¿Me querrías hacer un favor?

—Claro, ¿qué favor?

—¿Quieres hacer el amor conmigo?

Miguel se queda tan estupefacto, que ella se retracta, nerviosa, y un poco aburrida, un poco harta.

—No he dicho nada.

—Sí lo has dicho.

—Bueno, pues no tiene importancia.

—¿Que no tiene importancia?

—Quiero decir que lo siento, que no quería ofenderte, ni herir tu sensibilidad... Olvídalo, por favor—termina encogiéndose de hombros, y haciendo un esfuerzo por echarlo a broma.

Y él se vuelve a reír, cálida, cálidamente.

—Vamos a ver... Es la primera vez, supongo, ¿o no?

Ella asiente, sin mirarle.

—Y no es por lo del planeta este que vamos a estrenar—sigue él—, porque te advierto que en todos los planetas hay vírgenes.

Ella chasca la lengua, deseosa de descartar el tema.

—No es eso, déjalo.

—Es que quieres cambiar de una vez, ser una mujer... Y esa puede ser una manera, ¿no?

—Algo así.

—¿Tiene que ver con que se haya muerto tu padre?

—Puede. Pero no es que quiera sustituirle. Ya lo he pensado, no te creas. Y no es eso. Es... lo que has dicho antes.

—Gracias.

Ahora, ella le mira asombrada.

—¿Por...?

—Pues... por elegirme a mí.

Mari Ángeles disimula una sonrisa. ¡Si él supiera...!

—Te aseguro que no tiene ninguna importancia —insiste, muy seria.

—Y yo te aseguro que sí. Me encantaría... hacerte ese favor, Ángeles. Pero no ahora, aquí, de mala manera. Es demasiado bonito para no darle la solemnidad que merece... Aún faltarán unos días para que vuelvas a Inglaterra, ¿no?

—Irlanda. Sí.

—Entonces, un día de estos... Si quieres esperar, claro —termina, bromeando otra vez.

—¡Lo que yo quiera! —se burla de sí misma Mari Ángeles—. Mi madre se pasa la vida diciéndome eso de «hija, yo no te voy a coartar, tú eres libre, tú puedes hacer con tu vida lo que creas mejor, pero, por favor, sé sensata, no hagas tonterías, no vayas por ahí, acostándote con unos y con otros...».

—Pues tiene razón. Ya te digo que es demasiado bonito para...

—¡Si yo no digo que no tenga razón! —interrumpe la pequeña—. ¡Lo que no sé es por qué se imagina ella que es tan fácil acostarse con unos y con otros!

Miguel se vuelve a morir de risa, y Mari Ángeles recoge la bolita del suelo, y se la arroja, furibunda, y él la atrapa de un brazo, al vuelo, y al tocarse, algo pasa, algo pasa, como eléctrico, y se quedan mirándose fijamente el uno al otro, terriblemente serios de pronto, y Mari Ángeles se deja abrazar, y besa a Miguel como nunca se imaginó, ni en sus más osados sueños, que pudiera besar a nadie. Aunque, en realidad, no sabe. No, no sabe besar, como Laura, como Cris. No sabe, pero no importa.

Y no llega a aprender porque, segundos después, Jose, con un troco viejo del jardín, echa la puerta abajo, gritando como un loco al verlos enlazados.

—¡Hijo de puta! ¡Si no se os puede dar confianzas!

Cris, que ha vuelto tras él, ahogándose por la carrera, intenta impedir lo que va a pasar, metiéndose por medio.

—¿A quién? —pregunta, sin aliento—. ¿Qué dices, Jose? ¿Ya estamos con los plurales...? ¿A quién?

Jose la aparta de un tirón, arrojándola contra la barra, en la que tintinean todos los cacharros, y Cris se alarma de veras, porque es la primera vez que Jose ejerce una violencia sobre ella.

Intenta volver a la carga, pero Miguel, que se ha puesto en pie, y espera, muy asustado, se lo impide.

—¡Quieta, Cris! ¡Éste es un loco, quieta!

—¡Jose, por favor, estás borracho...! ¿Qué te importa a ti la enana? Si nunca le has hecho caso...

Jose ya no parece un ser humano, sino una máquina que echa chispas, una máquina sobre la que ya no hay control.

—¡Te voy a machacar! —anuncia, mordiendo las palabras.

Cris vuelve a intentar detenerle, y Jose vuelve a quitársela de encima de un empujón, que ahora consigue dislocarle una muñeca y despellejarle las rodillas contra el suelo.

Cuando al fin va a lanzarse sobre Miguel con toda su fuerza, alcanza a sujetarle Juan, que llega también corriendo, seguido por su hermano.

Forcejean.

Jose es más fuerte que Juan, mucho más. Lo zarandea, furioso, las gafas de Juan saltan por el aire, y Jose las pisa, al intentar de nuevo lanzarse hacia Miguel, que le está esperando, quieto, en tensión, aterrado.

Y al ver el amasijo de oro y cristal, como una joya sacra profanada, Cris grita por primera vez.

Desde el suelo, Juan intenta incorporarse y sujeta a Jose por una pierna, pero él se libera de una patada y corre a apoderarse de unas enormes tijeras de podar que cuelgan de la pared. Con ellas en la mano, se vuelve, triunfante, hacia los demás.

—¡A ver quién es el guapo que me sujeta ahora!

Desde la derribada puerta, Rafa avanza hacia él, tranquilo, hasta sonriente, como el amo de un perro que los demás creen rabioso.

—Yo, —dice, muy firme—, en este cotarro, el guapo soy yo mientras no se demuestre lo contrario, y ahora mismo me vas a dar...

Pero algo que, aparentemente, sólo él puede ver, lo detiene y lo paraliza, como con una infinita sorpresa.

Jose ha abierto las tijeras, y las dos cuchillas, afiladas, puntiagudas, amenazan a su amigo de frente.

—Quita... Quita, Rafa, por favor... —le suplica con voz ronca—. Quita, o...

—Cuidado, Rafa —advierte Juan, desde el suelo—, está loco...

Pero Rafa no parece oír a nadie. Mira fijamente las cuchillas, mientras, en la pared, descubre la enorme sombra negra que el cuerpo agazapado y tenso forma con ellas. Parece hipnotizado.

En ese instante, Miguel intenta un movimiento, ganar un terreno menos peligroso donde pueda defenderse, pero Jose se da cuenta, y salta hacia él. Es cuando Rafa se interpone entre los dos, con los brazos en alto como...

... Sí, como un torero fino que hiciera un desplante al toro.

Las dos cuchillas lo ensartan, levantándolo por el aire, en el mismo momento en que Laura aparece en el marco de la puerta y, cayendo pesadamente de rodillas, con los brazos abiertos, lanza un grito animal, que parece brotar de lo más hondo de sus entrañas o de lo más profundo de los tiempos.

21

Corriendo el año de gracia de 1965, en Madrid, en primavera, y a la hora cálida y dorada del mediodía, nacía, bajo el signo de Piscis, María Isabel Alsina Martínez, quinta hija de un feliz matrimonio tradicional y burgués, que hubiera deseado un varón, como en las cuatro felices expectativas anteriores, pero que acogió, sin embargo, con toda ternura a Maribel.

Para compensar a sus padres de esta última desilusión respecto a su posible descendencia masculina, o quizá para compensarse a sí misma respecto a un posible *handicap* fruto de la misma: Maribel fue la más bonita entre todas las hijas del matrimonio que, por cierto, probó suerte una sexta vez y, en vista del resultado, inexorablemente igual a las veces anteriores, lo dejó estar.

Maribel Alsina era muy, muy bonita. Piel blanca y satinada, cabellos brillantes, lisos, y negros como ala de cuervo, ojos pequeños, expresivos, soñadores, y muy azules. Una muñequita de cuento. Una muñequita mimosa, cariñosa, cuya dulce mirada, bajo las negras cejas bien dibujadas, tras las espesas y tupidas pestañas, mirada coqueta y traviesa al mismo tiempo, tenía conquistados a sus padres, tíos, abuelos y maestros, como nunca consiguieron conquistarlos ni sus cuatro hermanas mayores, ni su hermana menor.

Ellas tampoco se tenían conquistadas entre sí. Quiere decirse que las cuatro hermanas mayores, aunque no se llevasen especialmente mal unas con otras, exceptuando los roces y riñas, habituales e inevitables, entre mujeres que conviven y comparten, odiaban cordialmente a Maribel. La hermana menor, que no tenía nada especial que reprocharles a sus otras hermanas mayores, también odiaba cordialmente a Maribel. Pero a Maribel, espíritu soñador y pragmático, la traía absolutamente al pairo que sus hermanas, mayores y menor, la odiaran o no, porque ella no las necesitaba para nada y, por ende, no iba a tomarse la molestia de ser encantadora con ellas sólo con fines altruistas.

Esto no creaba problemas familiares porque, frente al mundo adulto, las seis adoptaban una actitud frecuente entre niños y jóvenes. Se cerraban en banda y mentían. Sin mentir, simplemente no dando explicaciones. Y ello, porque si alguna vez, una de las cinco Alsina restantes había iniciado, sugerido apenas, intentado esbozar, la más mínima crítica respecto a Maribel, se había encontrado frente a un muro de sorpresa y desagrado por parte de sus mayores, que la había hecho desistir.

La explicación que se daban los mayores era evidente: Maribel era tan bonita, tan encantadora que, claro, despertaba envidias en todas partes, incluso entre sus propias hermanas, máxime entre sus propias hermanas, donde el espíritu de rivalidad y competición se manifestaba con más virulencia. Era natural. No había que fomentarlo, ni siquiera permitirlo, pero tampoco darle demasiada importancia, era natural. Y como ella no protestaba, como ella era tan angelical, tan buena... sin dejar de ser una niña vivaz y simpática, que todo hay que decirlo, pues...

Maribel Alsina fue una perfecta hija de puta desde el mismo momento en que nació, condición que más tarde, con el tiempo y el debido perfeccionamiento, fue yendo a más. Sin estridencias, pausada y dulcemente.

No se trataba exactamente de que fuera mala. Ella no cometía ninguna maldad, por lo menos por gusto. Y además no se sentía, no se sabía mala. ¿Cómo podía ella ser mala? Ella era el punto de referencia, el patrón tipo. Ella era ella, y lo demás tenía muy poca importancia. A menos, naturalmente, que girase a su alrededor, en cuyo caso, y en ocasiones o circunstancias muy, muy especiales, podía incluso llegar a ser casi tan importante como ella. Casi, pero nunca igual.

Maribel era un ser vanidoso y egocéntrico, con la inteligencia justa para moverse con soltura en su entorno, y para resultar adorable a todo aquel que no la conociese bien. Y casi nadie llegaba a conocerla bien.

Su infancia se desarrolló plácidamente en el piso familiar de la calle Hermosilla, esquina a Castellana, con mirador en la fachada y chimenea en el salón.

Ella misma tenía mirador en la fachada y chimenea en el salón.

La vida, para Maribel, consistía en obtener unas comodidades, que la posición desahogada de su familia no le negaba, y en satisfacer, con el mínimo esfuerzo, todos sus inmediatos deseos. Nunca se planteó nada más, ni pensó, por lo más remoto, que pudiese haber nada más.

Practicaba la religión católica por tradición familiar y, tanto en casa, como en el colegio de las madres irlandesas, tenía fama de recogida y devota, porque era modosa, bien educada, y mostraba, en misa, un aire de recogimiento muy edificante. En su fuero interno, sus relaciones con Dios eran del mismo corte que sus relaciones con los seres humanos de a pie, transacciones. Le hacía promesas para conseguir favores y, cuando dejaba de cumplirlas, lo que le ocurría con harta frecuencia, se sentía exonerada de culpa con una palabra amable y una sonrisa, como hija predilecta que indudablemente tenía que ser para él, como lo era entre su familia. Hasta que, en la adolescencia, dejó de necesitar a Dios para menesteres corrientes y, como no lo necesitaba para nada más, dejó automáticamente de creer en Él. Cosa que, naturalmente, por innecesaria y quién sabe si perjudicial para su imagen, no le contó a nadie.

Bueno, a nadie no. No sería exacto. Maribel tenía amigas. Esporádicas, eso sí. Amigas que pasaban por su vida unos meses, un año, casi nunca más, y que le servían de espejo y de azafatas. Le era fácil provocar adoración, y lo practicaba siempre que le resultase necesario. Nunca más de lo necesario, justo es reconocerlo. Por ese procedimiento esclavizaba —el verbo es el más aproximado— ora a una compañera de colegio, ora a una vecinita de la casa o del lugar eventual de vacaciones, ora, incluso, a alguna de sus hermanas que, odiándola y todo, no podían resistirse a la tentación de ser elegidas por ella, en perjuicio de todas las demás, y caían, tarde o temprano, ante el hábil tratamiento de hoy te hablo, mañana no, hoy te sonrío y te adulo, mañana te pongo cara de perro y no te contesto. Por conseguir una sonrisa suya, su complicidad, su favor en fin, eran capaces de las mayores bajezas, aunque éstas no les aportasen más que un estado de gracia temporal en el que Maribel las mantenía por turno, mientras las considerase necesarias a cualquier interés suyo.

Sus relaciones sociales se establecieron siempre así hasta que en su vida, aparecieron los chicos.

Los chicos. En casa no los había, lo que les confería un aura de seres superiores —y necesarios— de bastante consideración. En la vida de cualquier chica, los chicos, un día u otro, aparecen como, o se transforman en, presa codiciable. En la vida de Maribel Alsina, aparecieron muy pronto, por aquello de tener hermanas mayores.

Y fueron la culminación de una larga espera, la revelación.

Ahí estaba, al fin, el porqué de unos desvelos familiares, de una preparación, de un desarrollo, de un cuidadoso aprendizaje. Ahí estaba el juguete perfecto, premio final y meta de una existencia.

Los chicos en plural, como deporte previo, entretenimiento sumo, y ejercicio útil, para afilar las uñas en busca del chico en singular, en busca de «él», aquél junto a quien ocupar el pódium supremo de la vida.

Maribel Alsina empezó a cazar entre los once y doce años.

Se trataba, al principio, de ejercicios sencillos, casi juegos, en los que ir adquiriendo pulso, nada importante. Nada importante para ella, al menos. A la salida del colegio común, y en seguida en casa, como se debía en una familia seria de costumbres serias, fueron desfilando amigos y pretendientes de sus hermanas. Y como Maribel gozaba, junto a su belleza inquietante, de un aspecto terriblemente infantil éste le brindaba una especie de patente de corso ante posibles reacciones celosas por parte de las interesadas, o rechazos conscientes por parte de los interesados, y le permitía ejercitar miradas cálidas y sugerentes, hábil y rápidamente desviadas en el momento justo, humedecer inocentemente sus labios gordezuelos mientras escuchaba atentísimamente una conversación, y hasta, de cuando en cuando, si había ya mucha confianza, sentarse sobre algún par de rodillas paternalistas y acogedoras. Y observar.

Los conejos de Indias no siempre sabían que eran observados. Es decir, saberlo no lo sabían nunca, pero no siempre se daban cuenta de que pudiera haber en ellos nada que observar, no registraban las consecuencias, o los datos reveladores, o las reacciones traidoras, o las instantáneas debilidades, fruto de los experimentos de Maribel. A veces, en raras y contadas ocasiones, sí. Las registraban y se sentían terriblemente incómodos y descontentos de sí mismos, como abyectos pervertidos ante la inocencia de una niña pequeña, adorable, ajena por completo a su lamentable condición de machos en celo.

Naturalmente, todo esto sucedía en un plano puramente especulativo y absolutamente tácito. Pero, como toda energía, que como bien es sabido no desaparece sino que se transforma, ésta se transformaba a veces en conflictos. Que podían quedarse en mera disputa entre hermanas, provocada por soterrado estado de nervios cuya motivación no estaba clara, podía llegar a violento altercado entre novios, sin que ninguno de los dos supiera la causa, o alcanzar a veces la bronca familiar, las profundas desavenencias entre madre e hijas, entre padre e hijas, y embrollarse hasta convertirse en discusiones entre padre y madre, sin que en ninguno de los diversos casos se viera jamás mezclada Maribel. Lo cierto es que en aquella casa había tensión, desequilibrio, hostilidad latente, malestar.

Aunque sólo en una ocasión se alcanzaran cotas que podrían calificarse de graves.

Como empezó a suceder con frecuencia en la época, una de las niñas mayores trajo un buen día a casa a un novio socialista. Al padre le pareció bien, hay que abrirse, caramba, a nadie hay que negarle *a priori* el pan y la sal, ¿no?, además, la niña tenía su formación y sus principios y esos no se los quitaba nadie. A la madre le pareció menos bien, porque era un poco pronto, porque todavía no estaba uno muy acostumbrado a estas cosas, aunque, en fin, los tiempos cambian, y allá cada una con su futuro, chico, que bastante hemos hecho por ellas. El muchacho era agraciado, amable, y en seguida cayó bien en el entorno familiar. Y muy pronto, otra de las niñas mayores trajo a casa a un novio que militaba en la extrema derecha. Eso cayó peor, porque los extremos no son buenos para nada, y una cosa es una cosa, y otra cosa es otra cosa. Pero el muchacho también era agraciado y amable, y en seguida dejó de militar donde militaba para militar en la derecha a secas, lo cual, si bien suponía dar un salto cuántico en su manera de pensar y de vivir, también le otorgaba carta decente de naturaleza para ir por la vida. Ambos muchachos eran civilizados, estaban llenos de buena fe. Ambos estaban enamorados de sus novias. Y ambos eran los novios de las hermanas de Maribel Alsina.

Y Maribel Alsina jugó con ellos a las peleas de gallos hasta que salieron de la casa y de las vidas de todos ellos para nunca más volver.

Oficialmente, el motivo de la brutal discordia que había separado al amigo del amigo, a los novios de las novias, había sido la política, y así lo aceptó todo el mundo, alguna con gran dolor en el corazón, pero había una niña de doce años, dulce y bonita, que sabía cuánto se había entretenido durante todo aquel tiempo, y lo que le había costado irlos lanzando, día a día, el uno contra el otro, al sólo influjo de su atractivo, ejercido hoy aquí, mañana allí, con aire de hermanita que admira y escucha.

Maribel no estaba especialmente orgullosa de su poder, ni se extrañaba demasiado de que nadie fuera capaz de detectarlo, ni de reconocerlo. Suponía que ese juego lo jugaba todo el mundo, y que ella tenía más dotes y era más hábil, simplemente.

Fue pasando el tiempo, y los chicos empezaron a revolotear por la casa abiertamente por Maribel, los pretendientes ya eran propios. El juego no se hizo mucho más honrado, pero sí más directo y, por lo tanto, más comprometido. También estaba Maribel mucho más preparada. En primer lugar, por su madre, que quería hijas decentes, pero no ignorantes, y en segundo lugar, por el largo aprendizaje previo. Al principio fue aquello de «salir en grupo», y de ser ella, faltaría más, el centro de atención y la reina del festejo. Éste quiero, éste no quiero, y no me quedo de momento con ninguno, porque soy muy joven, porque tengo toda la vida por delante y primero son mis estudios, mira.

En realidad, a Maribel le importaban un rábano sus estudios en lo que pudieran tener de alimento interior, de perfeccionamiento humano, pero los sabía importantes para su condición social, para su carné de baile, y los cuidaba. Hasta no hacía mucho, en tiempos de su madre mismo, una chica podía ser perfectamente inculta, siempre que fuera guapa, y buena esposa y buena madre en potencia, pero ahora ya, francamente, no. Ahora se llevaban otras actitudes. Y Maribel cuidaba sus estudios como cuidaba sus faldas de «Lasserre», sus bolsos de «Loewe», sus zapatos de «Bravo», y su sombra de ojos de «Lancaster». Mientras preparaba COU en un Instituto acreditado, por el que ya habían pasado sus hermanas..., pero las irlandesas no dan COU, fíjate qué faena, las niñas toda la vida acostumbradas al tran-tran del colegio y ahora... Claro que es un escalón que está bien, está bien para no darse de morros, de buenas a primeras, con el ambiente de la Universidad, que ya se sabe, pero... Maribel absorbió, adoptó, conquistó, colonizó, a una nueva amiga llamada Cayetana Quirós, que tenía un año menos que ella, y siglos de diferencia en cuanto a malicia, doblez, o cortedad de miras disfrazada de encanto. Encanto sí que tenía Cayetana Quirós. También era guapa, también era morena, aunque no tenía los ojos azules, no, eso, no. Era casi como, pero no llegaba a, lo cual la hizo en seguida infinitamente cómoda para Maribel, camarera presentable, brillante guardia de corps, que nunca le haría sombra. Lo único que le fastidiaba un poco era que se llamase Cayetana, nombre demasiado sonoro y rotundo, al lado del suyo, tan de andar por casa, tan blandito. Pero lo arregló a su gusto fácilmente. Nunca llamó a su amiga más que por el diminutivo de Tana, no empleado al principio más que por ella, pero tan cariñosa, tan coqueta, tan mimosa y dulcemente, que era imposible prohibírselo, hasta que fue ganando adeptos y nadie la llamó de otro modo en el círculo de los amigos en que se movían las dos. Ella, en cambio, decidió llamarse en adelante, María. Sólo María.

Y todo siguió marchando con la misma placidez mientras Cayetana y Maribel se hacían más y más íntimas, hasta el día en que, después de que María hubiese llevado a Tana a su casa, a conocer a su familia, Tana hizo lo propio con María.

Porque ese día, María conoció a Miguel, y Miguel se convirtió en su infierno.

Cualquiera hubiera explicado el estado de trance en que cayó desde entonces, diciendo simplemente que la niña se había enamorado. Para entenderse hay que englobar, todos somos conscientes de ello, y hay por ahí unos cuantos verbos en cada idioma que, colocados aquí y allá con mejor o peor fortuna, dan una información aproximada de lo que se pretende definir. Todo el mundo, incluso ella, dio por buena la expresión de que María se había enamorado de Miguel, pero en realidad, por lo menos al principio, sus sentimientos no eran ni dulces, ni tiernos, ni románticos, ni pasionales, como dice la fama que el enamoramiento suele ser. Bueno, pasionales sí que lo eran, pero sin relación alguna con la pasión amorosa o sexual. Pasionales en el sentido de febriles, de absorbentes, de obsesionantes. Desde el mismo día en que lo conoció, María no pensó en otra cosa, ni malgastó un átomo de energía física o mental, que no estuviera relacionada con Miguel Quirós. Cualquier conversación la aburría, cualquier compañía la irritaba, cualquier ocupación le parecía inútil y absurda. Si hubiera podido explicar lúcida y fríamente lo que deseaba, habría dicho que ese trofeo le pertenecía por derecho, que lo quería ya, y lo quería para siempre. Pero esas cosas no se dicen. Generalmente, como en este caso, porque ni siquiera se asumen.

La primera impresión no fue desagradable, fue de choque, de choque violento. Aunque, siendo ella, como era, una mujer joven y bonita, parecía lógico que a los diecisiete años, amén de un sinfín de pretendientes que sólo habían servido de coro y de corte, puro ornato para su lustre personal, hubiera habido alguno más favorecido que los otros, y lo había habido, lo cierto era que, hasta entonces, nadie en este mundo podía vanagloriarse con justicia y propiedad de haber despertado en María el menor interés que no fuera utilitario y pasajero. Al conocer a Miguel, se sintió invadida por la cálida sensación, entre el entusiasmo y la fatiga, del viajero que ha llegado por fin a destino. No dudó ni por un momento de que el choque sería mutuo, y de que Miguel se sumaría de inmediato al ramillete de sus admiradores, distinguiéndole ella en seguida entre todos, y elevándole al rango que merecía como digno compañero suyo. Todo sería maravilloso.

Pero no lo fue. Miguel la trató como a la amiguita de su hermana que venía de vez en cuando por casa y, si algo le demostró, fue más bien un punto de antipatía, disfrazado convenientemente por la buena educación y, en ocasiones, por algunas muestras de interés momentáneo, que más que proporcionarle satisfacción alguna, la volvían loca de incertidumbre. Como no podía entender, creyó en una táctica, y respetó la talla del contrincante. ¿Cómo no iba a respetar una táctica que era tan parecida a la suya, que ella solía emplear habitualmente? Hoy te sonrío, mañana, no; hoy te llevo al cine con Cayetana, mañana sin ella, y pasado os digo a las dos que me dejéis en paz, que tengo que estudiar. Cuando la táctica se prolongó durante todo un año escolar, María sufría ya como una condenada.

La chimenea del salón echaba bombas, y los cristales del mirador habían empezado a empañarse.

La niña deslucía a ojos vistas. Cuando se confió a su amiga, primer paso de utilización de intermediario, lo hizo a su modo... Hija, tu hermano qué *pesao*, ¡si no es mi tipo!, si le gusto que me lo diga, pero que no me dé estas latas, que estoy harta de moscones... Y, claro, Tana la tomó al pie de la letra, no cayó en su burda clave, y le arrancó el esparadrapo sin miramientos, creyendo que le arrancaba una incomodidad... ¿Latas? Que no, mujer. ¿Miguel? Qué va... Si es que te trata como a una de nosotras, y siempre es así, un día está de buenas, y al otro no le puedes ni hablar, pero gustarle, ahora le gusta una niña del partido... Que ésa era otra, el partido. De estar enamorado de algo, Miguel parecía más enamorado de la filosofía y de la política que de persona alguna. En vista de lo cual, María empezó a devorar libros que no había leído en su vida, y como primera medida, se apuntó a las Juventudes.

Pero ni por ésas... Miguel cambiaba de chica con cierta frecuencia, pero el turno de María parecía no llegar nunca. Ella no desesperaba, porque no podía desesperar. Primero, era casi imposible que creyera en su propio fracaso, y segundo, ¿qué peregrino cambia de ruta cuando ha llegado a las puertas del santuario?

Estuvo a punto de romper violentamente con Tana por su indelicadeza al suspender el curso porque, claro, María se matriculaba en Filosofía y Letras, que era lo que estudiaba Miguel, y la idiota de Tana repetía, privándola a ella de la compañía útil y el adecuado pretexto de aproximación. Si no rompió del todo su relación con ella fue porque, al fin y al cabo, seguía siendo la hermana del elegido, vivía en la misma casa, y aunque pocos frutos se habían sacado de ello, menos se sacarían cortando.

Ya en la Facultad, las cosas se empezaron a complicar definitivamente, pero, por lo menos, cobraron virulencia y vida.

Miguel tenía un compañero, su amigo del alma, su inseparable, diferente a él en casi todo. Se llamaba Juan Gabriel Alvar, y era de muy buena familia. También los Quirós eran una buena familia, nadie lo ponía en duda, pero revoltosillos, intelectuales, catedráticos y escritores, gente de esa que de pronto tienen salidas de pata de banco que le pueden complicar a uno la existencia. Estaban bien de dinero, eso sí, y la buena posición siempre unifica un poco, pero... Pero, pero, pero.

Hay que puntualizar que, para aquel entonces, María se había borrado de las Juventudes de un partido al que se había afiliado del mismo modo en que se habría unido a la Mafia, al Opus, al Peso Ideal, o a los Testigos de Jehová. Supo un día que Miguel se había borrado porque se sentía independiente, y ella se independizó a su vez *ipso facto*, olvidando la experiencia, como había olvidado qué vestido, o qué otro, se había puesto tal día para gustarle.

Juan Alvar había empezado a demostrarle interés. Era atractivo. De otra manera, pero también mucho. Vestía muy bien, hablaba muy bien, era inteligente, educado, y sabía mandar unas flores o una caja de bombones, cosa que ya no se veía por el mundo, y tenía un «R-5 Turbo», nuevo, y no un «Seiscientos» viejo y costroso de sabe Dios qué mano. Y como decía su madre... Hija, piénsatelo, este chico te corteja como hay que cortejar a una mujer, con discreción y buen gusto, con detalles, y el otro, desengáñate, Maribel, mi vida, el otro está jugando contigo, porque está convencido de que te tiene cuando quiera, y además no va en serio, siempre con unas y con otras, y si un día te llama es para tenerte en vilo y nada más, es el perro del hortelano, hija...

El perro del hortelano, sí. Pero ya estaba bien. Ya estaba bien. Le iba ella a enseñar al perro del hortelano... Ahora ya sabía lo que tenía que hacer. Le habían fallado todas las estrategias, pero ella no se quedaba sin ganar la última baza. Se dejó acompañar, se dejó invitar, se dejó agasajar, y se dejó conquistar por Juan Alvar, y un buen día se convirtió en su novia formal.

Como Maribel Alsina no era una persona honrada, con quien menos lo era era consigo misma. Ella se quería mucho, quería, pues, gustarse, y para gustarse tenía que repartirse siempre un papel agradecido. Cuando empezó a representar el de novia formal de Juan Alvar, lo creyó a pies juntillas, y como a algo tenía que atribuir su deseo de dar en las narices a Miguel, lo atribuía al hecho de «haber estado por él como una tonta, sin darme cuenta de que el verdadero amor estaba allí, tan cerquita, sin que yo lo viera». El verdadero amor la privó del gusto de comunicar personalmente su noviazgo al amigo, o por lo menos, de ser testigo de la comunicación. La primera vez que se vieron, ella y Miguel, después de la oficialización de sus relaciones, fue en la Facultad. Ella cruzaba con unas amigas, él salía con unos amigos, y no hubo más intercambio entre los dos que una sonrisa rara que él se traía desde lejos, y un «Ay, María, María...», como de cachondeo, que le dedicó al pasar, pellizcándole una mejilla casi sin detenerse, todo por lo cual ella le habría partido la cara con gusto. Aquel gesto, entre despreciativo y cariñoso, del que, como mínimo, podía decirse que era difícil de traducir, le recordaba un comentario de Miguel, de tiempo atrás, que la había tenido desasosegada e incómoda. Fue una tarde, en casa de él, de ellos, los Quirós, en que Tana se había ido a la cocina a preparar café, y Miguel había entrado de la calle y se había sentado un rato a fumar un cigarrillo, y habían hablado de cosas, María no se acordaba de qué ni le importaba, y de pronto se había dado cuenta, ella, de que él la estaba mirando con aquella mirada, aquella misma mirada como de cachondeo, y aquella sonrisa, y ella se había cortado en seco, preguntando «¿qué miras?», y él había dicho solamente «te miro a ti», y ella había disimulado una sonrisa de satisfacción, y él había añadido «¿tú sabes que yo te conozco, que sé cómo eres?», y cuando ella iba a contestar, cualquier cosa, porque aunque no había entendido lo que él quería decir, la actitud la había inquietado, cuando iba a contestarle o a preguntarle, había entrado Tana con el café, la muy cretina.

Ay, María, María...

Los primeros meses de su noviazgo con Juan fueron agradables, tirando a sosos. Lo mejor que tenía Juan, como trofeo, era lo codiciado que había sido por las demás, y la gran cantidad de vanagloria que podía obtenerse de la circunstancia. Y luego, bueno, salir con él era agradable, también acostarse con él lo fue, y seguramente, cuando llegara el momento, sería agradable casarse con él. La sensación de vacío, la amargura de un instante que experimentaba a veces, no tenía mayor importancia. Ya se sabe que la felicidad no es un estado permanente. Le fastidiaba que Juan no se mostrara más rendido, más pendiente de ella, como al principio, pero eso parecía ser cosa corriente y normal entre parejas. También le fastidiaba no haber conseguido separar a Juan de Miguel. Con gesto displicente, solía comentarles a sus amigas, entre las que ya no se contaba Tana, que parecían el «Trío Siboney», frase heredada de su madre, que la aplicaba a su propio noviazgo, y a la labor de carabina de una hermana suya... No consigo quitármelo de encima, hijas, qué pegote de niño, qué plasta... Porque salían casi siempre juntos, o los tres, o en parejas, aunque la de Miguel no fuera siempre la misma, o en grupo, al cine, a bailar, a tomar una copa al pub, para charlotear hasta las tantas de cosas de esas, profundas, que les gustaban a ellos, y que aburrían a las ovejas.

Ay, María, María...

Miguel la irritaba, pero ante Juan era intocable, y como María no era enemigo de plantar cara, sino de socavar posiciones, tragaba, sonreía, y procuraba de tanto en cuanto, despacito, ir destilando el venenillo de la discordia... Te quiere epatar, ¿no ves que te quiere epatar...? Todas esas genialidades son para llamar la atención, al precio que sea, para ser el perejil de todas las salsas... Pero, ¿no ves cómo te quita siempre la palabra...? ¡Pessoa! ¿Quién le habló primero de Pessoa, sino tú? ¡Y ahora, si le oyes, parece que él hubiera descubierto...! Bueno, bueno, tú me dices que te has empeñado tú, pero yo sé que es a él a quien se le ha metido en la cabeza venir, el caso es no dejarnos en paz... Es demasiado fácil llenarse la boca hablando de injusticia y soltando demagogias, viviendo como él vive, no te fastidia... Ya, pero tú no hablas... Ya sé que es buena gente, es tu amigo y te quiere, sí yo no digo que no, me consta que te quiere, pero se sabe inferior a ti, y, claro, eso le joroba...

Era como darse contra una piedra, la inmunidad diplomática de Miguel permanecía inalterable, y la irritación que ésta provocaba en ella, crecía como la espuma.

Ay, María, María...

Fue una noche, en el pub, donde esta irritación alcanzó su punto máximo.

María sentía verdadero horror, ese horror de las señoras bien, por toda la mendicidad impúdica que había invadido las calles de Madrid, haciendo la vida social realmente desagradable. Juan le daba dinero a cualquier mendigo que se lo pidiera, y ella le criticaba con aquello de «con eso no haces más que aumentar el problema, la solución no está ahí», a lo que él no hacía ningún caso, como tampoco lo hacía a lo de «¿tan barato quieres comprar tu mala conciencia?». Aunque, en el fondo, ella le agradecía que diera el dinero, porque así se los quitaban más rápidamente de encima. Era muy molesto, muy deprimente, y era verdad que ellos no podían hacer nada, ¿no?

Aquella noche acudían los tres, ¡cómo no, los tres!, a una cita con otro grupo de amigos. Les abordaron tres o cuatro mendigos en el trayecto desde el coche hasta la puerta del pub. Uno de ellos, el último, era casi un crío. Era un tipo ridículo, y en realidad no mendigaba, bueno, no exactamente, «¿tenéis para un *bocata*, colegas?». María suspiró con desagrado, y se apartó mientras Juan rebuscaba en los bolsillos para darle un par de monedas de cien pesetas. Pero Miguel, el muy hijo de puta, el muy hijo de puta, y para molestarla a ella, que eso estaba clarísimo, ¿para qué si no?, se detenía también, le daba una palmada en el brazo al guarro aquel, y le decía, «guárdatelas, al bocadillo te invito yo», como si fuera la cosa más natural del mundo.

Y ante la mirada de sorpresa de los amigos de dentro, y del propio interesado que no sabía muy bien de qué podía ir la cosa, le hacía entrar en el pub, y se lo llevaba a la barra, y charlaba con él, mientras se comían unos bocadillos y se tomaban, él, un vino, y el otro, un café, «porque el alcohol es lo que te puede buscar la ruina, tío, eso y un chute *cortao*». Y a medida que avanzaba la noche, el homúnculo aquel iba tomando confianza y mirando alrededor con cara de curiosidad, y se calentaba alrededor de la estufa, mientras Miguel seguía dándole palique, como un rey teatrero en la ceremonia lavatoria de Viernes Santo, ante la mirada embobada de Juan, del resto de sus amigos, y del mismo pordiosero, o drogadicto, o mierda, o lo que fuese aquello.

María no pudo más y se puso en pie violentamente, tirando de bolso y de chaquetón, y saliendo camino de la puerta, sin fijarse en si Juan la seguía o no. Juan la seguía, naturalmente, Juan era un señor. Y si bien la acompañó a casa, como se debía, no aceptó en modo alguno las críticas acerbas a la conducta de aquel imbécil recoge basuras, que pretendía erigirse en santo, por lo visto, «tú no le entiendes, María, no se trata sólo de hacerse el interesante, que también. Es que él se niega a pasar por la vida como una maleta». Eso dijo aquella noche, y cosas parecidas en lo sucesivo. Porque hubo sucesivo. La cosa no acabó allí, ni mucho menos.

Miguel adoptó al *Barbas*, que era como le llamaron, con gran regocijo del propio interesado, *Barbas*, como si fuera un perro. Lo adoptó y lo llevaba a todas partes, amargándole la vida al prójimo. Bueno, en cualquier caso, a ella. «Le está haciendo más daño que otra cosa, pero él no se da cuenta». Eso comentaba Juan, con expresión preocupada, pero sin hacer maldita la cosa por impedirlo, al contrario, contribuyendo en lo que le tocara a la incorporación del mierda al grupo.

Hasta que un día, ella se hartó, decidió que hasta aquí habíamos llegado, y tomó cartas en el asunto, aprovechando la primera ocasión para abrirle, generosamente, los ojos a la criatura. Fue un ratito en que se quedaron solos, en una cafetería, mientras Miguel y Juan buscaban entradas de reventa para ver *El templo maldito*. María, echándose hacia atrás, sobre la espalda, su larga mata de pelo negro, sano, brillante, cuidado, le preguntaba al *Barbas* «¿cómo te llamas de verdad?», y él contestaba «¿yo?, Ángel», sin dejar de masticar su sandwich mixto, y ella, acodándose sobre la mesa, con expresión de hermana buena y valiente que corta por lo sano, añadía «¿y por qué no le mandas de una vez a la mierda, Ángel?», y la criatura, aquello tenía narices, de verdad, era para reírse si no fuera para llorar, dejaba el sandwich, se limpiaba con una servilleta de papel, y la miraba a los ojos para soltar «yo no mando a la mierda a nadie, tía. Si él me necesita, aquí estoy». ¡Si él me necesita, decía! ¡Madre mía, si él me necesita...! ¡Y lo decía tan convencido!

Cuando se lo contó a Juan, Juan sonrió y comentó que puede que *el Barbas* no anduviera tan descaminado. Y María empezó a pensar que estaban todos locos.

...Y a tener miedo. Sí, a tener miedo de perderlos a todos, y de quedarse sola, ella, la mejor, la esplendorosa, la única. Acababa de cumplir diecinueve años, pero ya le parecía haber dejado atrás la etapa más importante de su vida, aquélla en que podía jugar con buenas cartas. Por eso tuvo miedo. Y empezó a no hacerse notar, a decir que sí a todo, a complacer, a no molestar, a comportarse como si fuera muy, muy buena, y a sentir que la vida era algo así como masticar ceniza.

A veces se encontraba con la mirada de Miguel, esa mirada que parecía verla a través, y ya no era irónica. Hasta le pareció que le tenía lástima. En otro momento, no habría podido soportar, no habría tolerado cosa semejante, pero ahora ya...

Y un día, Miguel la estaba esperando a la salida de la Facultad, con su «Seiscientos» costroso, y sin *el Barbas*, «quiero hablar contigo». La llevó a su casa, aquel piso de los Quirós, en la calle Almagro, aquella casa que ella conocía tan bien. No había nadie. Cayetana y los padres comían por ahí, cada uno cerca de su ocupación, de su trabajo, como comían las otras niñas, las pequeñas, en el colegio, y ellos no tenían servicio fijo... Una asistenta, sí, como ayuda, pero eso de que haya una persona en casa, conviviendo contigo sin convivir, y teniéndote que servir, francamente... Miguel la tomó de la mano mientras cruzaban el vestíbulo y el salón, y el largo pasillo hasta llegar a su habitación, y cerró tras ellos de un portazo, como si no estuvieran solos, como si hubiera alguien a quien informarle de algo con el portazo, y le preguntó a bocajarro «¿hasta cuándo crees que tienes que hacer durar esto?». Ella estaba aturdida, «¿durar qué?», y él se echó a reír...

Ay, María, María...

... aunque no era una risa alegre, la suya. Y como ella le seguía mirando, asustada, si hasta le temblaban los labios, por Dios, él le tomó dulcemente la cara entre las manos y le dijo «Te quiero. Y tú a mí, también». Y entonces sucedió algo impensable y fue que María se echó a llorar. No voluntariamente, no. No como tantas veces, sabiendo muy bien lo que se hacía y por qué. Lloraba como una loca, poniéndose feísima, y haciendo un ruido como de asmática, de lo menos romántico del mundo, mientras él seguía diciéndole cosas como «eres la hija de puta más grande que he conocido, y además, eres tonta, egoísta, y vulgar, pero te quiero, te quiero, te quiero...», y así, llorando los dos como dos cretinos, fue como hicieron el amor por primera vez. Por primera vez el uno con el otro, y en realidad, por primera vez con nadie, porque lo que habían hecho hasta entonces, no era el amor ni cosa parecida.

Después cayó sobre ellos una extraña paz y un extraño silencio. Había que decírselo a Juan.

Y los dos tenían miedo de decírselo a Juan. Miguel, miedo a perder su amistad; María, miedo de perder a Miguel. «Se lo dices tú», «no, guapa, se lo dices tú. Y luego yo, claro, qué remedio. Luego hablo yo con él, pero primero tú... Porque sí, porque es así, y porque si nos tiene que mandar a la mierda, si me tiene que mandar a la mierda a mí, lo tendrá más fácil si se lo dices tú».

No estaba contento de sí mismo y, por lo tanto, no estaba contento. Y María tenía miedo.

Pero cuando se lo dijo a Juan, Juan reaccionó como siempre, como un señor. Como un señor al que le sorbían de pronto toda la sangre de las venas sin que dejara de ser un señor. Y, sin embargo, luego, mientras María informaba a Miguel del resultado, elegante y positivo, de su confesión, Miguel no pareció alegrarse mucho, ni sentirse mejor que días atrás, «no sé cómo no me da asco hasta mirarme al espejo... ¿Le has dicho que era muy importante...?». No le había dicho nada. ¿Es que no lo era, no era importante...? «Yo le diré que no, que tú y yo somos así, un par de veletas, que no hay quien nos ate a una cosa seria...». ¿Es que era eso, aquello no era una cosa seria...? «Así le importará menos, ¿entiendes...?». No, no entendía. Y tenía miedo. Le parecía haber vivido un momento de esplendor, que pagaría durante el resto de su vida con la soledad y la tristeza.

En la Facultad estaban ya de vacaciones, y Juan se había ido a la sierra con su familia, no se veían. Pero Miguel le contó un día que había ido a verle, a él, allí, en su casa. No, no le había llamado, se había presentado él, a primera hora de la mañana, y Cayetana le había acompañado hasta el cuarto de su hermano, temiéndose una pelea seria porque, claro, Cayetana, ya estaba al cabo de la calle. Pero, no. Al contrario. Juan quería asegurarse de que aquella historia, que aceptaba... al fin y al cabo, no era importante, ¿no...?, no estropearía su amistad, la de los tres, y Miguel había tenido que contenerse, que hacer un verdadero esfuerzo para no echarse a llorar de alivio, «¿me hubieras sacrificado a mí, de tener que sacrificar a alguno de los dos?». Él se la había quedado mirando con sorpresa por la pregunta, sorpresa y cansancio. «No...» «¿No...? ¿Seguro que no...?». Ay, María, María... No.

Entonces, era verdad que la quería. Era verdad que el mundo no era como ella pensaba. Era verdad que ella era tonta, mala y vulgar, y no sabía nada de nada. La vida empezaba entonces. Había que repreguntarse cómo eran sus padres, sus hermanas, sus amigos, la gente, el mundo, ella misma, y la misma vida, había que replantearse todo desde el principio.

Pasado Año Nuevo, harían un viaje con Juan, en el coche de Juan. Parecía un poco chocante, qué dirían sus hermanas, qué dirían sus amigas, pero lo habían proyectado antes de que pasara nada de esto, y... además, si había que replantearse todo desde el principio, lo que no había es que andarse con prejuicios tontos, precisamente. Harían un viaje con Juan, sin nadie más, y desde luego, sin *el Barbas*.

Porque *el Barbas* era un problema pendiente, un problema serio, y no por ella, que ya estaba dispuesta a cualquier sacrificio, sino porque Miguel ya estaba cansado, ya era consciente de lo poco que podía hacer por el pobre desecho, lo mucho que le agobiaba, que le incomodaba, que le estorbaba, aunque le había tomado cariño, claro que sí, y él lo adoraba, eso estaba claro. Le habían puesto en tratamiento, «interno, no, tío, que eso es la leche, pero ya verás, yo, si me lo propongo...», y el padre de Miguel le había encontrado un trabajo, «veremos lo que le dura, pero en cualquier caso...», y además, le habían invitado a pasar las Fiestas con ellos, en familia, porque el pobre chico no tenía a nadie, y ya que haces una cosa... Además, total, Cayetana se iba a la nieve después de Navidad, las pequeñas, a casa de los abuelos... Se quedaría hasta Reyes, «que es cuando empieza a trabajar, de limpiabotas, en el bar de unos amigos, y hasta puede revender lotería, que eso deja muchas propinas. El chico habla de estudiar alguna cosita, ya ves tú, lo que oye..., claro que si él se porta bien, y se siente capaz, pues...».

Miguel, que lo estaba aguantando ahora el día entero, que lo tenía que llevar con él a todas partes mientras estuviera en su casa, tenía los nervios deshechos y no veía el momento de perderlo de vista aunque... «este mundo tiene que cambiar, tiene que cambiar, esto no puede ser una cosa aceptada, ¿no lo entiendes? No puede haber gente así, vidas así, no tenemos derecho...». Y María hacía esfuerzos sobrehumanos para asimilar que, efectivamente, el mundo tenía que cambiar, que aquello no sólo era triste, y desagradable, sino antinatural, y que no tenían, tenían, tenían, ella-no-tenía, derecho a cerrar los ojos y a pasar de largo, felicitándose por tener más suerte, y preocupándose exclusivamente de sus amores o de cosas así... «porque no somos inocentes por el mero hecho de no hacer daño, ¿qué es hacer daño...?», hasta que un día de aquéllos, de las vacaciones de Navidad, llegó la carta de Juan, y saltaron en pedazos todos los cristales del mirador.

El mundo le empezó a dar vueltas, mucho más que el día aquél, glorioso, en que se había sentido elegida por los dioses porque Miguel la quería, y era el único que la conocía bien, pero la quería... Miguel, que ahora se iba con *el Barbas*, con el asqueroso, absurdo, patético y repugnante *Barbas*, dejándola sola con aquella carta espantosa, en la que Juan explicaba largo y bien clarito, que Miguel era el amor de su vida, el muy maricón, ¡el muy maricón...! La había usado, a ella, el muy maricón. A ella. Y ni siquiera como a una tapadera, como a un trapo, durante todos aquellos meses, y ahora, encima, quería quitarle el novio, como si fuera una rival, no, si era para reírse si no fuera para llorar...

Pero, eso sí. De ésta, se quitaba a Juan de en medio para toda la vida. Adiós interferencias, adiós carabinas, adiós conversaciones profundas, y chorradas. Adiós, Juan, adiós, *Barbas*, y de paso, de una barrida, adiós al resto. Una pareja son dos contra el mundo, los demás están bien de adorno, pero son extraños, tienen que pedir permiso para entrar, y no hay que dárselo, además... La amistad, la amistad..., pamplinas... Mira tú en qué se queda a veces la famosa amistad... Eso no existe. Ella y Miguel, Miguel y ella, ella con Miguel, Miguel con ella, y los demás, de visita. En el fondo, le había venido Dios a ver.

Aquella misma noche, casi de día ya, el teléfono alarmó a toda la familia Alsina. Era Cayetana Quirós, disculpándose mucho, no eran horas de molestar, desde luego, pero es que los padres estaban preocupados, Miguel no había vuelto a casa, ni había llamado, no habían vuelto ni él ni *el Barbas*, ya sabes que está estos días con nosotros, a ver si les ha pasado cualquier cosa... Pensamos que a lo mejor tú sabías..., que a lo mejor habíais trasnochado en casa de alguien, qué sé yo... María explicó que ella no sabía nada. Se habían separado temprano, en el pub... Que la llamara Miguel cuando llegara, que ella también se quedaba preocupada.

Y se quedaba preocupada, mucho más de lo que nadie podía suponer.

Si Miguel no había ido a casa, después de leer aquella carta, ¿adonde había ido...? ¿Sería posible que hubiera ido a reunirse con Juan...? *El Barbas* era lo de menos, *el Barbas* besaba por donde pisaba Miguel, iría donde él fuera, haría lo que él le pidiera, ése sí que taparía... ¿Taparía...? Taparía, taparía... pero, no. No podía ser. No. Miguel, no.

Miguel no llamó durante toda la mañana, y cuando apareció fue en su casa, en la de ella, en la de María. La llamó desde una cabina, «¿puedes bajar...?» «puedes subir tú...» «no quiero ver a nadie...» «ahora mismo no hay nadie en casa, mi madre se ha ido a la compra, con la chica...».

Venía como de la guerra, lleno de magulladuras, manchado de sangre, gris como la ceniza, sujetándose un brazo... Quería un café y una aspirina, quería un jersey decente para poder acercarse a un dispensario a que le vieran el brazo, y quería llorar. Estaba deshecho, y estaba asustado, muy asustado, «le han matado, Mari, le han matado... no te puedes imaginar...».

¿Pero, quién, dónde?

Cuando le dijo dónde, una sensación helada le recorrió el cuerpo. Así que había ido. Había ido a la sierra... «Y Juan, qué ha hecho Juan...?» «Juan no sabe nada, no llegamos a encontrar su casa...».

Pero había ido.

«No fue por nada, por rechazo, en el fondo por lo mismo que sentimos nosotros por él, ¿te das cuenta...? Se nos echaron encima, con el primer pretexto, bueno, se echaron encima de él, a mí me sujetaron, y por más que yo...».

Había ido.

María le ayudó a asearse, le buscó un jersey que pudiera ponerse, le acompañó al dispensario, contaron la historia que ampliarían después: un coche, un golpetazo de refilón...

—Ahora, hay que sacar el «Seiscientos» de allí. Lo aparqué en la plaza.

—Iré yo.

—No. Iré yo. Buscaré a Juan, le contaré el follón, y que lo saque él. El es de allí, le conocen, y nadie tiene por qué relacionar mi «Seiscientos» con lo del *Barbas*... supongo. En fin, que Juan decida... Le han matado, Mari, ¿te das cuenta? Por nada, por mala leche, porque sí, por odio..., a patadas, a golpes contra aquella piedra... Si no estaba muerto cuando se lo llevaron, ya lo estará... Pobre *Barbas*... Es como si lo hubiera matado yo, ¿no te das cuenta...? ¿No te das cuenta?

No. No se daba. Ni le importaba. Sólo le importaba que habían ido allí. Él, Miguel, había ido allí. No le importaba que *el Barbas* estuviera en la UVI, en la cárcel, o en el basurero, del que nunca debió salir, no le importaba aquella mirada indignada y aterrorizada de Miguel, aquella mirada como de haber descubierto el infierno y no saber cómo contárselo a nadie.

Sólo le importaba que había ido allí a ver a Juan.

—¿Y por qué no te has ido derecho a una comisaría, o al cuartelillo, lo que fuera...? No entiendo nada, ¿sabes?

Él había tragado saliva, mirado en torno, como dudando en si confiar en ella o no, porque era eso, estaba clarísimo, con Juan no dudaba, no, «que él decida», pero con ella...

—Uno de esos hijos de puta es hermano de Juan, me apostaría la cabeza.

—¿Cómo que te apostarías? Si es hermano de Juan, le conoces. Como yo.

—A éste, no. Éste no está nunca en Madrid, es el que vive en la sierra, el que está enfermo, o no sé qué.

—¿Rafa?

—Estoy casi seguro de que era él, tiene toda la pinta, el sello de la casa.

—Pues, hablando de casas, te advierto que en la tuya están con el susto puesto. Ellos sí que habrán llamado a las comisarías.

Pero, no. Habían llamado a los hospitales, pero a las comisarías, no. Por *el Barbas* más que nada. Aunque él decía que no tenía antecedentes a saber...

A los Quirós se les contó la misma historia, el accidente, que Miguel se había asustado... Los padres no entendían. ¿Asustado? ¿Por qué? Ahora sí que parecería sospechoso que fuese a contar los hechos, pero tenía que hacerlo, ¿eh? El padre le llevaría en su coche con mucho gusto, el padre le...

Miguel dijo no. No necesitaba que su padre le acompañara. Podía ir él solo, en un taxi. Se acercaría al cuatelillo y lo explicaría todo. Él solo.

Con Juan.

María entendió que Miguel quería salvar a Juan de la quema, a Juan y a la familia de Juan. Quería advertirle, quería verle. Como aquella noche.

Quería verle.

Porque aquella noche había ido, había ido a verle.

Había ido.

Y ahora, lo que más le preocupaba era no meterle en un lío.

La prueba fue que volvió del famoso pueblo sin haber hecho nada. En su casa salió con otra idiotez, con que no había ninguna autoridad en el cuartelillo, con que los números le habían sugerido volver luego, otro día, una idiotez. A ella, en cambio «es su hermano, Mari. He visto la casa, y he visto a sus amigos, allí, con él... Es aterrador, son críos. Unos críos que han matado a este pobre ser, únicamente por...».

Y efectivamente, lo habían matado.

Ángel murió en la unidad de cuidados intensivos, en la mañana del día 28.

Al día siguiente, algunos periódicos y alguna radio recogieron la noticia, porque era una cosa rara, un chico sin familia, sin amigos, que aparecía muerto a golpes junto a una carretera solitaria, en un pueblo, en la sierra, una cosa rara.

Los padres de Miguel insistieron seriamente en que tenía que presentarse y aclarar las cosas, él dijo que sí, que lo haría, cuando pasaran las fiestas, que le dejaran en paz ahora... Y como estaba nervioso, y cansado, y a disgusto consigo mismo y con la vida, lo dijo muy mal, en muy mal tono, y su padre se molestó, y su madre se dolió, y la cosa empezó a agriarse, a agriarse, y María, que estaba allí, de novia modosa, de novia modosa y buena, empezó a sentir como aquella acritud, aquella tensión la iban llenando poco a poco de un extraño gozo, le iban caldeando la sangre en las venas, casi como si se fuera excitando para el amor. Comprendió que llevaba incubando aquella fiebre varios días, y que sólo estaba esperando el mejor momento, la mejor ocasión. Sin saber muy bien cómo, igual que si lo hubiera ensayado cientos de veces, se encontró sacando de su bolso la carta de Juan, la famosa carta de Juan de la que no se había separado ni un momento, y tendiéndosela al padre de Miguel...

Ay, María, María...

... a la vez que iba desgranando frases monstruosas, llenas de resentimiento y de odio, con aquella misma vocecita dulce y grave de siempre... «¿Y que pasó exactamente? ¿Estabais distraídos en la oscuridad, mientras *el Barbas* vigilaba por si venía alguien? ¿Tan distraídos que no visteis el famoso coche...? ¿Fue eso...?». Le importaba un rábano mentir con él sobre esa historia del coche, la única verdad era la otra, la de ellos, y esa estaba enferma por decirla, así se condenaran todos, así se condenará Miguel, así se condenará ella misma por toda la eternidad, le importaba un rábano... «¿A qué habías ido, corazón, a darle el sí? ¿O la cosa venía ya de antiguo, como yo me imagino...?». Y siguió así, durante un rato, mientras el padre, demudado, le pasaba la carta a la madre, y Miguel la miraba a ella fijamente, sin entender, como si se hubiera vuelto loca, y le decía, «cállate...» «¿Te quieres callar...?», mientras ella seguía, y seguía, como una muñeca obscena repitiendo atrocidades que nunca se creyó capaz de decir.

No se dio cuenta hasta después, de que Miguel la zarandeaba, no se dio cuenta hasta que vio cómo el padre lo apartaba de ella, zarandeándolo a su vez, abofeteándolo, perdidos los nervios... «¿Es que te has vuelto loco...?». Como si no parecieran locos todos, a esas alturas, él mismo, tan progresista, tan joven, tan moderno, tan camarada para sus hijos, arrancándole a Miguel aquel pendiente de oro, bueno, de oro, bañado en oro y gracias, pobre *Barbas*, no le llegaba para más, que había sido su regalo de Navidad, porque «tú sí que eres un amigo, tío», y que Miguel no había tenido más remedio que ponerse para no ofenderlo.

Cuando se le pasó el ataque de nervios, el padre y Cayetana llevaron a María a su casa, en un espeso silencio.

Y no volvió a ver a Miguel en mucho tiempo.

Estuvo a punto de subir al entierro del hermano de Juan, a la sierra, como subieron tantos compañeros de la Facultad, pero no se decidió. Primero, le importaban muy poco el hermano de Juan, el mismo Juan, y el sursum corda, y luego, estaba segura de que esta vez hubiera acabado por darle un ataque de risa.

El escándalo que se armó con la muerte del hermano de Juan, con aquel chico de la colonia que lo había matado, borracho, durante una fiesta, aquel chico que, por lo visto, era también quien había matado al *Barbas* días atrás, y que se había confesado culpable de todo sin problemas, las hablillas sobre todo el asunto, no le inspiraron ni curiosidad. A ella sólo le importaba una cosa, y era que Miguel había estado celebrando la Nochevieja en la sierra, en casa de Juan Gabriel Alvar.

Luego ella tenía razón.

Después del entierro, después de que la Policía cerrara el caso y dejara en paz a los que no habían tenido responsabilidad en el feo asunto, Miguel se había ido con Juan a aquel famoso viaje.

Luego ella tenía razón.

Y no se habían ido quince diítas, no. No se trataba de aprovechar las vacaciones, como en el plan que habían hecho juntos, y que parecía ya más viejo que el mundo, se trataba de un viaje largo, de un señor viaje, porque no volvió a ver a Miguel por la Facultad hasta finales de febrero.

Luego ella tenía razón.

Aunque..., ¿de qué le servía tener razón? ¿De qué le servía que le dieran la razón? La razón, en ese sentido, quería decir tan poco como ganar una partida de parchís. Quedar por encima, decir la última palabra, vengarse... todas esas expresiones que en el fondo sólo quieren decir yo, yo, yo. Era como correr desesperadamente, con el corazón a punto de estallar en el pecho, para estrellarse contra un alto muro de piedra detrás del cual no hay nada. Un triunfo idiota, y tan doloroso como respirar arena. Yo tengo razón, yo, yo, yo, yooooo... A mí se me debe consideración y respeto, a mí, a mí, a mí, a míííí... Los demás están ahí para servirme, para que yo me sirva de ellos, me, me, me, meeeee... Ecos de su propia soberbia. Pasión solitaria.

Y así fue como se sintió durante aquellos meses, terriblemente solitaria. Fueron amargos, pero más positivos que toda su existencia anterior, porque aunque no era muy inteligente, ni se había esforzado nunca en desarrollar ese potencial de su personalidad, la tristeza la volvió reflexiva, y de nuevo le hizo preguntarse si la presencia de un ser vivo en el Universo no debería, tal vez, plantearse de otra manera que desde el propio centroególatra de sus apetencias.

De entre todos los seres humanos que habían poblado su vida, sólo había querido realmente a uno, a Miguel. Y la única impronta que había sabido dejar en su vida, había sido la del mal. Intencionadamente le había hecho daño. Porque no era exacto que le quisiera, no, no era verdad, no había sabido quererle. Miguel-para-María, eso era lo que ella había querido, en realidad, eso era por lo que había luchado denodadamente, con todas sus armas. Miguel-para-María, no Miguel. Y si no podía ser para María, que no fuera, que fuera destruido, ésa había sido su postura, como la de una niña que rompe una muñeca porque no le pertenece... Bueno, Maribel Alsina había hecho eso mismo, alguna vez, años atrás. Él no era así, en cambio, él se volcaba hacia fuera, él buscaba, equivocándose, cayéndose, cayéndose, pero buscaba... Por eso había recogido al *Barbas* de entre un montón de mierda, y le había estado dando vueltas no sabiendo qué hacer con él, y sin querer soltarlo. Por eso ahora, estaba con Juan. Por eso y por nada más. Seguramente era así, contra todas las conveniencias, a pesar de todas las apariencias, y todas esas leyes que a él le importaban un rábano. A Juan le habían caído demasiadas cosas encima, y él le brindaba su apoyo y su amistad, porque le quería. Él si sabía querer. Estaba casi segura de que era eso... Tenía que ser eso.

Hubo días en que, curiosamente, se encontró echando de menos incluso al pobre *Barbas*, como a un perro entrañable y compañero, al que hubiera habido que bañar y quitar las pulgas.

Hizo una intentona de aproximación a Cayetana, un poco como dando palos de ciego, porque todas estas sensaciones se producían en ella, confusas, en un plano más instintivo que racional, y cuando Cayetana no aceptó, cuando le dio, suave pero firmemente de lado, lo aceptó sin rencor.

Durante aquel lapso de tiempo estuvo a veces en la frontera de algo. Como Miguel le decía algunas veces, tomándole el pelo... «Mira que es lástima, pensar que sólo te ha faltado un hervor para nacer ser humano...».

Y un día, él estaba otra vez ahí, esperándola a la salida de la Facultad.

Como aquel otro, aquel día glorioso. También esta vez estaba solo, y también tenía abierta la portezuela del coche, que ya no era su viejo «Seiscientos», abollado, chirriante, mal pintado a mano. Era un «R-5 Turbo» rojo. Como el de Juan.

Bueno, era el de Juan.

Se lo había vendido, prácticamente por nada, porque él no volvía a España. Sí, claro que vendría de vez en cuando, en vacaciones y esas cosas. Sobre todo a ver a los padres, que ya eran viejos, y habían pasado mucho, pero pensaba vivir por ahí, vagabundear, ver mundo y escribir. Sí, quería ganarse la vida escribiendo, él lo llamaba testimoniar. Decía que era la única forma que encontraba de participar en esta sopa. De momento, le financiaban, claro, aún no había conseguido el premio Nobel... ¡Ah, publicar, sí! Ya le habían publicado un par de cuentos. Y hasta se los habían pagado... ¿Dónde estaba ahora? En Ginebra. Se había quedado en casa de su hermano Gonzalo, el diplomático, al regreso de Jerusalén... ¡Jerusalén...! Sí, habían estado en Jerusalén... Bueno, parecía un buen sitio a conocer, si uno pertenecía a la civilización cristianoccidental, ¿no...? Tenía que contarle despacio, claro que sí... ¿Ahora? Ahora le tocaba echarle codos al asunto si quería aprobar el curso entre junio y setiembre. Además, pensaba matricularse en otra carrera... Sociología... Ya, ya, donde tenía influencias su familia era en la enseñanza, pero no se trataba de influencias, sino de vocación... No, no era una palabra rimbombante, era lo que era... No, no había tirado años a la papelera, en esa papelera servía todo... ¿Sus padres? Bien, muy bien, ¿los de ella...?

Al verle, María se había acercado y había subido al coche sin comentarios, con una sonrisa que le fue correspondida, y mientras el motor arrancaba, y ellos se dirigían hacia el centro, por entre el tráfico habitual, la conversación había fluido natural y sin escollos, en un impensable decíamos ayer, hasta su casa, donde él había vuelto a abrir la portezuela del coche, para que ella bajara... «¿Te llamo luego y tomamos algo por ahí...?» «¿Y los codos...?» «Mañana...» «Entonces no llames, quedemos...».

Quedaron para después y antes de que María bajara del coche, se besaron, decíamos ayer.

María cruzó la calle hacia el portal de su casa.

Y en ese corto trecho, en ese breve espacio de tiempo, se decidió su vida, su paso sobre la tierra.

Seguramente, eso que llamamos «la vida cotidiana» no existe, en realidad. Seguramente, llamamos así a la fina capa con que cubrimos el misterio, y que no sabemos ver, ni levantar. A veces, una situación límite, o un estado interior particularmente intenso, la arrancan brusca y temporalmente, como a la funda de un mueble de valor cuya auténtica forma habíamos olvidado, pero siempre vuelve a caer, sobre todas las cosas, como una neblina, engañándonos, protegiéndonos de la aventura de estar vivos.

Si María hubiera sido capaz de saber que en aquel momento podía elegir entre dos caminos, si hubiera sentido algo más que la infinita felicidad de haber recuperado su juguete, quizás hubiera tomado aquél que casi intuyó durante sus meses de soledad, pudo haber crecido.

Pero no creció.

Miguel había vuelto, le había vuelto, y eso sólo significaba para ella que ya no tenía por qué sufrir, que ya podía estar tranquila, que había ganado. Naturalmente, tenían que hablar, ella tenía que saber, que aclarar cosas. No iba a despedirle, dijera lo que dijera, eso, no. No, porque ella era una mujer moderna, inteligente, de hoy, y estaba por encima de muchas cosas, aunque no fueran un plato de gusto, precisamente.

—¿Qué es lo que me estás preguntando, si me acostaba con él? ¿O si me acosté con él?

Para empezar, ella no entendió la diferencia. Pero es que además le parecía indignante la cara de cachondeo absoluto con el que puntualizaba semejante cosa, la misma cara de cachondeo que...

Ay, María, María...

—Quiero saber si hubo algo entre Juan y tú. Quiero saberlo, para no volver a hablar nunca más de ello, simplemente.

Paseaban por un idílico y solitario Retiro invernal, aún color herrumbre, y olor a leña quemada. Y él era un chico guapo, y ella era una chica preciosa. Y vivían una historia seria, con perfiles graves, importantes. Y ella era magnífica. Generosa y magnífica.

—Pues, sí. Me acosté con él. Y podemos hablar de ello todo lo que quieras.

—No. No volveremos a hablar de ello nunca más.

Las hojas secas crujían bajo sus pies, y el silencio era dulce. Y ella era magnífica, magnífica...

Curiosamente, la revelación la había sorprendido un poco, porque había esperado que le dijera lo contrario, fuera o no verdad, pero no la disgustaba tanto como hubiera sido normal suponer. Ella decidió que no la disgustaba excesivamente porque era buena, quería a Miguel, y sabía perdonar. Además, si él había estado a punto de ir por mal camino, bueno, pues ella le llevaría por el bueno.

Ella le llevaría.

Le llevaría.

Ella le llevaría donde quisiera, porque él acababa de darle un arma, y eso era lo que la reconfortaba tanto.

Tenía un arma contra él, la tendría siempre.

Estaban otra vez en Navidad, habían vivido toda una primavera, un verano y un invierno, cogidos de la mano, estudiando, haciendo el amor, y hablando, él de una cosa y ella de otra, aunque las palabras parecieran las mismas.

Si había tardado tanto tiempo en formular aquella pregunta, había sido porque quería hacerla en el momento justo, crucial, porque hasta entonces había estado preparando el terreno, y equilibrando fuerzas, haciendo sólida, muy sólida, su situación frente a ambas familias... Mira, que se casen, porque si no acabarán yéndose a vivir juntos, y para el caso va a ser lo mismo, sólo que peor... Y la niña es feliz, no hay más que verla que parece otra. Se les ayuda y en paz... El próximo verano ya tendrá veinte años, ya puede decirse que es un hombre. Claro que sería mejor que se fueran a vivir juntos, sin más, pero la familia de ella, ya sabes cómo es.... ¿Y qué más da, al fin y al cabo? Si no le va bien, ahí está el divorcio... Además... acuérdate. Sí, acuérdate. Déjale que se case, más vale así...

Ahora se sentía capaz de llevar, de una vez y para siempre, el timón de la barca.

—Supongo que no se le ocurrirá venir a pasar aquí las Fiestas.

—Pues supones mal, llegará cualquier día.

—Muy bien, pues que conste que no le veremos.

—No tienes por qué verle, si no te apetece.

—Miguel, he dicho «no le veremos». En plural.

—Te he oído.

—En el mismo momento en que vuelvas a ver a ese, no me vuelves a ver a mí, ¿está claro...? Pues tenlo por sabido.

Se había detenido en medio del paseo solitario, y lo decía muy firme, vuelta hacia él. Enérgica, pero sin perder la compostura. ¡Y él seguía sonriendo, con aquella expresión...!

Ay, María, María...

—Juan es amigo mío. Y a mí me gusta ver a mis amigos, Mari.

—Pues que te deje de gustar, porque eso se acabó. No hay «mis amigos», ¿entiendes? O son «nuestros» amigos o no son nada.

—Tú no tienes amigos.

Era la tranquilidad de él, precisamente, lo que iba haciendo trastabillear la suya, lo que la iba sacando de quicio.

—¡Ni nadie!

—Yo, sí. Y tú los tendrías, si quisieras.

—¡Pues no los quiero!

—Eso ya lo he visto. Desde que te conozco... Pensé que podías cambiar...

María empezó a preocuparse al oír esa frase. Era una frase espantosa, una frase que sugería inestabilidad. Y él seguía mirándola, y ya sin sonreír, con una expresión de tristeza en los ojos, quietos los dos, solos, frente a frente en aquel camino de tierra, rodeados de árboles centenarios, en aquel viejo paraíso cansado, engastado en medio de la gran ciudad, como un recuerdo, o como una advertencia.

—... pero desde que volví no has hecho otra cosa que intentar secuestrarme, y hablar de sofás... ¿Pues sabes qué? Que se acabó, María. Yo quiero vivir de otra manera.

Se acabó. Había dicho «se acabó». Bueno, no era más que una frase. Todas las parejas discuten, no tenía mayor importancia. Y ella podía sacarle partido a la situación, podía capitalizarla en su favor.

—Muy bien, pero si se acabó, se acabó del todo, que conste... Lo que sí te digo es que para contarlo vamos a esperar a que pase Nochevieja, total es una semana.

Miguel se echó a reír.

—¿Y eso por qué? ¿Para hacerlo simbólico, año nuevo, vida nueva?

—No seas imbécil...

Ella volvió a caminar, y él la siguió, a paso tranquilo.

—... hemos prometido ir a la cena de mi hermana, no le vamos a hacer esa faena.

—¿Es una faena?

—Pues claro. Tiene los cubiertos justos.

—¡Ah...! Yo nunca dije que fuese a ir, ¿no?

—Porque no lo habíamos hablado.

—Exacto, no lo habíamos hablado.

—No me parecía que hiciera falta.

—Claro... Me gustaría saber qué hubieras dicho tú, si yo te hubiera propuesto ir a la fiesta de *MI* hermana... ¿Sabes que también da una, en casa?

María torció el gesto. Las relaciones entre Cayetana y ella no habían vuelto a reanudarse nunca, primero porque Cayetana la miraba con recelo, y luego, porque ella misma, María, no quería hermanitas entrañables entre ella y Miguel... Lo que no sabía era que él se hubiera dado cuenta tan claramente.

—Habérmelo dicho antes.

—Tampoco hacía falta. Entre otras cosas, porque ni contaban conmigo, ni yo pensaba estar. En Nochevieja, tengo una cita, en otra parte.

María volvió a detenerse en seco, indignada.

—¿Que tienes qué?

—Una cita.

—¿Y me lo dices así?

Miguel se puso definitivamente serio. Tomó a María de la mano, la llevó hasta un banco, se sentaron, y él empezó a hablar. Le contó cosas que ella no entendía, cosas de la vida, de cómo era la vida, de cómo debería ser, según él, cosas de la gente con la que él podía entenderse, y convivir, de la gente con la que no, le habló de momentos que para él eran «estelares», como el título del libro aquel, cosas idiotas que maldito lo que tenían que ver con aquel momento de ellos, y con su enfado, porque ella seguiría llamándole enfado, o problema, pero no pensaba llamarle ruptura, hasta ahí podíamos llegar, con lo que había sufrido, le contó cosas como que su hermana Rocío, la más pequeña, cuando había tenido la primera menstruación había ido a informarle a él antes que a nadie, y no era un niña asustada, ni vergonzosa, sino una princesa recién encumbrada a un alto rango, que se había abrazado a él..., ahora ya soy una mujer que puede tener hijos, ¿verdad...?, para luego irse los dos a comer por ahí, a celebrarlo, antes de comunicárselo a la familia en pleno como dos mensajeros de triunfo, o como cuando su padre le repetía un párrafo de algún libro que estuviera leyendo, porque quería llevarle con él al mismo lugar privilegiado en el que se sentía en ese instante..., escucha, escucha, qué maravilla, lo que dice aquí este tío..., o el día aquel, en que su madre lloraba como una desesperada porque tenía que sacarse tres muelas y ponerse un aparato de esos, un puente..., y ya no soy joven, Miguel, ya no soy joven, nunca volveré a tener estas muelas..., y habían acabado riéndose los dos, como dos idiotas, a cuenta de las muelas, y le habló del *Barbas*, del incómodo y triste *Barbas*, y del espanto que aún le producía no haber sabido romper el cristal que le separaba de él, mientras él le hacía, hasta el final, desesperadas señas desde el otro lado, y de la noche aquella, en Jerusalén, que era un sitio como otro cualquiera, más exótico, bueno, puede, pero como otro cualquiera, donde la gente estaba tan empapada de vida cotidiana como en todas partes, porque el misterio no hay que buscarlo en la geografía exterior, María, no seas idiota, la noche aquella en el hotel de Jerusalén, en que él se había sentido como santa María Egipcíaca ante su amigo maravilloso y frágil y hecho una piltrafa a pesar de su inteligencia y de su fortaleza, sí, claro que se podía ser fuerte y frágil, claro que sí, hecho una piltrafa porque no podía evitar sentirse culpable de la muerte de su hermano, y de la muerte del pobre *Barbas*, porque nada habría ocurrido si él no hubiera escrito aquella carta, nada hubiera ocurrido si él no fuera... y Miguel se había metido en su cama a media noche, porque le había oído llorar, ahogándose contra la almohada, y le daba igual que le dieran por el culo, ¿entiendes?, le daba igual... no, tú que vas a entender... con tal de que Juan saliera de una vez de ese pozo imbécil de vergüenza en el que se había metido, y el otro había encendido la luz, y le había mirado como nadie le había mirado en la vida, ni seguramente le volvería a mirar, y había sonreído, y todo lo que había dicho era... esta cama es muy estrecha para dos, me estás molestando... y luego, sin más comentarios había pasado a contarle que también él, una vez, había querido hacer una buena obra semejante con una chica, una chica espléndida que le quería, pero en vez de una buena obra había hecho el indio, porque no era eso lo que la chica quería de él, por lo menos no era lo más importante, y otra vez, igual, otra vez se había ido a los sanfermines, que le horrorizaban, por su hermano Rafa, sólo por su hermano Rafa, y su hermano, aunque lo había entendido, le había mandado a la mierda, y había hecho bien... así que vete a dormir, y no me des el coñazo con tus complejos mesiánicos... y él se había ido a dormir, con la misma sensación de rozar con los dedos el velo de la eternidad, la misma que había sentido aquella noche, la Nochevieja anterior, en casa de Juan, con aquellos críos... no, no puedo explicártelo, es prácticamente imposible, pero fue glorioso, ¿sabes?, glorioso... hasta justo antes de que un resentido, unególatra, un pobre hijo de puta, matase a Rafa Alvar, queriendo matarle a él, sólo porque no le entendía, sólo porque quería echarle del corro. ¿Qué? ¿Por qué había vuelto a buscarla? Porque la quería, evidentemente. La había querido tanto...

La había querido.

La había.

... que había creído que algún día aquella chispa humana que había visto en ella incendiaría todo lo demás. Pero era inútil, durante meses, había ido comprobando, día a día, que era tan estéril y tan fría como un rescoldo al que le hubieran echado un jarro de agua... y tú a mí no me das por el culo, ¿ves?, así no, así no me dejo...

Se había ido.

Se había ido después de poner un segundo la palma de su mano sobre la mejilla de ella, sin animosidad, como una dulce despedida a algo que no había podido ser, y después de decir algo terrible, terrible...

—Adiós, Maribel.

Le fue muy fácil a ella, a María, a Maribel, sentada en su banco, muy digna, mientras encendía un cigarrillo, para darse tiempo, para darse actitud, a la vez que le miraba alejarse por aquella alameda en la que apenas se filtraban los rayos del sol, comprender, por fin, que se iba para siempre.

Lo que no entendió fue que ella ya no sería nunca nada. No porque había perdido a un hombre, sino porque se había perdido a sí misma.

22

¡Mi reino por un café...! No es una cursilada, es una pedantería. Venga, haz un café... Pues busca, tiene que haber cafetera y cosas por ahí, en los estantes. Recuerdo que había... Además, tú conoces esto mejor que yo, es tu club... ¿Lo ves? El año pasado no hacía tanto frío. El calor humano, supongo... por llamarle algo. Me hace raro verte ahí delante. Por un lado, me parece que nos hubiéramos visto ayer mismo, y por otro... has cambiado tanto... No sé si mejor, y además, me da igual... No he venido para ver si estás más guapa... Bueno, sí, estás más guapa..., aunque tú no eres guapa, ¿sabes?... Ah, bueno, si quieres me voy... Pues me quedo... Me hace raro verte ahí delante, me hace raro que estemos aquí, y... Bueno, no sé. Quiero decir que no sé muy bien de qué hablar, ni cómo, para empezar, ya me entiendes... ¿Me entiendes? ¿Sí? Qué maravilla... ¿Más mayor? Pues, no. La verdad es que pareces aún más cría, aunque a lo mejor es que yo no me acordaba bien... Este sitio también me parece muy distinto. Más pequeño, o... no sé si más pequeño, distinto... A ver, ¿de qué hablamos...? Lo que sí podemos hacer para romper el hielo, nunca mejor dicho, joder, qué frío, es analizar por qué hemos venido... Bueno, tú ya me lo has dicho. Mal que bien, pero me lo has dicho. Pues yo, para ser sincero, te diré que no pensaba venir. Vamos, ni pensaba, ni no pensaba, no me lo había planteado. Dijimos aquello, en el cuartelillo, cuando tu madre vino por ti, «en el mismo sitio, en Nochevieja», porque tú te ibas a Irlanda, y yo..., yo ni sabía lo que iba a ser de mí en aquel momento... La verdad es que creí que me iban a meter en la cárcel... No sé, tengo manías de grandeza, siempre me lo dicen... Bueno, el caso es que estamos aquí los dos... ¿Sabes por qué he venido, en realidad? Para comprobar si venías tú... No, no estoy diciendo ninguna tontería. Si te acordabas, si venías, era que realmente valía la pena conocerte mejor. Tomarse en serio una cita como ésta es una garantía de..., garantía es una palabra asquerosa, quiero decir que es una manera de atreverse a ser romántico sin pasar vergüenza, ¿no?, salirse del cliché sin importarte que te tomen el pelo... Claro que esta cita también es un cliché, pero por lo menos, es otro. Más valiente... ¿Igual que Rafa...? Puede. Según su hermano teníamos mucho en común... ¿Juan? Está muy bien, en Ginebra. No, no vendrá hasta el verano, han ido los padres a verle... ¿Quieres saber algo más...? No sé... ¿De lo que decía? Ah, sí, que esto de ir sorteando obstáculos también tiene sus peligros, y además, es cansadísimo... Muy fácil, si te pasas la vida intentando no hacer lo que a ti te parece que quieren que hagas, sólo por eso, sólo por no dejarte manejar, puedes caer en la trampa contraria, y ser igual de borrego. No tiene muy buena Prensa esto que digo, pero últimamente voy de honesto por la vida y largo lo que pienso, a tumba abierta. A quien le gusto, bien, y a quien no..., pues mira, que le vayan dando... Yo también he pasado por la etapa de querer gustarle a todo el mundo, pero era demencial. Se acabó. Me niego a aprenderme catecismos para que me aprueben. De pequeño me pasaba con mis padres, luego, cuando me entró la rebelión filial y en casa estaba en plan provocón, fue peor, porque quería gustarle a mis amigos, como fuera, a costa de lo que fuera. Y estaba pendiente de lo que les podía gustar que dijera, de cómo me admirarían más, o de cómo dejarían de lamerme las botas si les fallaba en algo. Siempre alguna Inquisición, hasta que me harté. Reivindico mi derecho a equivocarme, según me indique mi modesta conciencia... ¿De qué te ríes? No te crees para nada que sea modesta mi conciencia, ¿verdad?... No, en serio, que me llamen lo que quieran, que me pongan las etiquetas que quieran, yo tengo que ir por mi camino, que bastante me cuesta buscarlo. Y por supuesto, también me niego a que me hablen amablemente de que «asumo mis contradicciones», esa es otra frase asquerosa que han puesto de moda. Yo no me contradigo. A veces contradigo a los otros, y les jode. Hay que ver lo que le jode a la gente que la contradigan. No, a mí, no. ¿No te digo que me da igual...? ¿Cuándo empecé? No sé, son cosas que te van trabajando por dentro, poco a poco. Un día te das cuenta de que la vida no es un fotograma congelado, ni una película que te den ya hecha, para que la mires, la vida se mueve, se transforma, empieza en cada momento. Por eso hay que saber estar empezando siempre... No, nada de ser un inadaptado, al contrario.

Se trata de estarse adaptando siempre, de estar siempre preparado para que te lo cambien todo. O para cambiarlo tú... Está muy bueno tu café, ¿sabes...? Reconforta... Eso es, reconforta... Sí, esa palabra sí me gusta.

23

Mari Ángeles se arregla la cola de caballo que le ha crecido a lo largo de todo un año, y recoge los cazos y la cafetera para llevarlos hasta la bañera de las calcomanías. Los va a lavar, así se le queden las manos moradas, porque aunque seguramente ya nadie vendrá más al garaje, al club, por lo menos nadie que importe, a ella le parece más decente dejar las cosas como estaban.

Cuando se incorpora, Miguel la mira y sonríe. Hace mucho que se ha roto el hielo entre ellos.

Mari Ángeles lleva allí desde por la mañana, porque aunque habían dicho «Nochevieja», ella no sabía muy bien a qué hora podía ser exactamente, eso en el suponer de que llegase a ser a alguna hora, y ha pasado mucho frío, mucho, esperando sin saber si esperaba algo, hasta que él llegó, después de muchas horas, y gracias a que se le ocurrió lo del café, a ella no se le había ocurrido, si sería tonta. En realidad, no había pensado en moverse de junto al brasero para nada, como si estuviera haciendo una guardia de vida o muerte.

Mientras ella friega, Miguel enciende un cigarrillo y se queda mirando el abeto que pintara Chus, un año atrás.

—¿Habéis sabido algo de él?

—¿De Jose?

—Claro.

—Yo, no. Bueno, supe que le habían metido en ese sitio, pero me juego lo que quieras a que es por enchufe. Ese no está loco para nada, ese es un hijoputa, pero de loco, nada...

Se encoge de hombros y cierra un momento los ojos, en un gesto extraño, como si quisiera expresar que no le gusta lo que está diciendo.

—Bastante tiene encima también... —añade—. Cris sabrá algo, supongo, es su prima. Yo es que no he visto a ninguno de los de aquí desde el año pasado. Este verano, mi madre me llevó a Italia, y luego a la playa, se gastó un pastón conmigo. Creo que la pobre pensaba que me tenía que compensar de algo. Consolarme, ¿entiendes?

—Sí.

Se hace un silencio, y los dos vuelven a pensar en Jose.

—¿Te acuerdas, qué perra cogió con que fuéramos a entregarle todos? ¿Cómo nos lo pedía por favor? ¡Y teníamos que ser todos...! Como si fuera una ceremonia...

... como un guerrero antiguo, deshonrado y maldito para siempre, desterrado de todo y de todos, arrancadas las insignias una a una, para siempre en la sombra, para siempre en la soledad o en la locura, para siempre manchado de la sangre sagrada de su hermano, condenado para la eternidad, condenado a sí mismo y a no entender jamás que la sangre del hermano es la de todos, cabizbajo detrás del cortejo lento, anonadado, que lleva los despojos del príncipe, en alto, como sobre un escudo, desparramados los miembros igual que las velas quebradas de un barco frágil desmantelado por la tormenta, y él, detrás, sin que le dejen tocar-

lo, confundiendo ya el rostro amado del muerto, con aquel otro rostro muerto del esclavo que nadie llevó en andas, que nadie honró, que nadie veneró... «tenéis que ir a entregarme todos...».

—... como si fuera una ceremonia.

—Y lo era. No sé si él lo sabía o no, pero lo era.

—Qué desastre de tío.

—Sí, qué desastre... Siempre pidiendo un padre a gritos, el concreto, el abstracto, cualquiera que le evitara ser libre.

—Pues ahora ya estará contento.

—Sabe Dios cómo estará... Y hablando de ceremonias, ¡pobre *Barbas*! ¡Estuve yo fino, viniendo aquí aquella noche, a organizarle un funeral!

—Fue una misa de gloria.

Él levanta los ojos y los fija en la niña, sorprendido ante lo que dice, ante cómo lo dice, igual que cuando la conoció.

—¿Ah, sí?

—Lo que importa es la intención... Hace un rato lo decíamos, ¿no? No hay que suponer que va a ser fácil. Pero aquella noche lo intentamos. Lo intentamos todos, hasta Jose. Sí, el también lo intentó. Y hubo un momento...

—... Cuando empezamos a bailar.

—¿Te acuerdas?

—Claro. «¡Como el rey David!» —le remeda él, sonriendo—. Fue un momento mágico... Bueno, tampoco me gusta la palabra mágico, estoy un poco harto de ella. Sin embargo sí que fue un momento...

—¿Sagrado? —sugiere Mari Ángeles, secándose las manos.

Pero Miguel ya no le está haciendo caso, se ha puesto en pie, y se ha acercado al abeto pintado de colores.

—¿No tendrás una tiza? —pregunta de pronto.

—Pues, no, como comprenderás... Tengo una barra de labios, si te sirve.

Él se vuelve a mirarla, sonriendo.

—¿Tienes una barra de labios?

—Sí, ¿qué pasa?

—Nada. ¿Me la dejas?

Ella hurga en su bolsón, y le tiende el lápiz de labios.

—Aquella noche, yo empecé a creer en algo —comenta Miguel, mientras borra, con una manga del jersey, parte de la pintada—, algo que me quitó de golpe las neuras, los muermos, las dudas, todo. Empecé a darme cuenta de que era posible, de que podíamos estar al principio de un tiempo, y no sólo al final de otro... No creo que haya momentos sagrados, Ángeles. Bueno, sí que los hay, claro que los hay, pero no nacen como las setas. Si son sagrados, es porque los hacemos sagrados... Y está bien suponer que sí, que se puede. Bueno, no suponer, quiero decir saberlo. Está bien saber que se puede.

Mientras él pintarrajea, ni se sabe qué, con el lápiz de labios, que casi no tiene color, y por eso tiene que insistir tanto, Mari Ángeles, a su espalda, se suelta la goma que le sujeta el pelo, se arrodilla sobre el colchón del balancín, junto al brasero, y se va quitando la ropa, sin levantar los ojos, hasta quedarse completamente desnuda.

—Por favor —murmura sonriendo—, ¿quieres hacer el amor conmigo?

Miguel se vuelve y la contempla asombrado, admirado. Se le acerca, se acomoda a su lado, le acaricia el cabello, se besan. Y cuando se separan un momento para que él también se despoje de toda su ropa, Mari Ángeles ve, entonces, la nueva pintada en la pared, bajo el árbol... «los noventa son nuestros...».

—¡Los noventa...! —susurra en su oído, mientras él la abraza—. ¿Tan tarde crees que va a ser?

Miguel ríe suavemente, la estrecha más contra sí.

—¡Ojalá fuera tan pronto...! Pero no te preocupes, Ángeles. En cualquier caso, está al caer.

24

...no sabría explicártelo, nunca he sabido contar bien estas cosas. Bueno, ni las otras tampoco, pero en fin... Yo me imagino hace muchos, muchos siglos, miles de siglos, cuando en el hombre, en su cerebro o donde fuera, estallara la chispa que le hizo subir este escalón en el que nosotros estamos ahora. Digo «en el hombre», pero serían «muchos hombres», ¿verdad? Muchos, y tampoco todos. Quiero decir muchos a la vez, pero no todos a la vez, una cosa así como una epidemia buena, y se sentirían así, nerviosos como una mujer que está pariendo, que lo está pasando fatal pero sabe que... (me acabo de dar cuenta de que esto de la mujer pariendo lo dice la Biblia, ¡total, ayer!, pero como siempre me lo habían explicado de otra manera, no se me había ocurrido relacionarlo), bueno, que no sabían lo que les estaba pasando, pero estaban locos porque les pasara de una vez, porque no podían más, y porque sabían que podía ser una cosa buena. Y me levanto cada mañana como esperando algo, como el día de Reyes, cuando era pequeña, ¡unos nervios, una ansiedad!, y salto de la cama, y me echo a la calle mirándolo todo mucho, no sé, como si a la vuelta de la esquina fuera a chocar con Jesucristo, que me dijera, tal cual y muy sonriente, «pues, sí, mira, ya estoy aquí, ya he vuelto», o me fuera a dar de manos a boca con un ovni que ocupara toda la Plaza Mayor, o yo qué sé, tú ya me entiendes. Ya sé que es verdad eso que me dices tú en tu carta (por cierto, gracias por decir que las mías te gustan y que las esperas con impaciencia, ¡aunque si las esperas con tanta impaciencia, podías contestar más a menudo, y no una de cada cuatro!, pero, bueno, no quiero ponerme borde en Navidades), eso que me dices del milenarismo, digo, y de aquellos ingenuos que esperaban el fin del mundo, o la Segunda Venida. Yo ya sé que no es eso. Yo sé lo que es. Lo sé de una manera un poco rara, como si hubiera pasado por un pueblo medio dormida y muy de prisa, pero, aún así, supiera que existe y que yo lo había visto, y que no me habían dejado quedarme. No tiene por qué ser algo que vaya a ocurrir «fuera» de la gente, sino precisamente dentro de cada uno. En fin, que conste que ya aclaré a tiempo que no lo iba a saber explicar, yo no sé escribir como tú, que escribes muy bien. Gracias por los cuentos, me han gustado mucho, y es estupendo que te los hayan publicado. Yo, por fin, voy a hacer Medicina, me apetece, y me parece que se pueden hacer tantas cosas siendo médico... Como poder, se pueden hacer siendo lo que se sea, ya lo sé, pero me gusta la idea. Claro que primero tendré que aprobar dos cursos y la selectividad, y al paso que llevo... No entiendo muy bien eso que estudias tú, ahí, en Ginebra, ya me lo contarás, ¡porque esta vez me tienes que contestar en seguida y no como siempre! ¿No te acuerdas de que yo soy el faro entre las tormentas? Pues al faro hay que tenerlo contento, para que no se apague (Esto de los ejemplos es fatal, ¡se dicen unas tonterías!).

Me preguntas en tu carta si sé algo de la gente de la sierra. De los tuyos, de la gente de tu pandilla quiero decir, no estoy muy enterada, porque en Semana Santa no subimos, y este verano casi no vi a nadie, me dio por no salir de casa, y por tomar el sol, y por leer y por hacer punto, que me ha enseñado mi madre y es muy entretenido, relaja. Si quieres, te *hago un jersey. No me cuesta trabajo, ahora siempre hago punto cuando veo la televisión. Mis tíos, con su drama, tampoco subieron, como comprenderás, y tampoco aparecieron por allí la enana y su madre, tenían la casa alquilada a unos americanos, que se pasaron el verano haciendo barbacoas. ¡Ah! Te cuento un cotilleo y una cosa muy bonita. Chus y Laura se han enrollado, como se veía venir (debería haber puesto que se han hecho novios, pero ya no lo tacho que queda horrible), pero fue poco antes del verano, porque hasta entonces Laura estuvo muy fastidiada. Dicen que lo de aquella noche le hizo una impresión muy fuerte, y que si la edad, y la pubertad, y no sé qué gaitas, total, que tuvo una depresión horrorosa y estuvo en una clínica y todo. Mi madre dice que ella sabe de muy buena tinta que esa niña se intentó suicidar y que los padres no lo quieren decir, y que por eso estuvo en una clínica, pero ya sabes que mi madre es muy novelera. Bueno, el caso es que estuvo. En una clínica, quiero decir. Y ahora viene la cosa bonita, y es que Chus le mandaba todos los días una rosa. Una rosa roja. Pero no es eso lo más bonito, aunque sí que lo es. Es que a Laura le mandaba una rosa roja todos lo días, y todos los días (eso lo sé porque lo vi yo misma un fin de semana que subimos, y porque me lo han contado en el pueblo) llevaba una rosa roja al cementerio, a la tumba de Rafa. Son cosas de las que a lo mejor habría hecho él, tu hermano, ¿verdad?, pero parece como si a Chus no le pegara una cosa así. ¡Y no veas lo que le importa el cachondeo que se han traído algunos en el pueblo a cuenta de la rosa! Ya sabes cómo son. Habrían entendido que subiese a rezarle, o a hacerle visitas, al principio, como la familia, ya que eran amigos y él vive en el pueblo, tan a mano, pero lo de la rosa... ¡Se me estaba olvidando algo muy importante! Se me estaba olvidando una cosa que te quiero comentar antes de acabar de una vez esta carta que me va a costar en sellos más que un hijo tonto, que además quiero echarla hoy mismo para que te llegue durante las fiestas. Me gustaría que te llegara justo el día de Nochevieja, pero no sé si será pedirle* a Correos mucha sensibilidad, en fin, yo quiero creer que sí. De todas formas, si te llegara antes, vuelve a echarle un ojo el día de Nochevieja, ¿de acuerdo? Para que recuerdes, precisamente en ese día, que te deseo con toda mi alma la felicidad. ¡Ah! Por cierto, haz el favor de hablarme más de Jean-Paul y no así de pasada, como si caminaras sobre brasas. ¿Cómo es, qué hace, cuántos años tiene? O sea, todo. Creí que habíamos quedado en confiar el uno en el otro. Yo también te contaré cuando me enamore, o tenga una relación o algo. Pero me estoy yendo otra vez por los lo cerros de Úbeda, he dicho que te quería comentar una cosa de tu carta. Es eso del superhombre. Efectivamente, no he leído a Nietzsche, y tampoco me daba tiempo antes de contestarte a la carta, así que me he leído el diccionario. No es mucho, pero al que da lo que tiene... Ninguno de nosotros habló nunca de «voluntad de poder», ¿verdad que no? Y desde luego, ninguno creía en que hubiera razas superiores a otras, ni siquiera individuos superiores a otros, así que tú, tranquilo. En cuanto a lo otro que leo en el diccionario, sobre replantearse todo constantemente y volver a empezar desde cero si hace falta, yo, francamente, estoy de acuerdo. Y tú también. Me lo dijiste aquella noche, a mí, a mí solita, antes de que nos reuniéramos con los demás en aquella larga conversación maravillosa: «La gran morralla desaparecerá, pero lo bueno quedará», una cosa así, ¿te acuerdas? Así que lo dicho: tú dedícate a testimoniar, como le llamas a tu trabajo, que eso está muy bien, y no aquello que te dio de no querer participar en nada. Estamos aquí, ¿no? Pues algo habrá que hacer. Yo sólo te digo una cosa: cuando yo sea médico, mis enfermos sabrán que pueden cogerse fuerte, fuerte de mi mano... ¡Y otra cosa todavía antes de terminar!, un favor que te quiero pedir, es una medicina que me pide mi padre que le compres, unas vitaminas o no sé qué que sólo venden ahí, en Suiza, ¿no te importa? No sé si serán tan buenas como dice, ni si servirán para nada, pero como a el le hace ilusión, mira, se llama...

25

Poco antes de las doce, de una noche cuajada de estrellas, Miguel y Ángeles salen de la finca de Alvar, arrebujados los dos en la zamarra de él, camino del reloj de la plaza, para poder oír las campanadas, y terminar las cosas como Dios manda.

Una vez más, en el garaje, en el club, se ha celebrado un rito de sangre, pero esta vez es un rito de gozo, y los oficiantes se hallan investidos de gracia.

Después de las campanadas, solitarias, porque a esa hora, en la plaza, ya me contarás, no correrán ni los gatos, con el frío que hace, sería bueno poder comer algo en algún bar que encontraran abierto, antes de ir por el coche para volver a Madrid, a ver si hay suerte...

Pero no hace falta. Porque al bajar, carretera adelante, camino de la vieja plaza del pueblo, entre la luz de las estrellas, blanca y fría, y la luz amarilla, tenue, de las pocas farolas, va perfilándose hacia ellos, caminando con desgalichada elegancia y porte altanero, gran cesto sobre la cadera, una alta figura de cabellos crespos, largos, exuberantes, como los de una reina africana. Casi a su nivel, casi a su paso, la sigue un escudero rubiasco que lleva en las manos un par de botellas de champán.

Son Chus y Laura.

Así que los habían visto.

Desde hace horas, saben que están allí, pero han esperado, han sabido esperar. A lo mejor, también están los otros, aunque... Claro que están. Allí o donde sea.

Están.

Los otros están por todas partes, esperando.

Este libro se terminó de imprimir el 29 de enero de 2010, coincidiendo con el 150 aniversario del nacimiento del dramaturgo y cuentista Antón Chéjov, en los talleres de la Imprenta Luque (Córdoba).